DU MONDE ENTIER

JONATHAN COE

Expo 58

ROMAN
TRADUIT DE L'ANGLAIS
PAR JOSÉE KAMOUN

GALLIMARD

DU MÊME AUTEUR

Aux Éditions Gallimard

TESTAMENT À L'ANGLAISE

LA MAISON DU SOMMEIL

LES NAINS DE LA MORT

UNE TOUCHE D'AMOUR

BIENVENUE AU CLUB

LE CERCLE FERMÉ

LA FEMME DE HASARD

LA PLUIE, AVANT QU'ELLE TOMBE

LA VIE TRÈS PRIVÉE DE MR SIM

DÉSACCORDS IMPARFAITS

Aux Éditions Gremese

JAMES STEWART

Aux Cahiers du cinéma

HUMPHREY BOGART

Aux Éditions Quidam

B. S. JOHNSON : HISTOIRE D'UN ÉLÉPHANT FOUGUEUX

Du monde entier

JONATHAN COE

EXPO 58

roman

Traduit de l'anglais
par Josée Kamoun

GALLIMARD

Titre original :

EXPO 58

À papa, qui n'aura pas pu le lire jusqu'au bout.

« Savez-vous, j'incline à croire qu'il y a une explication rationnelle à tout ça. »

NAUNTON WAYNE à BASIL RADFORD
dans *Une femme disparaît,* 1938.

« Dès le jour de l'ouverture, le Pavillon américain avait été converti en arme d'espionnage contre l'Union soviétique et ses alliés. »

R.W. RYDELL, *World of Fairs*

NOUS ATTENDONS TOUS BRUXELLES AVEC IMPATIENCE

Dans une note datée du 3 juin 1954, l'ambassadeur de Belgique à Londres transmettait au gouvernement de Sa Majesté une invitation. Elle le conviait à participer à une nouvelle Foire mondiale, que les Belges appelaient l'Exposition universelle et internationale de Bruxelles 1958.

Cinq mois plus tard, le 24 novembre 1954, l'Angleterre présentait à l'ambassadeur son acceptation officielle lors d'une visite à Londres du baron Moens de Fernig, que le gouvernement belge venait de nommer commissaire général de l'Exposition, le chargeant ainsi de toute l'organisation de son déroulement.

Ce serait le premier événement de cette nature depuis la fin de la Seconde Guerre mondiale. Il se tiendrait au moment où les nations européennes impliquées dans cette guerre s'acheminaient chaque jour davantage vers une coopération voire une union pacifiques — et au moment où les tensions politiques entre l'OTAN et le bloc soviétique atteignaient leur paroxysme. Il se tiendrait dans une phase d'optimisme sans précédent quant aux avancées scientifiques récentes dans le champ du nucléaire — et dans une phase où cet optimisme se trouvait tempéré par une anxiété sans précédent elle aussi quant aux conséquences si lesdites avancées devaient servir des fins destructrices plutôt que pacifiques. Emblématique de ce formidable paradoxe, se dresserait à l'épicentre de l'Exposition une énorme structure de métal appelée l'Atomium ; conçue et dessinée par André Waterkeyn, ingénieur belge né en Angleterre, elle mesurerait plus de cent mètres de haut et sa forme évoquerait celle d'un cristal de fer grossi cent soixante-cinq milliards de fois.

L'Exposition avait pour vocation de faciliter la comparaison entre les multiples activités des peuples du monde dans le domaine des arts et des sciences, de l'économie et de la technologie, précisait la lettre d'invitation originale. Elle présenterait donc une vue encyclopédique des réussites actuelles, tant spirituelles que matérielles, ainsi que des aspirations ultérieures d'un monde en mutation rapide. Son but ultime était de contribuer à promouvoir l'unité du genre humain, dans le respect de la personne humaine.

L'Histoire ne nous dit pas comment le secrétaire d'État aux Affaires étrangères britannique réagit en découvrant ces mots solennels, toutefois Thomas faisait l'hypothèse que, devant la perspective de quatre ans de stress, de tiraillements et de dépenses, il avait dû laisser échapper l'invitation, se prendre la tête à deux mains et bougonner : « Nooon, mais quels emmerdeurs, ces Belges ! »

Thomas était peu porté au bavardage. C'était son trait distinctif. Il travaillait au Bureau central de l'Information, situé sur Baker Street, et derrière son dos ses collègues le surnommaient parfois Gandhi parce qu'il y avait des jours où l'on aurait cru qu'il avait fait vœu de silence. En même temps, et derrière son dos toujours, certaines secrétaires le surnommaient Gary, parce qu'il leur rappelait Gary Cooper, tandis qu'une faction rivale, lui trouvant une ressemblance plus marquée avec Bogarde, l'avait baptisé Dirk. Du moins s'accordait-on à le trouver bel homme, mais il aurait été bien étonné de l'apprendre, et, muni de cette information, il n'eût guère su qu'en faire. Sa gentillesse et sa modestie frappaient ceux qui le rencontraient, et ce n'était que plus tard, éventuellement, qu'ils décelaient sous le masque de ces vertus une assurance à la limite de l'arrogance. Entre-temps, on le décrivait le plus souvent comme un type très bien, du genre sans prétentions et fiable.

En 1944, il était entré à l'âge de dix-huit ans au Bureau qui s'appelait encore ministère de l'Information. Il avait débuté au courrier, et monté les échelons sûrement — mais très très lentement, en quatorze ans — jusqu'à son grade actuel de rédacteur adjoint. Il avait aujourd'hui trente-deux ans, et le gros de son travail consistait à rédiger des brochures de santé et de sécurité publiques pour apprendre aux piétons à traverser les rues sans risque, et aux enrhumés à garder pour eux leurs microbes. Certains jours, quand il considérait son enfance et ses débuts dans la vie — son père tenait un pub —, il estimait qu'il ne s'était pas trop mal débrouillé ; d'autres, il trouvait sa besogne fastidieuse et dérisoire, il avait l'impression de faire du surplace depuis des années, et alors il lui tardait de bouger.

Bruxelles leur avait donné un coup de fouet, c'était indéniable. Le Bureau s'était vu attribuer la responsabilité intégrale du Pavillon britannique, ce qui avait aussitôt déclenché une frénésie de grattage de tête et d'interrogations métaphysiques pour définir cette notion fuyante à rendre fou : l'identité britannique. Que voulait dire être britannique, en 1958 ? On n'en savait trop rien. L'Angleterre s'enracinait dans la tradition, c'était un fait acquis : ses traditions, le monde entier les admirait et les lui enviait, avec son panache et son protocole. Mais, en même temps, elle s'engluait dans son passé : bridée qu'elle était par des distinctions de classe archaïques, sous la coupe d'un Establishment porté au secret et indéboulonnable, l'innovation l'effarouchait. Bref, à vouloir définir l'identité britannique, fallait-il plutôt se tourner vers le passé ou vers l'avenir ?

Un vrai casse-tête ; et les quatre ans qui précédèrent l'Expo 58, le secrétaire d'État ne fut pas le seul à marmonner dans le secret de son bureau : « Quels emmerdeurs, ces Belges ! » lors des longs après-midi où les réponses se faisaient attendre.

Quelques mesures positives furent cependant prises, on désigna pour concevoir le Pavillon britannique James Gardner, dont les idées s'étaient si souvent révélées fécondes lors du Festival de l'Angleterre, sept ans auparavant. Il présenta bientôt un édifice géométrique dont tous louèrent la juste mesure entre modernisme et continuité. L'Angleterre aurait le privilège d'occuper un emplacement très avantageux dans le parc des Expositions, sur le plateau du Heysel, à trente kilomètres au nord de Bruxelles. Seulement voilà, qu'y mettre ? L'Exposition attendait des millions de visiteurs venus des quatre coins du monde, pays d'Afrique et bloc soviétique compris. Dans cette parade des réussites nationales, Américains et Soviétiques, c'était couru d'avance, n'hésiteraient pas à déployer l'artillerie lourde. Pour tirer le meilleur parti de cette immense scène mondiale, devant un public aussi curieux que divers, quelle image l'Angleterre allait-elle donner d'elle-même ?

Apparemment, personne ne connaissait la réponse. Mais, de l'avis général, le pavillon de Gardner serait une réussite esthétique. Et, si tant est que ce fût une consolation, un autre point ralliait tous les suffrages : ces visiteurs, il faudrait les nourrir et les désaltérer et, puisqu'il en était ainsi, quoi de mieux qu'un pub pour exprimer le caractère national ? Ce qu'il fallait, c'était en construire un à proximité du Pavillon. Pour faire bonne mesure, et lever toute ambiguïté, on l'appellerait Le Britannia.

Cet après-midi-là, à la mi-février 1958, Thomas relisait les épreuves des brochures qu'il avait contribué à composer et qui seraient vendues devant le Pavillon : *Images du Royaume-Uni*. Il s'agissait d'un petit recueil de textes, agrémentés de gravures signées Barbara Jones. Il était en train d'en corriger la version française.

Le Grand-Bretagne vit de son commerce. Outre les marchandises, la Grande-Bretagne fait un commerce important de « services » : transports maritimes et aériens, tourisme, service bancaire, services d'assurance. La « City » de Londres avec ses célèbres institutions comme la Banque d'Angleterre, la Bourse et la grand compagnie d'assurance « Lloyd's », est depuis longtemps la plus grand centre financier du monde.

Il se demandait si le « la » de la dernière phrase était une faute, et devrait être remplacé par un masculin lorsque son téléphone sonna. C'était Susan, du standard, qui lui annonçait cette nouvelle surprenante : Mr Cooke, directeur des Expositions, voulait le voir dans son bureau. À quatre heures, cet après-midi même.

La porte était entrouverte, et de l'autre côté il entendait des voix. Des voix fluides, policées, cultivées. Des voix d'hommes de l'Establishment. Il leva la main pour frapper, mais l'appréhension retint son geste. Depuis dix ans et plus, il les entendait tout autour de lui, dans son métier. Pourquoi hésiter à présent, la main presque tremblante devant le panneau de chêne ? En quoi la situation était-elle différente ?

Encore intimidé après toutes ces années…

« Entrez », entendit-il en réponse à son grattement rendu ténu par la déférence.

Il inspira un bon coup, poussa la porte et entra. C'était la première fois qu'il était reçu dans le bureau de Mr Cooke, pièce imposante comme de juste, univers sobre et apaisant — mobilier de chêne et cuir rouge, avec deux immenses fenêtres à l'anglaise descendant presque jusqu'au sol, qui donnaient au loin sur la cime des arbres de Regent's Park, battus par le vent. Mr Cooke était assis à son bureau avec à sa droite, du côté de la fenêtre, Mr Swaine, son adjoint. Debout devant la cheminée, son crâne chauve gris-rose impitoyablement reflété par le miroir doré, se tenait un homme que Thomas n'identifiait pas. Son costume sombre en laine peignée et son col blanc rigide ne pouvaient guère le renseigner, même s'ils étaient en parfaite harmonie avec la cravate bleu marine, discrètement relevée par un écusson qu'on pouvait reconnaître sans risque comme oxfordien ou cambridgien.

« Ah, Foley ! » s'écria Mr Cooke en se levant, main tendue dans un geste de bienvenue. Thomas la serra mollement, plus déconcerté encore par cet accueil démonstratif. « Merci d'être passé. C'est rudement chic de votre part. Je me doute que vous aviez du pain sur la planche, cet après-midi. Vous connaissez Mr Swaine, bien sûr ? Et voici Mr Ellis, du Foreign Office. »

L'inconnu fit un pas en avant, main tendue — une main que Thomas sentit circonspecte, dépourvue d'élan.

« Très heureux de faire votre connaissance, Foley. Cooke m'a beaucoup parlé de vous. »

Allons donc, se dit Thomas. Il lui rendit sa poignée de main en inclinant la tête, faute de trouver que répondre, et finit par s'asseoir face à Mr Cooke qui l'y invitait du geste.

« Alors voilà, commença le directeur des Expositions, Mr Swaine me dit que vous avez fait du bon travail sur le projet de Bruxelles, de l'excellent travail.

— Merci », balbutia Thomas, adressant à Swaine un petit salut qui se voulait aussi une façon de prendre acte du compliment. Puis, forçant un peu sa voix, car il avait compris qu'on attendait qu'il poursuive, il ajouta : « Ça a été un défi, un défi stimulant.

— Ah, nous attendons tous Bruxelles avec impatience, dit Swaine, je vous en réponds.

— C'est d'ailleurs pour parler de Bruxelles que nous vous avons demandé de venir. Swaine, il vaut mieux que ce soit vous qui le mettiez au courant. »

Swaine se leva alors, et se mit à arpenter le bureau, mains derrière le dos, tel un professeur de latin qui s'apprête à débiter les temps d'une conjugaison.

« Comme vous le savez tous, commença-t-il, la contribution britannique à l'Exposition se divise en deux parties. Il y a le Pavillon officiel du gouvernement, qui est notre bébé, ici au Bureau. Nous sommes sur les dents depuis plusieurs mois, et le jeune Foley ici présent n'est pas en reste, puisqu'il rédige d'innombrables légendes, brochures, fascicules, bref, toute une littérature à l'intention des visiteurs, et qu'il se débrouille rudement bien, sa modestie dût-elle en souffrir. Le Pavillon du gouvernement constitue principalement une présentation historique et culturelle, bien entendu. Nous abordons la dernière ligne droite, à présent, et il nous reste encore quelques boulons à serrer, deux ou trois détails à régler, mais dans ses grandes lignes la forme générale de l'objet est définie ou presque. L'idée, c'est de vendre, ou de projeter, devrais-je dire, une image du caractère britannique. D'un point de vue, d'un point de vue disons culturel et historique, et scientifique, aussi. Tout en gardant bien vivante la mémoire de notre histoire, dans sa richesse et sa variété, nous voulons regarder vers l'aval. Regarder vers l'aval, c'est-à-dire… »

Il laissa sa phrase en suspens, comme s'il avait le mot sur le bout de la langue.

« Vers l'avenir… », suggéra Ellis.

Swaine le regarda, rayonnant. « Exactement. Nous voulons nous tourner vers le passé, mais aussi vers l'avenir. Et d'un même mouvement, si vous voyez ce que je veux dire. » Ellis et Cooke opinèrent à l'unisson. Manifestement, ils n'avaient aucun mal à voir ce qu'il voulait dire. Qu'il en aille de même pour Thomas semblait accessoire, sur le moment. « Et puis, reprit Swaine, il y a le Pavillon des industries britanniques, qui est une tout autre paire de manches. Celui-là, il est monté par British Overseas Fairs, avec l'aide de quelques gros bonnets de l'industrie, et son but est tout à fait spécifique en comparaison. Pour nous, les foires industrielles sont très largement des vitrines. Il y a des tas de sociétés demandeuses, qui paient pour avoir leur stand, donc l'idée c'est de, eh bien, c'est de rafler un maximum de commandes, nous l'espérons. Il semble bien que ce Pavillon sera le seul de toute la Foire à être financé par des fonds privés, et naturellement nous nous félicitons que l'Angleterre ouvre cette voie-là.

— Comment donc ! Un peuple de boutiquiers », dit Ellis. Il avait glissé cette citation à froid, mais son fin sourire trahissait tout de même qu'il n'était pas fâché de l'avoir casée.

Swaine parut passablement interloqué. Pendant quelques secondes, il contempla sans la voir la cheminée qui, en ce sombre après-midi de février, demeurait vide et glacée. Au bout d'un moment, Cooke fut obligé de lui souffler :

« Très bien, Swaine. Alors nous avons le Pavillon officiel, et puis nous avons le Pavillon de l'industrie. Il n'y aurait pas autre chose ?

— Mais oui, bien sûr, s'exclama Swaine, qui se ressaisit aussitôt, et reprit ses déambulations. Il y a autre chose, tout à fait. Quelque chose qui vient se loger exactement entre les deux, d'ailleurs. Naturellement — il se tourna vers Thomas — ce n'est pas à vous que je vais l'apprendre, Foley. Vous savez exactement ce qui vient se loger entre les deux pavillons. »

Thomas le savait en effet. « Le pub, répondit-il, c'est le pub qui se trouve entre les deux pavillons.

— Exactement, dit Swaine, le pub. Le Britannia. Une bonne vieille taverne au charme d'antan, tout aussi britannique que le chapeau melon ou le *fish and chips,* le fin du fin de l'hospitalité à l'anglaise. »

Ellis frémit : « Pauvres Belges ! Alors, c'est tout ce qu'on va leur offrir ? Des saucisses-haricots-purée, et du pâté en croûte rassis, à faire descendre avec une pinte de brune tiède… c'est à vous donner envie d'émigrer.

— En 1949, lui rappela Cooke, on a installé une taverne du Yorkshire à Toronto, pour la Foire internationale du Commerce, et elle a connu un grand succès. Nous espérons bien réitérer ce succès, et même en faire notre profit.

— Les goûts et les couleurs, conclut Ellis avec un haussement d'épaules. Quand je visiterai la Foire, moi, je me mettrai en quête d'un bol de moules avec une bouteille de bordeaux buvable. En attendant, ce qui me tient à cœur — ce qui *nous* tient à cœur, devrais-je dire —, c'est que cette entreprise douteuse soit organisée et supervisée proprement. »

Thomas s'interrogea sur la force de ce pluriel. Au nom de qui Ellis parlait-il ? Du Foreign Office, selon toute vraisemblance.

« Exactement, Ellis, exactement. Nous sommes en phase. » Cooke chercha distraitement un objet sur son bureau et trouva une pipe en merisier qu'il glissa entre ses lèvres sans manifester l'intention de l'allumer. « L'ennui, quant à ce pub, voyez-vous, c'est sa… *provenance**[1]. C'est la brasserie Whitbread qui va le monter et le gérer, ce qui, théoriquement, nous dédouane de toute responsabilité. N'empêche qu'il est bel et bien sur notre site, et que, par conséquent, on ne manquera pas de le considérer comme partie intégrante de la présence britannique officielle. Et ça, de mon point de vue… — il tira sur sa pipe comme si

1. Les mots en italique suivis d'un astérisque sont en français dans le texte *(N.d.T.)*.

elle se consumait joyeusement —, ça pose un problème caractérisé.

— Mais non pas insoluble, Cooke, répondit Swaine en faisant un pas en avant. Nullement insoluble. Il faut seulement que nous soyons présents sous une forme ou sous une autre, histoire de valider le projet, de s'assurer, disons, de sa conformité.

— Tout à fait, reprit Ellis. Par conséquent, concrètement, il faut que nous ayons quelqu'un de chez vous sous la main, quelqu'un sur place, à vrai dire, pour gérer les opérations, ou tout du moins garder un œil sur elles. »

Décidément, je dois être obtus, se dit Thomas car à ce stade il ne saisissait toujours pas ce qu'il venait faire dans ces considérations. Il vit avec une stupéfaction croissante Cooke ouvrir une chemise en papier kraft, et en compulser nonchalamment le contenu.

« Or, justement, Foley, j'ai parcouru votre dossier, et il y a une ou deux choses, une ou deux choses qui m'ont sauté aux yeux. Par exemple, je lis ici — il leva vers Thomas un regard interrogateur, comme si cette information lui paraissait à peine croyable —, je lis ici que votre mère était belge. Est-ce exact ? »

Thomas acquiesça. « Elle l'est toujours, à dire vrai. Elle est née à Louvain, mais elle a dû quitter son pays à l'âge de dix ans, au début de la guerre. De la Grande Guerre, bien sûr.

— Autrement dit, vous êtes à moitié belge ?

— Oui, mais je ne suis jamais allé dans le pays.

— Louvain… c'est flamand ou wallon ?

— Flamand.

— Je vois. Et vous maîtrisez le parler du cru ?

— Pas vraiment, quelques mots. »

Cooke revint à son dossier. « J'ai aussi découvert quelques détails sur votre père et son… CV. » Cette fois, il secoua la tête en parcourant les pages d'un œil, comme perdu dans une stupeur mêlée d'un sentiment de regret. « Il est dit ici, il est dit que votre père tient un pub. Est-ce possible aussi ?

— Malheureusement non, monsieur.

— Ah bon ! » Cooke eut l'air partagé entre le soulagement et la déception.

« Il a tenu un pub, en effet, pendant près de vingt ans. Il était patron du Rose and Crown, à Leatherhead. Mais hélas, il est mort il y a trois ans. Il était encore jeune, cinquante-cinq ans. »

Cooke baissa les yeux. « Vous m'en voyez navré, Foley.

— Cancer du poumon. C'était un gros fumeur. »

Les trois autres le regardèrent, ahuris.

« Selon une étude récente, il pourrait bien y avoir corrélation entre la consommation de tabac et le cancer du poumon, expliqua Thomas sans trop se compromettre.

— Curieux, s'étonna Swaine. Je me sens toujours en meilleure forme quand j'ai grillé une sèche ou deux. »

Il y eut un silence gêné.

« Ma foi, Foley, c'est fichtrement dur pour vous. Soyez assuré de notre sympathie la plus vive.

— Merci, monsieur. Il nous manque beaucoup, à ma mère et à moi.

— Euh… il y a cette perte, bien sûr, reprit promptement Cooke, même s'il était clair que ce n'était pas ce dont il parlait au premier chef, mais vous avez notre sympathie quant à vos, vos débuts dans la vie, disons. Entre le pub, et les, les origines belges, vous avez dû vous sentir lourdement handicapé. »

Pris de court, Thomas ne put que le laisser poursuivre.

« Vous avez réussi à entrer dans un bon établissement secondaire public, à ce que je vois, et ça n'est sûrement pas rien. Vous vous en êtes carrément bien tiré, je trouve. Vous êtes d'accord, messieurs ? Le jeune Foley ici présent a fait montre de beaucoup de cran et de détermination.

— Et comment, approuva Swaine.

— Absolument », confirma Ellis.

Dans le silence qui suivit, Thomas se désintéressa tout à coup de la conversation. Ses yeux se perdirent par la fenêtre, au loin, vers le parc. Le temps que Cooke reprenne la parole, il éprouva une furieuse envie de marcher avec Sylvia dans les allées en poussant le landau, attentif à leur bébé, une petite fille plongée dans un sommeil animal et sans rêve.

« Alors voilà, Foley, conclut le directeur des Expositions en refermant le dossier avec un claquement subit autant que décisif, il est tout à fait clair que vous êtes notre homme.

— Votre homme ? dit Thomas, dont les pupilles mirent un certain temps à accommoder de nouveau.

— Eh oui, notre homme à Bruxelles.

— À Bruxelles ?

— Foley, vous nous avez écoutés, oui ou non ? Mr Ellis vient de vous l'expliquer, nous avons besoin de quelqu'un du BCI pour superviser la gestion du Britannia. Nous avons besoin de quelqu'un sur place, sur site, pendant les six mois que dure la Foire. Et ce quelqu'un, ce sera vous.

— Moi, monsieur ? Mais…

— Mais quoi ? Votre père a tenu un pub pendant vingt ans, non ? Vous avez eu tout loisir de vous initier un peu au métier.

— Oui, mais…

— Et votre mère est d'origine belge, pour l'amour du ciel ! Vous avez du sang belge dans les veines. Ce sera une seconde patrie, pour vous.

— Mais… mais, je suis père de famille, monsieur. Je ne vais tout de même pas abandonner aussi longtemps mon épouse alors que nous avons une petite fille encore bébé. »

Mr Cooke eut un geste dégagé. « Eh bien, emmenez-les, si vous y tenez. Mais enfin, très franchement, il y a beaucoup d'hommes qui sauteraient sur l'occasion d'échapper aux couches et aux hochets. Je ne me le serais pas fait dire deux fois à votre âge. » Il jeta un regard circulaire, sourire réjoui aux lèvres. « Alors, c'est entendu ? »

Thomas demanda le week-end pour y réfléchir, ce que Cooke lui accorda non sans étonnement, d'un air un peu pincé.

Il eut du mal à se concentrer sur son travail le reste de cet après-midi-là. À cinq heures et demie, il était toujours en proie à l'agitation. Au lieu de prendre son métro tout de suite, il entra au Volunteer et commanda un demi de bière accompagné d'un shot de whisky. Le pub était bondé et enfumé ; il se trouva bientôt partager sa table avec une jeune brunette accompagnée d'un homme d'âge beaucoup plus mûr, à la moustache militaire. Visiblement, ils entretenaient une liaison et n'en faisaient pas mystère. Lorsqu'il fut las d'écouter leurs projets de week-end et de se faire bousculer par une horde de jeunes musiciens élèves de la Royal Academy, il vida son verre et sortit.

Il faisait nuit depuis longtemps, une nuit d'ores et déjà abominable. Le vent faillit retourner son parapluie. À la station Baker Street, il s'aperçut qu'il arriverait chez lui très en retard, et qu'il s'exposerait à une scène s'il ne téléphonait pas. Sylvia décrocha presque tout de suite.

« Tooting 5511.

— Salut, chérie, ce n'est que moi.

— Ah, salut, chéri.

— Comment ça va ?

— Ça va bien.

— Et Bébé ? Elle dort ?

— Pas pour l'instant. Où es-tu ? Il y a un boucan, autour de toi !

— Je suis encore à Baker Street.

— À Baker Street ? Qu'est-ce que tu fiches ?

— Je suis allé boire un verre en vitesse. J'en avais bien besoin, pour être honnête. J'ai eu une sacrée journée. Cet après-midi j'ai été appelé là-haut, et ils m'ont largué une bombe sur le coin de la figure. Je vais avoir des choses à te raconter, en rentrant.

— Bonnes ou mauvaises ?

— Bonnes, je crois.

— Tu as pensé à passer chez le pharmacien, à midi ?

— Flûte ! Non, j'ai oublié.

— Oh, Thomas…

— Je sais, je suis désolé, ça m'est sorti de la tête.

— Il ne reste plus une goutte d'eau contre les coliques, et elle a braillé tout l'après-midi.

— Tu ne peux pas aller chez Jackson ?

— Ils ferment à cinq heures.

— Mais leur garçon de courses livre à domicile, non ?

— Il faut le demander à l'avance. Je ne peux pas les appeler maintenant, ils ont fermé boutique il y a une éternité. Il va falloir qu'on se débrouille jusqu'à demain.

— Excuse-moi, chérie, je suis un âne.

— Eh oui, tu es un âne. Et tu vas rentrer à une heure impossible.

— Qu'est-ce que tu nous as mijoté ?

— De la *shepherd's pie.* Elle est prête depuis plus d'une heure, mais elle sera encore bonne. »

Thomas raccrocha et sortit de la cabine téléphonique ; mais au lieu de se diriger aussitôt vers les escalators, il alluma une cigarette, s'adossa à un mur et regarda la foule pressée. Il repensait à la conversation qu'il venait d'avoir avec sa femme. Une conversation affectueuse, comme toujours, et pourtant quelque chose le dérangeait. Ces derniers mois, il sentait l'axe de ses relations avec Sylvia se déplacer. C'était l'arrivée de la petite, à n'en pas douter. Certes, la naissance les avait rapprochés d'une certaine manière, et en même temps... Sylvia était tellement préoccupée, à présent, puisque c'était elle qui avait la responsabilité de la petite au quotidien, qui subvenait à ses besoins aussi innombrables qu'imprévisibles. Il ne pouvait s'empêcher de se sentir court-circuité, mis sur la touche, en quelque sorte. Mais qu'y faire ? L'image fugitive qui l'avait traversé dans le bureau de Mr Cooke, celle de leur couple en train de pousser le landau dans Regent's Park, n'était pas dépourvue de relief, mais quel homme fallait-il être pour se laisser dominer par une vision pareille ? Pour préférer se promener dans le parc avec sa femme et sa petite fille plutôt que de faire son chemin dans la société ? Un matin, Carlton-Browne et Windrush l'avaient surpris en train de parler du hoquet de la petite au téléphone avec sa femme et ils l'avaient chambré pendant des jours. À juste titre. C'était indigne de lui, pas sérieux. Dans le monde où l'on vivait, l'homme avait des responsabilités, tout de même. Un rôle à jouer.

Ne pas accepter ce poste à Bruxelles serait de la folie. Lorsqu'il arriva devant sa porte, cinquante minutes plus tard, sa décision était prise. Qui plus est, il avait la ferme intention de ne rien dire à Sylvia. Pour l'instant du moins. Il fallait d'abord qu'il établisse si elle et la petite seraient du voyage. En attendant, il garderait la nouvelle pour lui. Au dîner, il lui raconta que la bombe dont il lui avait parlé au téléphone concernait une augmentation modique de ses droits à la retraite.

LE PASSÉ, C'EST LE PASSÉ

Lorsqu'elle avait fui la Belgique avec sa mère pour se réfugier à Londres, en 1914, elle s'appelait Marte Hendrickx. Mais les Anglais ayant du mal à saisir son prénom et son patronyme, sa mère les avait anglicisés l'un comme l'autre, si bien que, lors de ses dix-huit ans, elle se nommait Martha Hendricks. Depuis le jour de son mariage, en 1924, elle était Martha Foley. Pendant plus de trente ans, son propre nom lui avait paru bizarre, et à présent que l'homme qui le lui avait donné était mort, le sentiment d'être étrangère à elle-même se faisait plus aigu, plus insistant que jamais.

Aujourd'hui, Martha Foley, puisque Martha Foley il y avait, était assise dans l'Abribus où elle attendait patiemment. Il était onze heures trente-deux, et le bus n'arriverait pas avant onze heures quarante-trois. Attendre ne la gênait pas. Elle avait horreur de l'imprévu.

À cinquante-trois ans, cinquante-quatre en septembre, elle aurait pu se faire belle si elle avait voulu. Mais elle avait pris le parti de s'habiller en matrone, vêtements confortables et chaussures plates, d'adopter pour ses cheveux grisonnants une coupe austère (un peu comme celle de la reine mère) en éliminant tout maquillage à l'exception du rouge à lèvres carmin qu'elle appliquait d'une main distraite, avec un nuage de poudre de temps en temps. C'est qu'elle était grand-mère, à présent. La dignité s'imposait.

Martha Foley regardait placidement le ruban de la route, devant elle, les feuillages de sa banlieue, ainsi que les molles rondeurs des collines du Surrey toutes proches. Un matin d'un calme aussi mortel ne pouvait être qu'anglais.

Encore six minutes à attendre. Elle étendit les jambes et poussa un discret soupir d'aise. Elle l'adorait cette quiétude anglaise. Elle ne s'en lassait pas.

À une heure cinq, Thomas se versa un whisky et, prenant le siphon dans le cabinet à liqueurs, l'allongea d'une giclée d'eau gazeuse. À sa mère et à sa femme, il servit un xérès brun foncé.

« Tiens, maman, descends-nous ça. »

Sylvia arriva en se tapotant les cheveux. Elle avait jeté un coup d'œil au rôti, il était presque prêt; il ne resterait plus qu'à s'occuper de la sauce.

« Comment allez-vous, Mrs Foley? demanda-t-elle en se penchant pour embrasser sa belle-mère sur ses joues poudrées. Les bus étaient à l'heure, ce matin, non? Vous savez, dès que nous aurons une voiture, Thomas courra vous chercher à Leatherhead. Vous n'aurez plus besoin de faire ce trajet abominable.

— Ça ne me dérange pas, ça ne me dérange pas du tout.

— Il est bon qu'elle conserve son indépendance », dit Thomas.

Sa mère lui lança un regard perçant. « Je me fais l'effet d'une pièce de musée, à t'entendre. On en reparlera dans vingt ans, quand je serai vraiment vieille.

— De toute façon, répondit Thomas, conciliant, nous ne sommes pas près d'avoir une voiture. Il y en a pour des années avant qu'on ait remboursé les traites du pavillon.

— Ma foi, ce sera de l'argent bien placé, dit Mrs Foley en regardant autour d'elle. Belle maison, que vous avez là. »

Ce commentaire résonna un instant puis, dans le long hiatus qui suivit, le tic-tac de la pendule, sur la cheminée, leur parut assourdissant. Déjà à court de sujets de conversation, Thomas se mit à couler des regards avides au dernier numéro de *The Observer*, qu'il avait été obligé d'abandonner à mi-lecture sur la première table venue. C'était un numéro qui donnait particulièrement à réfléchir. Bertrand Russell y soutenait la campagne en faveur du désarmement nucléaire dans un article bien senti, tandis qu'en regard un éditorial plus mesuré considérait que, avant de condamner hâtivement la prolifération des armes, on ferait bien de se rappeler les avantages colossaux que la technologie nucléaire allait apporter car, au tout premier chef, c'était une source potentiellement infinie d'énergie économique et propre. Thomas n'avait pas encore pris position dans ce débat, et comme il en avait les arguments présents à l'esprit, il aurait aimé les décortiquer avec un interlocuteur. Il aurait pu le faire avec Windrush ou bien Tracepurcel à la cantine du bureau ; mais pas avec Sylvia, trop peu sûre d'elle pour avancer une opinion sur ces questions. Du reste, se disait-il parfois, leurs préoccupations semblaient diverger de plus en plus. C'était fâcheux. Sans attendre d'elle des connaissances approfondies en sciences politiques ou dans le domaine du nucléaire, connaissances qu'il ne maîtrisait pas lui-même, il estimait important (c'était même une responsabilité citoyenne, en somme) de s'intéresser à ces problèmes. Se documenter, s'informer, constituait une part essentielle de sa vie quotidienne. Il était bien placé pour croire que quelque part, là-bas, hors la quiétude banlieusarde de Tooting, il y avait un monde d'idées, de découvertes et de mutations cruciales, un monde en mouvement et en dialogue permanent avec lui-même dans lequel un jour, qui sait, il mettrait peut-être son tout petit grain de sel.

« Il est temps que je m'occupe des carottes », dit Sylvia en posant son verre.

Elle allait se lever, mais Thomas la prit de vitesse.

« Elles sont dans le jardin, c'est ça ? » demanda-t-il.

Laissées en tête à tête, Sylvia et sa belle-mère se livrèrent à un round d'observation.

« Quelle photo adorable ! » s'exclama Mrs Foley d'une voix enjouée après qu'elles eurent bu quelques gorgées de leur xérès.

C'était une photographie du bébé, prise deux semaines plus tôt au petit studio de High Street, et qu'on leur avait livrée la veille seulement, dans son élégant cadre de hêtre. L'enfant était assise sur une peau de mouton, l'œil vif ; un bonnet de dentelle cachait opportunément son cheveu encore rare. Le cliché était en noir et blanc, mais le photographe avait artistement rehaussé les joues d'une touche de rose.

« Ce sera une beauté, prédit Mrs Foley.

— Alors là... je ne sais pas, dit Sylvia en baissant les yeux avec modestie, comme si le compliment s'adressait à elle.

— Elle a votre teint, voyez-vous. Elle va avoir une peau de pêche, comme vous. Parce que si elle avait tenu de Thomas, nous n'étions pas au bout de nos peines. Il avait une peau épouvantable quand il était plus jeune. Affreuse.

D'ailleurs, même maintenant, il lui arrive encore d'avoir des boutons, vous le voyez bien. Il tient ça de son père. » Le tout sur un ton parfaitement naturel. L'expérience, une longue expérience qui avait beaucoup appris à Mrs Foley par ailleurs, ne lui avait pas enseigné les vertus du tact. « Elle dort, en ce moment, non ?

— Oui, il faut que j'aille voir ce qu'elle devient, d'ailleurs. »

Il n'y aurait eu là qu'un prétexte assez mince pour quitter la pièce, mais la sonnerie du téléphone retentit fort à propos dans le hall.

« Excusez-moi… »

C'était Gwendoline, la mère de Sylvia, qui appelait de Birmingham. Tout en épluchant les carottes, Thomas passa la tête par la porte de la cuisine, et siffla entre ses dents : « Dis-lui de rappeler », mais Sylvia n'en tint pas compte. Apparemment, les nouvelles étaient graves, cependant Thomas ne comprit pas de quoi il retournait avant d'être à table, quelques minutes plus tard, autour du gigot découpé.

« Pardon de vous avoir abandonnée, dit Sylvia en servant des légumes à Mrs Foley, mais ma mère avait quelque chose d'assez préoccupant à me dire.

— Pas trop pour moi, chère Sylvia, dit Mrs Foley, qui surveillait sa portion de pommes de terre. Ma gaine me serre assez comme ça, je ne tiens pas à prendre du volume.

— Pourquoi ? Qu'est-ce qui se passe, chérie ? demanda Thomas.

— C'est cousine Beatrix.

— Ah bon ? »

Thomas tendait toujours l'oreille quand il entendait son nom. Elle était, d'une certaine façon, le membre le plus intéressant et le moins respectable de la famille de Sylvia — aventurière du cœur impénitente, guère freinée par la présence de sa petite fille qu'elle élevait seule. Les claquements de langue entendus qui commentaient l'inconduite de Beatrix et ses derniers épisodes comptaient parmi les rares plaisirs que Thomas et Sylvia partageaient encore ; ses exploits provoquaient chez eux des flambées de réprobation et de secrets élans d'envie, à parts égales.

« Ne me dis pas qu'elle a déjà largué ce pauvre Canadien et trouvé une autre victime ? Je le savais bien, que ça ne durerait pas plus d'un an ou deux. »

Mais il apparut que la nouvelle était d'une nature plus dramatique. « Elle a eu un terrible accident, expliqua Sylvia, elle était arrêtée à un rond-point, et un énorme camion est venu l'emboutir par-derrière.

— Oh, mon Dieu ! s'exclama Thomas, et elle est grièvement blessée ? » Sylvia fit oui de la tête.

« Elle a eu la nuque brisée, la pauvre, elle en a pour des mois d'hôpital. »

Il y eut un silence solennel de circonstance.

« Si je comprends bien, elle doit s'estimer heureuse de ne pas y avoir laissé sa peau, dit Mrs Foley.

— Je sais, on peut remercier le bon Dieu… »

Dans le nouveau silence qui s'ensuivit, Thomas lança : « À propos de remercier le bon Dieu…

— Mais bien sûr ! s'exclama Sylvia, qui joignit les mains en fermant les yeux, imitée par les deux autres. Seigneur, bénissez le repas que nous allons prendre.

— Amen », répondirent Thomas et sa mère.

Ils attaquèrent, bientôt confrontés de nouveau à un pénible temps mort dans la conversation.

« Ils sont charmants, vos sets de table, déclara Mrs Foley en désespoir de cause. Ce sont des paysages alpins, non ?

— Tout à fait, dit Thomas sans lever les yeux de son assiette.

— Je les ai achetés à Bâle, dit Sylvia, et ce n'est pas le seul souvenir que j'ai rapporté de ces vacances-là. » Elle adressa un sourire de coquetterie complice à son mari, mais il était penché sur son Yorkshire pudding, et n'accusa pas réception. Devant sa muflerie, elle continua de l'observer un instant, médusée par les efforts qu'il déployait pour imbiber sa bouchée d'un maximum de sauce avant de l'enfourner. Son égoïsme la transperçait, l'emplissait d'un vertigineux mélange d'amour et d'inquiétude. Tel était l'homme entre les mains duquel elle avait remis sa vie. Parfois, elle se demandait si elle n'avait pas commis une erreur.

Son expérience en matière d'hommes était limitée — et malheureuse, de surcroît. Elle s'était mariée sur le tard, à trente-deux ans. Jusqu'à l'âge de trente ans, elle avait vécu chez ses parents, à Birmingham, gâchant ainsi — pensait-elle aujourd'hui — ses plus belles années ou presque, fiancée à un homme nettement plus âgé qu'elle, voyageur de commerce originaire du nord de l'Angleterre. Ils s'étaient connus un vendredi après-midi, au salon de thé d'un grand magasin où il avait absolument voulu lui offrir son café et son éclair. Après cette rencontre, elle ne l'avait pas vu pendant des mois, mais ils avaient échangé une correspondance passionnée, couronnée par des retrouvailles à l'heure du thé à l'issue desquelles il l'avait demandée en mariage. Avec le recul du temps, sa propre naïveté la faisait frémir. Ils avaient continué à se voir deux ou trois fois par an et à s'écrire irrégulièrement, à intervalles de plus en plus espacés cependant, jusqu'à ce qu'un matin arrive au courrier une enveloppe qui contenait un message anonyme : son promis avait femme et enfants (trois, en l'occurrence) ainsi qu'une ribambelle de fiancées comme elle aux quatre coins du pays.

Elle avait sombré dans une longue dépression, contre laquelle son médecin avait prescrit du grand air et beaucoup d'exercice. Avec l'aide de ses parents, elle avait pris des dispositions pour passer des vacances en Suisse, à randonner dans les Alpes. Elle avait entrepris le voyage avec deux filles de collègues de son père, comme elle montées en graine. Elle ne les connaissait pas avant de partir et elles ne gagnèrent pas à être connues, mais elle n'avait pas tout perdu. En effet, à la fin des vacances, alors qu'elles se reposaient à Bâle, les trois femmes rassemblèrent leur courage et se rendirent dans une taverne à bière, où elles rencontrèrent Thomas. Anglais, célibataire — excusez du peu —, il prenait ses vacances en solo, et n'était pas mécontent de trouver une compagnie féminine bien disposée à son égard. Qui plus est, il avait des manières on ne peut plus charmantes, et des mâchoires saillantes du plus bel effet. L'une des camarades de Sylvia lui trouva un faux air de Gary Cooper avec ses yeux bleu clair, l'autre déclara qu'il avait tout de Dirk Bogarde. Insensible à ces ressemblances, Sylvia vit surtout en lui un mari potentiel, et à l'issue des quelques jours suivants elle triompha de ses rivales après une concurrence féroce. Pour autant, elle se garda bien de se jeter tête baissée dans de nouvelles fiançailles et, une fois rentrée en Angleterre, elle tint plusieurs semaines la dragée haute à Thomas, tout en ayant bien l'intention de l'accepter au terme d'un délai convenable. Il lui semblait un parti magnifique. Il avait un emploi au

BCI, un emploi stable, prestigieux, et pas mal payé. Et, de prime abord, l'idée de s'installer à Londres l'enchantait.

Sylvia réalisa que sa belle-mère était en train de lui parler.

« Pardon, Mrs Foley ? Vous disiez ?

— Je vous demandais si vous aviez réfléchi, pour l'essoreuse, répéta Mrs Foley en se tamponnant les lèvres avec une serviette à carreaux verts et blancs. Je ne m'en sers presque plus, comme je vous l'ai dit. Je sais qu'il y en a qui trouvent ça vieux jeu, mais c'est dans les vieilles marmites qu'on cuit le meilleur ragoût, vous savez. Et je me doute bien que vous faites beaucoup plus de lessives, maintenant, avec la petite.

— Eh bien, mais c'est très gentil, répondit Sylvia. Qu'est-ce que tu en penses, chéri ? »

Après le déjeuner, Bébé se réveilla et Sylvia monta lui donner le sein. Thomas fit une tasse de thé à sa mère, et ils sortirent passer l'inspection du jardin. Un rayon de soleil tardif transperçait timidement la couverture nuageuse, et il faisait assez bon pour s'asseoir, ne serait-ce qu'une minute ou deux, à la petite table en fer forgée qu'il avait achetée l'été précédent, dans un élan d'optimisme, escomptant y passer des après-midi tranquilles à lire le journal pendant que l'enfant jouerait joyeusement dans le bac à sable (qu'il restait à installer). Le jardin faisait peine à voir.

« Il faudrait vraiment que tu t'y attelles, dit sa mère.

— Je sais.

— Qu'est-ce que c'est que ce gros trou, là-bas ?

— J'avais commencé à creuser un bassin, pour y mettre des poissons rouges.

— Je croyais que tu voulais planter des légumes.
— Je vais le faire, je vais planter des pommes de terre et des haricots, mais c'est encore trop tôt. »
Puis il raconta à sa mère son entrevue avec Mr Cooke et Mr Swaine au Foreign Office. Il lui expliqua qu'ils lui proposaient de partir six mois en Belgique.
« Et Sylvia, qu'est-ce qu'elle en dit ?
— Je ne lui en ai pas encore parlé. J'attends le moment propice.
— Tu pourrais les emmener avec toi, elle et la petite ?
— On me l'a suggéré, mais je ne trouve pas que ce soit l'idéal. On ne sait pas encore à quoi va ressembler l'hébergement sur place. Ça risque d'être spartiate. »
Sa mère semblait dubitative. « Tu n'aurais pas dû m'en parler avant d'en avoir discuté avec ta femme.
— Je vais le faire. »
Elle tendit vers lui un index réprobateur : « Ne la néglige pas, Thomas. Sois un bon mari pour elle. Ici... », elle désignait un arrière-plan proche, derrière le bassin à poissons inachevé, l'abri antiaérien où il rangeait ses quelques outils de jardinage, derrière le quai du chemin de fer, du côté des mornes plaines de Tooting, « elle n'est pas chez elle, tu sais, pas vraiment. Ça la change de ses habitudes. Et ça n'a rien de drôle d'être loin de chez soi, si on vit avec un homme indifférent. »
Thomas savait qu'elle parlait d'expérience, pour avoir vécu avec son père. Il n'avait pas la moindre envie de l'entendre s'engager sur ce terrain.
« Ton père avait des maîtresses, tu sais.
— Oui, je sais.
— J'ai dû faire avec, mais ça ne veut pas dire que je n'en ai pas souffert. » Mrs Foley frissonna et se drapa plus étroi-

tement dans son châle. « Viens, on rentre, le temps se rafraîchit. »

Elle allait se lever lorsque Thomas la retint en posant sa main sur son bras. « Je vais me trouver à Bruxelles, maman, lui dit-il avec sérieux. Près de Louvain, près d'où était la ferme. À une demi-heure de route, pas plus. Je sais bien qu'elle a disparu, mais je peux aller voir son emplacement et… parler aux gens… prendre des photos. »

Mrs Foley se leva avec raideur. « Surtout pas, je t'en prie. Pas pour moi. Je n'y pense plus, à tout ça. Le passé, c'est le passé. »

NOUS VIVONS
UNE ÉPOQUE MODERNE

Le mardi après-midi, à quatre heures et demie, Thomas traversait St James's Park pour se rendre à une réunion à Whitehall. Malgré le déluge ininterrompu, son pas avait une allégresse inaccoutumée, et il chantonnait un petit air joyeux entendu la veille au soir pendant l'émission de variétés, « The Boulevardier », de Frederic Curzon.

Les choses avaient avancé en douceur, depuis le week-end. La veille, au dîner, il avait enfin parlé à Sylvia de cette mission à Bruxelles. Elle avait d'abord accusé le coup : l'idée de partir avec lui ne lui avait pas traversé l'esprit (il ne l'avait pas évoquée davantage) et la perspective de se voir abandonnée six mois ne laissait pas de l'inquiéter. Mais il avait su trouver les mots pour la rassurer : il y aurait les lettres, il y aurait les coups de fil, et puis il y aurait les week-ends où il prendrait l'avion pour la rejoindre. Et plus il lui parlait de la Foire elle-même, plus elle y voyait une chance à ne pas laisser passer. « Donc, si je comprends bien, avait-elle commenté non sans pertinence — ils avaient liquidé le pudding et elle était en train de verser du lait concentré sur sa toute petite part de tarte aux pommes —, c'est un grand honneur que Mr Cooke t'ait distingué de cette façon. Parce qu'il n'a fait cette offre à personne d'autre. Et tu vas côtoyer des gens venus de tous horizons, des Belges, des Français, et même des Américains. » Il avait compris en l'entendant qu'elle l'encourageait déjà à partir. Si pénible que soit la séparation et pour elle et pour lui, son expérience allait, à ses yeux, lui donner une stature accrue. Lui, le petit fonctionnaire, le plumitif, accéderait l'espace de six mois trop courts à un statut bien plus intéressant et même séduisant : celui d'acteur — si modeste soit-il — sur la scène internationale. Cette idée plaisait à sa femme, elle l'émoustillait, même. Peut-être était-ce par-dessus tout pourquoi il marchait d'un pas aussi léger, ce mardi après-midi : il avait gagné quelques centimètres imaginaires en passant sur la passerelle piétonne vers Birdcage Walk. Il se sentait une parenté inopinée avec les mouettes qui descendaient en piqué sur le fleuve, au-dessous de lui : il connaissait lui aussi l'ivresse de la liberté.

Une demi-heure plus tard, installé dans la salle de conférences 191 du Foreign Office, il n'avait jamais été aussi proche du cœur du pouvoir.

La table était immense, et tous les sièges occupés. La fumée des cigarettes formait un nuage opaque. Il y avait dans l'assistance des hommes que Thomas avait déjà rencontrés dans l'antichambre, au rez-de-chaussée, d'autres étaient des personnages publics qu'il reconnaissait : sir Philip Hendy, directeur de la National Gallery; sir Bronson Albery, le célèbre régisseur de théâtre; sir Lawrence Bragg, physicien, et directeur de la Royal Institution. Plusieurs fois au cours des derniers mois, dans les locaux du BCI, il avait aperçu sir James Gardner, architecte du Pavillon britannique. En revanche, c'était la première fois qu'il voyait l'homme avec qui il allait ferrailler pendant toute la réunion ou presque, sir John Balfour, GCMG, commissaire général de la participation britannique à l'Expo 58.

Les choses se gâtèrent rapidement. Il soufflait un vent de panique générale. La Foire ouvrait dans trois mois, et beaucoup restait à faire, manifestement. Sir John avait devant lui une pile de paperasses impressionnante dont la seule vue lui inspirait un dégoût palpable.

« Je dois tout de même vous dire, annonça-t-il d'une voix brève où s'entendait un soupçon de lassitude, que nos amis belges ont été très prolifiques dans leurs communications, ces dernières semaines. Cette montagne de papiers ne représente qu'une faible proportion de leur production, et il nous a fallu opérer une sélection plus stricte encore avant de faire photocopier les documents pour tous. Il est donc peut-être souhaitable que je résume. Commençons par le domaine de la musique, si vous le voulez bien. Sir Malcolm est ici ? »

Sir Malcolm, chef de l'orchestre symphonique de la BBC, et conseiller musical de la GB à l'exposition, n'avait pas pu assister à la réunion, semblait-il.

« On me fait dire qu'il est en répétition, expliqua un jeune homme en costume à chevrons — simple sous-fifre, songea Thomas. Il est désolé, il s'excuse, mais il nous informe que les programmes de concert sont prêts.

— Il vous a donné des précisions ?

— Il a prononcé quelques noms. Elgar, bien sûr. Un peu de Purcell. Les grands classiques, visiblement. »

Sir John opina. « Parfait. Je dois dire que du côté belge il y a quelques initiatives… singulières. » Il jeta un coup d'œil à la feuille du haut de la pile. « Il est question d'un festival d'une semaine, une semaine, est-il dit, de musique électronique et de *musique concrète**, avec des créations d'œuvres de Stockhausen, et de, allons bon, comment ça se prononce, Xenakis ? » Il regarda autour de lui avec un froncement de sourcils incrédule. « Quelqu'un a entendu parler de ces types-là ? Et puis au fait, qu'est-ce que nous avons en termes de musique *concrète**, chez nous ? J'aimerais bien le savoir. Quelqu'un peut m'éclairer ? »

Tandis que les signes de dénégation se multipliaient autour de la table, l'attention de Thomas fut distraite par deux curieux personnages assis à l'autre bout. Qu'est-ce qui pouvait bien l'intriguer chez eux, en particulier ? Ils suivaient la discussion d'aussi près que les autres, sinon de plus près, et pourtant ils semblaient détachés. Ils ne se parlaient pas, semblaient ne pas se voir, et pourtant ils étaient plus proches l'un de l'autre que strictement nécessaire : on aurait dit deux conspirateurs. Ils pouvaient avoir une petite quarantaine. L'un d'entre eux avait des cheveux bruns lissés en arrière et une face de lune, dont l'expression réussissait à être vide et intelligente à la fois. L'autre avait une physionomie plus anodine, moins sur ses gardes ; sa joue gauche portait une cicatrice qui ne passait pas inaperçue, mais sans rien de louche, rien qui vienne contredire son air de bonhomie rêveuse. Ils étaient les deux seuls qui, pendant toute la durée de la réunion, ne furent jamais présentés ni nommés et, une fois qu'il les eut repérés, Thomas s'aperçut que leur présence le déconcentrait bizarrement.

« Eh bien, je ne sais pas ce que vous en pensez, mais pour ma part cette proposition me paraît excellente. »

Thomas n'avait pas suivi. Apparemment, la Grande-Bretagne était invitée à apporter sa contribution à la semaine de la musique contemporaine, et le sentiment général voulait qu'une fanfare militaire réponde parfaitement à cette demande.

« La Marche des Grenadiers, peut-être ? suggéra quelqu'un.

— Parfait », approuva sir John avec un signe de tête en direction de sa secrétaire, assise à côté de lui, qui prit dûment note de cette décision.

C'est alors que quelque part, autour de la table, on éructa ce qu'il faut bien appeler un « Ha ! » de dérision.

Sir John leva les yeux, surpris et blessé.

« Mr Gardner, vous souhaitez déposer une objection ? »

L'interpellé, personnage d'une maigreur ascétique qui portait des lunettes à monture d'écaille désuètes mais arborait une tignasse de rapin, écarta la proposition d'un geste et déclara : « Sincèrement, sir John, ça n'a rien d'une position personnelle. Non, je ne souhaite pas déposer d'objection. Mais votre secrétaire peut consigner mon amusement, si bon lui semble.

— Qu'y a-t-il qui puisse susciter l'hilarité dans une fanfare militaire, sans vouloir vous offenser ?

— Dans ce contexte ? Eh bien, si vous ne le voyez pas vous-même, sir John, vous êtes sans doute la personne idéale pour présider cette commission. »

Thomas s'attendait que cette phrase déclenche les rires, mais elle fut accueillie par un silence scandalisé.

« Mr Gardner, dit sir John en posant les coudes sur la table, doigts réunis en pyramide, je me disposais à remettre à plus tard le débat sur vos dernières propositions, mais le moment est peut-être venu d'en parler, après tout.

— Ce ne sont que des idées, répondit Gardner sur un ton dégagé.

— La Foire de Bruxelles débute dans trois mois, lui rappela sir John, la réflexion sur la construction du Pavillon britannique est en train de prendre des semaines de retard. Avons-nous encore le temps d'introduire de nouvelles idées ? Surtout des idées comme… — il regarda ses papiers — une histoire des W-C en Angleterre.

— Ah bon, dit Gardner, vous ne trouvez pas le sujet porteur ?

— Il me paraît un peu… excentrique, pour rester poli.

— Ne vous croyez pas obligé d'être poli si vous n'en avez pas envie, sir John, répliqua Gardner. Nous sommes entre amis, que je sache.

— Fort bien, appelons un chat un chat, donc. Cette proposition me paraît… carrément imbécile et choquante. »

Plusieurs messieurs de l'assistance, qui ne comptait aucune femme sinon la secrétaire de sir John, levèrent la tête, prodigieusement intéressés tout à coup.

« Sauf votre respect, sir John, je ne suis pas d'accord, dit Gardner. La contribution de la Grande-Bretagne à l'évacuation des déjections humaines a toujours été méconnue. Et là je n'exprime pas ma seule opinion, mais un fait historique.

— Gardner, vous dites des âneries.

— Euh… » On entendit toussoter avec embarras un jeune homme pâle et famélique, assis à la gauche de Gardner et qui semblait faire partie de son équipe. « Pas vraiment, sir John. »

Le commissaire haussa les sourcils.

« Pas tout à fait. »

L'homme qui venait de parler paraissait au supplice. « Ce que je veux dire, c'est que Jim, enfin, Mr Gardner, n'a pas tort. Les toilettes jouent un rôle crucial dans la vie quotidienne. C'est vrai, nous y passons tous, n'est-ce pas ? Nous faisons tous… — il déglutit avec effort — … nous faisons tous, après tout.

— Nous *faisons* tous, Mr Sykes ? Nous faisons tous *quoi*?

— Enfin… à quoi bon prétendre le contraire, n'est-ce pas, au fond ?

— Pour l'amour du ciel, de quoi parlez-vous ?

— Vous le savez bien, nous faisons tous la grosse commission.

— La grosse commission ?

— Précisément, s'écria Gardner en se levant d'un bond pour arpenter le tour de la table. Sykes a mis le doigt dessus. Nous faisons tous la petite et la grosse commission, sir John, même vous ! Nous pouvons bien répugner à en parler, répugner à y penser, même, mais il y a de longues années, quelqu'un y a pensé, il a poussé-poussé, si j'ose dire… la réflexion, et le résultat, c'est que nous pouvons depuis faire notre grosse commission en toute hygiène et sans honte, et que le pays entier, que dis-je, le monde entier, ne s'en porte que mieux. Alors pourquoi ne pas rendre hommage à cette réussite ? Pourquoi ne pas célébrer le fait que, outre qu'ils ont conquis la moitié du globe, les Britanniques ont livré une bataille historique contre leur grosse commission et qu'ils l'ont remportée ? »

Il se rassit. De l'autre côté de la table, sir John le regardait d'un œil froid.

« En avez-vous fini, Gardner ? » Puis, prenant son silence pour un acquiescement, il ajouta : « Puis-je vous faire observer que, à l'entrée du Pavillon que vous vous proposez de défigurer avec vos obscénités, les visiteurs trouveront un portrait de Sa Majesté la reine ? »

Gardner se pencha en avant. « Et puis-je vous faire

observer à mon tour, sir John, que Sa Majesté elle-même… »

Sir John se leva à demi, le front plissé par la fureur. « Si vous achevez cette phrase, Gardner, je me verrai dans l'obligation de vous demander de quitter la salle. » Il y eut un silence tendu qui s'éternisa, les deux hommes se défiant du regard, de part et d'autre de la table. Quand il fut clair que Gardner en resterait là, sir John se rassit lentement. « Bon, reprit-il, je vous demande à tous d'oublier cette idée saugrenue, et d'accorder toute votre attention à cette exposition qui devra refléter non seulement la gloire mais aussi la dignité du peuple de nos îles. Me suis-je bien fait comprendre ? » Visiblement tourneboulé, et sans attendre de réponse, il se pencha sur la liasse de papiers suivante et en lut les premières lignes, machinalement. « Ensuite, le projet ZETA pour le transport et l'exposition d'une réplique de notre…

— Hmm, hmm ! »

Sir John leva les yeux de nouveau. Le toussotement d'avertissement provenait cette fois d'un des deux individus mystérieux que Thomas avait remarqués plus tôt. Celui au visage lunaire et aux cheveux plaqués en arrière.

Il avait posé un doigt sur ses lèvres pour mettre sir John en garde, et il secouait la tête de façon presque imperceptible. Sans qu'on puisse savoir ce qui motivait ce geste, il n'échappa pas à sir John qui retourna la feuille avec un parfait naturel, et la posa côté face contre la table.

« Oui enfin, bon, ça n'a rien d'urgent, cette affaire. Nous y reviendrons plus tard. Nous avons un sujet bien plus important à traiter, et qui est… ah oui, le pub. Le fameux pub. » Ses traits se détendirent, et il considéra l'assemblée d'un œil interrogateur. « Nous devrions d'ailleurs avoir une nouvelle recrue parmi nous, si je ne me trompe. Mr Foley, êtes-vous ici ? »

Thomas se leva à demi puis, réalisant que sa posture risquait de paraître ridicule, il se rassit. Lorsqu'il parvint à articuler un son, il s'entendit énoncer d'un malheureux filet de voix :

« Je, c'est, c'est moi, sir sir John.

— Bien ! Magnifique ! » Un long silence plein d'attente s'ensuivit et, lorsqu'on comprit que Thomas n'avait aucune intention d'en dire davantage, sir John reprit : « Vous avez la parole, nous sommes tout ouïe, je crois.

— Ah, bien. » Thomas considéra cette assemblée distinguée qui avait l'œil braqué sur lui. Il déglutit avec effort. « Donc, Le Britannia, comme vous le savez sans doute, sera, d'une certaine façon, le point de mire de l'exposition britannique. L'idée de départ, comme vous le savez sans doute — pourquoi se répétait-il ainsi ! —, était d'installer une reconstitution, je cite, de taverne anglaise du temps jadis, pour montrer aux visiteurs la traditionnelle hospitalité britannique dans ce qu'elle a de meilleur. Un ou deux facteurs ont cependant amené une modification du projet original. Le premier, c'est que les Belges sont eux-mêmes en train de construire un village sur le site du festival, et qu'ils vont l'appeler "La Belgique joyeuse" ; ce village comprendra des reproductions à l'identique de bâtiments du XVIIIe siècle voire antérieurs, dont une auberge authentique. L'autre, euh, facteur, c'est que le BCI et, me semble-t-il, Mr Gardner lui-même, mais je parle sous son contrôle, ont toujours eu le souci que la contribution britannique, tout en rendant justice à nos grandes traditions, ne soit pas trop, eh bien, tournée vers le passé. Voilà comment il a été décidé que les concepteurs du Britannia adoptent une approche un peu plus moderne dans l'exécution de la commande. Car enfin, la Grande-Bretagne est un pays moderne. Nous sommes à la pointe dans le domaine des sciences et de la technologie. » Il avait pris sa vitesse de croisière, et — à son grand étonnement — il commençait à s'amuser. « Mais notre force à nous, c'est notre capacité à aller de l'avant sans jamais rompre nos liens avec le passé. Tel est le paradoxe que les concepteurs ont mis en œuvre pour réaliser l'intérieur du Britannia. »

Il fut interrompu sans véhémence sur ce point.

« En regardant ces photographies, dit l'un des membres les plus vénérables de la commission qui était assis à sa droite, je n'ai pas l'impression qu'elles correspondent à l'idée que je me fais d'une taverne anglaise, vraiment pas. » Il feuilleta les clichés noir et blanc en secouant la tête. « Tout de même, on verrait bien... une paire d'étriers en laiton, des poutres apparentes, la mousse d'une bière anglaise au col d'un pichet d'étain...

— Mais c'est exactement ce que nous avons voulu éviter, répondit Thomas. Le Britannia se construit sur un site des plus agréables, en surplomb d'un lac artificiel. Nous avons voulu lui donner des allures de... club nautique, si vous voulez. Il y aura de vastes baies, et des murs blancs. L'intérieur est lumineux, spacieux, aéré, parce que c'est ça, le modernisme, voyez-vous ? Nous vivons une époque moderne ! Nous sommes en 1958 ! La Grande-Bretagne va présenter son nouveau visage au monde sous l'égide de l'Atomium, et nous devons nous montrer à la hauteur de ce défi. Nous ne pouvons pas être en reste, il nous faut aller de l'avant. »

Sir John considérait tout à coup Thomas avec un intérêt approbateur.

« Fort bien dit, Mr Foley, si je peux me permettre. Vous avez tout à fait raison. La Grande-Bretagne doit trouver sa place dans le monde moderne, et il nous faut montrer aux autres pays qu'on peut le faire sans passer par des niaiseries à la mode comme… la musique concrète, puisque musique concrète il y a. J'estime que les plans de Mr Lonsdale sont magistraux. Tout à fait magistraux. Quant à vous, j'ai cru comprendre que vous serez sur le site pendant toute la durée de l'exposition, et que vous vous occuperez du Britannia en qualité d'administrateur. Est-ce exact ?

— Tout à fait exact, monsieur, en effet. » Du coin de l'œil, Thomas vit les deux messieurs mystérieux échanger un bref regard. « C'est la brasserie qui a choisi le patron de l'établissement, ainsi que le personnel de service, mais je serai là pour représenter le BCI, et m'assurer que tout se passe de manière irréprochable, dans le respect des règles.

— Épatant. Avez-vous déjà visité le site ?

— Je m'envole jeudi pour Bruxelles, ce sera mon premier aperçu.

— Excellent. Nous vous souhaitons tous bonne chance dans cette mission, Mr Foley. Quant à moi, je ne manquerai pas de vous retrouver à Bruxelles. »

Thomas remercia d'un sourire et d'un signe de tête tout en retenue qui ne trahissaient guère la fierté et l'excitation colossales qu'il éprouvait en cet instant.

HISTOIRE DE SE FAIRE UNE IDÉE

« Sensationnel, votre topo, Mr Foley.

— Absolument, de toute première classe. »

Thomas se retourna vivement pour voir d'où venaient les voix. Sur ce trottoir ruisselant, au pied du Foreign Office, il hésitait quant à la direction à prendre, loin de se douter que quelqu'un puisse l'attendre, dans son dos. Et voilà que deux silhouettes surgissaient de l'obscurité, vêtues à l'identique de longs impers beiges, et coiffées de trilbies. Il ne fut qu'à moitié surpris de reconnaître les deux messieurs sans nom vus à la réunion du comité.

« Quel temps de chien, ce soir, hein ? observa le premier sur le ton de la conversation.

— Infect, convint Thomas.

— Ça vous ennuie qu'on fasse un bout de chemin ensemble ? demanda le second.

— Pas du tout, vous allez de quel côté ?

— Eh bien, on se disait qu'on irait du vôtre.

— Nous, ça nous est égal.

— Je vois, dit Thomas, qui ne voyait pas du tout. Mais je n'étais pas fixé.

— Moi je vais vous dire », reprit le premier en levant le

bras, sur quoi une Austin Cambridge noire s'arrêta aussitôt comme par enchantement le long du trottoir, « nous allons vous raccompagner chez vous, ça vous va ?

— C'est rudement chic de votre part, je ne voudrais pas vous déranger...

— Pensez-vous, cher ami.

— Ça ne nous dérange pas du tout. »

Ils s'entassèrent tous trois à l'arrière de l'Austin, si serrés que Thomas, pris en sandwich, se retrouva les bras collés au corps.

« Où allons-nous, messieurs, cette fois-ci ? demanda le chauffeur.

— Tooting, s'il vous plaît », lança le premier inconnu sans même s'en être enquis auprès de Thomas. Et, devant son air surpris, il rectifia : « Pardon, vous n'êtes pas obligé de rentrer chez vous si vous n'en avez pas envie. On peut vous conduire où vous voulez.

— Non, non, répondit-il, Tooting, c'est très bien.

— C'est qu'on ne voudrait pas faire attendre votre petite femme.

— Qui vous a sûrement mijoté un bon petit plat.

— Petit veinard, va.

— Cigarette, Mr Foley ? »

Pendant qu'ils les allumaient, l'homme à la face lunaire annonça :

« Il est peut-être temps qu'on se présente, je m'appelle Wayne.

— Comme l'acteur de cinéma, dit son compère. Cocasse, non ? On le voit mal en Stetson.

— Et je vous présente Mr Radford, dit Wayne.

— Enchanté de vous connaître, dit Radford en serrant

chaleureusement la main de Thomas malgré l'exiguïté de la banquette arrière.

— Vous faites tous deux partie de la Commission pour Bruxelles ? » demanda Thomas. La question les fit rire doucement.

« Jamais de la vie.

— Dieu nous en garde.

— Surtout pas, cher ami, mais disons que ça nous intéresse, de loin.

— On a assisté à pas mal de réunions.

— On commence à connaître les personnages en présence.

— Quel phénomène, hein, ce Mr Gardner ?

— Le loup dans la bergerie.

— Un type sérieux, n'empêche.

— Absolument, très authentique.

— Solide comme un roc, au fond, il ne faut pas croire. »

Ils se turent. Radford baissa sa vitre pour dissiper un peu la fumée, mais la nuit était si humide et si ventée qu'il la remonta presque aussitôt. On roulait bien, le chauffeur filait. En quelques minutes, ils arrivèrent dans l'artère principale de Clapham. Comme la Cambridge était arrêtée à un feu rouge, Wayne jeta un coup d'œil par la vitre et observa : « Dites voir, Radford, ça n'est pas le café où nous sommes allés il y a deux jours ?

— Je crois bien, oui, répondit Radford en tentant de voir entre les gouttes.

— Je boirais bien un café, moi, qu'est-ce que vous en pensez ?

— Je me disais justement la même chose.

— Et vous, Foley ? Ça vous tenterait, un café ?

— C'est-à-dire que, j'espérais…

— Entendu, alors ! Chauffeur, déposez-nous ici, je vous prie.

— Attendez-nous au coin de la rue, si vous voulez bien.

— On n'en a pas pour longtemps. »

Les trois hommes réussirent à s'extraire de la voiture, et traversèrent au pas de course le trottoir luisant de pluie. L'établissement avait pour enseigne Mario's Coffee Bar. À l'intérieur étaient disposées une demi-douzaine de tables, toutes vides, et derrière le comptoir une brune maussade se laquait les ongles en vert pour tuer le temps.

« Pour moi ce sera un café, s'il vous plaît, dit Wayne d'un ton poli mais ferme. Avec deux sucres et un nuage de lait.

— La même chose, dit Radford. Et pour vous, Foley ?

— Je ne suis pas un gros buveur de café.

— Trois cafés au lait avec deux sucres chacun, conclut Wayne.

— Avec de la mousse de lait dessus, si vous voulez bien, ajouta Radford. À l'italienne, quoi.

— C'est qu'on devient tous continentaux, hein, dit Wayne en s'asseyant.

— Absolument, confirma Radford qui le rejoignit en secouant son imperméable trempé. Les nations européennes sont en plein rapprochement.

— Avec le traité de Rome et tout ça.

— C'est bien le sens de cette affaire de Bruxelles, quand on y réfléchit.

— Tout à fait. C'est un moment historique.

— Une chance, d'y être associé.

— Et vous, Foley, comment voyez-vous les choses ?

— Comment je vois les choses ?

— Tout le tralala de Bruxelles, l'Expo 58. Vous comprenez effectivement ça comme une occasion de rapprochement historique entre les nations du monde, la première depuis la fin de la guerre, dans un esprit de coopération pacifique ?

— Ou bien vous n'y voyez qu'un phénomène bassement mercantile nourri par les forces du capitalisme sans le moindre soupçon d'idéal ? »

Thomas avait à peine eu le temps de s'asseoir avant de subir ce feu roulant de questions. Bien qu'il n'ait fait que sortir de la voiture pour entrer dans le café, ses vêtements étaient trempés, et il sentait son corps dégager de la vapeur.

« Je… il va falloir que j'y réfléchisse.

— Très bonne réponse, déclara Wayne.

— C'est parler en vrai diplomate. »

La serveuse leur apportait le bol de sucres.

« Vos cafés arrivent dans une minute, dit-elle. La machine est en panne, elle refuse de chauffer. »

En retournant derrière son comptoir, elle glissa des pièces dans le juke-box. Quelques secondes plus tard, de la musique explosa, tempo rapide, entraînant, batterie bruyante qui cognait sur trois ou quatre accords simples, avec un chanteur qui braillait une histoire de « Streamline train » dans l'espoir de couvrir le vacarme instrumental.

« Oh misère !

— Quelle cacophonie !

— Ils appellent ça du rock and roll, je crois, expliqua Radford.

— Je dirais plutôt que c'est du skiffle, risqua Thomas.

— Allons bon. Je ne me serais pas douté que vous étiez une autorité en la matière.

— Qui, moi ? Pas du tout. Ma femme écoute ce genre

de musique de temps en temps, mais moi je suis plutôt amateur de classique.

— Ah… les classiques. La musique classique, il n'y a rien de tel, hein ? Vous aimez Tchaïkovski, je suppose ?

— Bien sûr, comme tout le monde.

— Et chez les grands modernes, Stravinsky, je dirais ?

— Ah oui, formidable.

— Chostakovitch ?

— Je ne connais pas très bien.

— Prokofiev ? »

Thomas acquiesça sans trop savoir pourquoi. Il ne voyait pas du tout où on voulait en venir. La serveuse apporta les cafés qu'ils remuèrent avant de les goûter.

« Cela dit, enchaîna Radford, il y a des tas de types qui préfèrent lire à écouter de la musique.

— Un bon fauteuil, un bon bouquin, approuva Wayne.

— Vous lisez beaucoup ?

— Un peu, oui, pas tant que je devrais sans doute.

— Vous avez lu Dostoïevski ? Vous en avez qui ne jurent que par lui.

— Et Tolstoï ?

— Je crois que je suis plus chauvin dans mes goûts, malheureusement. Je lis Dickens, je lis Wodehouse quand j'ai envie de me détendre. Ça vous ennuierait de m'expliquer à quoi riment ces questions ? J'ai l'impression que vous me mitraillez sur les écrivains et les compositeurs russes…

— Nous essayons de nous faire une idée, c'est tout.

— De connaître vos goûts, comprenez-vous.

— C'est seulement qu'il va falloir que je rentre sans trop tarder, moi, ma femme m'attend…

— Bien sûr, mon vieux, ça va de soi.

— Vous avez sans doute envie d'en profiter un maximum, dans les semaines qui viennent. »

Thomas fronça les sourcils.

« Et pourquoi ?

— Bah, parce qu'elle ne vous accompagne pas à Bruxelles, si ?

— Non, en effet.

— Six mois, c'est long quand il faut se passer du… confort de chez soi.

— Des plaisirs de la vie conjugale.

— Encore faut-il les apprécier, bien sûr.

— Parce qu'il y a des hommes, vous savez… ils se marient, mais enfin, leurs préférences sont tout autres.

— Ils ont des mœurs particulières.

— En voilà un sujet scabreux…

— Terriblement scabreux.

— Tenez, j'en connaissais un, marié depuis dix ans, trois enfants, mais jamais chez lui. On avait plus de chances de le trouver dans les toilettes des hommes, à Hyde Park Corner.

— C'est effarant !

— Effarant, en effet. Vous connaissez ?

— Je connais qui ?

— Les toilettes des hommes, à Hyde Park Corner ?

— Non, répondit Thomas en secouant la tête.

— Tant mieux, c'est plus sage. Mieux vaut les éviter.

— Passer au large.

— Est-ce que vous seriez en train de me demander si je suis homosexuel, par hasard ? » s'écria Thomas, le visage empourpré par l'indignation.

Wayne la trouva excellente. « Allons donc, mon cher, qu'est-ce qui peut vous faire penser une chose pareille ?

— Qu'allez-vous chercher là !

— Quelle idée saugrenue !

— La chose ne nous a jamais effleurés.

— Voyons, vous n'êtes manifestement pas plus homosexuel que membre du parti communiste. »

Thomas se radoucit. « Tant mieux, alors. Il y a des choses avec lesquelles on ne plaisante pas.

— Entièrement d'accord, cher ami.

— Et donc, glissa Radford, vous n'êtes pas membre du parti communiste ?

— Non, je ne le suis pas mais, encore une fois, pourriez-vous m'expliquer à quoi rime cet interrogatoire ? »

Wayne but une gorgée de son café et tira sa montre.

« Écoutez, Foley, nous vous avons fait bavarder indûment. Vous n'avez pas à vous inquiéter. Vous, moi et Mr Radford, nous sommes dans le même camp.

— Nous jouons dans la même équipe.

— Seulement vous comprenez bien que s'investir jusqu'au cou dans cette affaire de Bruxelles, c'est une idée formidable sur le principe, mais pas sans danger.

— Pas sans danger ?

— Tous ces différents pays rassemblés au même endroit pendant six mois, c'est merveilleux, en théorie, mais il faut quand même que quelqu'un en mesure les risques.

— Quels risques ?

— Vous l'avez dit vous-même à la réunion.

— Moi ?

— Nous vivons une époque moderne. La science est en train de faire des miracles.

— Mais n'oublions pas que la science n'est pas une voie à sens unique.

— C'est une épée à double tranchant.

— Précisément. Il faut rester vigilants. C'est le prix à payer. »

Wayne se leva, main tendue. « Allez, *au revoir**, Foley », dit-il.

Thomas et Radford se levèrent à leur tour. Il y eut un échange de poignées de main qu'on évita de croiser.

« Vous avez un bus pour rentrer chez vous, il me semble ? dit Radford. Parce que Tooting n'est pas vraiment sur notre chemin.

— Oui, bien sûr, marmonna Thomas, plus déconcerté que jamais.

— Nous ne vous retenons pas plus longtemps. Votre dîner vous attend.

— Et la chaleur du nid.

— Ne vous occupez pas des cafés, c'est nous qui vous invitons.

— C'est notre tournée.

— Ce n'est pas cher payer le plaisir de votre compagnie. »

Thomas les remercia avec perplexité et se dirigea vers la sortie. Dehors, la pluie redoublait. Il releva le col de son pardessus pour affronter l'averse. Au moment où il ouvrait la porte, laissant entrer rafales et bourrasques, Radford lui lança :

« Et puis, Foley ? »

Thomas se retourna.

« Oui ?

— Rappelez-vous, hein. Tout ça reste entre nous. »

WELKOM TERUG !

En débouchant sur le modeste hall d'arrivée, à l'aéroport de Melsbroek, le jeudi en fin de matinée, Thomas chercha des yeux une silhouette en costume-cravate correspondant à l'idée qu'il se faisait de David Carter, le représentant du British Council censé l'attendre. Si aucun personnage de ce type ne se manifestait, il fut en revanche abordé par une sémillante jeune femme en uniforme.

« Mr Foley ? lui dit-elle en lui tendant la main. Je m'appelle Anneke, et je suis ici pour vous escorter jusqu'au Pavillon britannique sur le site de l'Exposition. Si vous voulez bien me suivre... »

Sans attendre sa réponse, elle pivota sur ses talons et se dirigea vers la sortie, marchant deux mètres devant lui. Il dut presser le pas pour la rattraper.

« J'attendais Mr Carter, dit-il, mais la surprise est agréable. »

Anneke lui octroya un sourire ni chaleureux ni réfrigérant, mais à température strictement professionnelle.

« Mr Carter a été retenu, expliqua-t-elle, il vous retrouve sur le site. »

Elle portait un uniforme élégant, discret, résolument exempt de tout sex-appeal : talons hauts mais pas trop; jupe bleu marine nettement au-dessous du genou; veste marron de bonne coupe, chemisier blanc et cravate. Cet ensemble était égayé — si l'on peut dire — par une toque. C'était un uniforme banal, mais Thomas ne put réprimer un mouvement de révolte : il aurait été plus à l'aise avec Anneke si elle avait été habillée différemment.

« Alors vous êtes une des fameuses hôtesses de l'Expo? lui dit-il.

— Notre réputation s'étend déjà jusqu'en Angleterre? Je vais le dire à mes collègues, elles en seront ravies ! »

Il se figura un essaim de jeunesses de vingt ans, toutes vêtues du même uniforme, attablées dans un café ou une cantine, en train de glousser à la nouvelle de leur célébrité en Angleterre. Il se fit l'effet d'un vieux croulant.

Devant le hall des arrivées, un soleil de début de printemps tentait une percée. Anneke s'arrêta, pour la première fois indécise.

« Une voiture devrait nous attendre, expliqua-t-elle. Je vais voir si je la trouve. »

Livré à lui-même quelques minutes, il voulut savourer ce grand moment. Il posait pour la première fois le pied sur le sol belge, au pays de sa mère. Il avait attendu cet instant toute la semaine, et il était heureux de pouvoir le vivre seul. Mais il se sentit bientôt tout bête. Qu'y avait-il là de tellement marquant? C'était un pays comme un autre. Il avait été naïf de s'attendre à éprouver illico un quelconque sentiment d'appartenance. Il n'était même pas exclu que la Belgique aiguise paradoxalement son identité britannique.

La voiture arriva, une Citroën vert clair arborant sur la portière du chauffeur le logo caractéristique de l'Expo 58, une étoile asymétrique. Anneke en descendit d'un bond et lui ouvrit la portière arrière, côté passager.

« Le trajet est court, lui promit-elle. Pas plus de vingt minutes.

— Très bien. Est-ce que nous allons passer près de Louvain, par hasard ?

— De Louvain ? » Anneke eut l'air surpris. « Louvain n'est pas très loin, mais c'est dans la direction opposée. Vous vouliez visiter la ville ?

— Peut-être pas aujourd'hui, mais une autre fois, j'espère. Ma mère y est née. Mes grands-parents avaient une ferme dans le coin.

— Alors, votre mère était belge ! Et vous parlez flamand ?

— Non, pas du tout, enfin, quelques mots.

— Eh bien alors, il faut sans doute que je vous dise *Welkom terug,* Mr Foley.

— *Dankuwel, dat is vriendelijk* », répondit Thomas avec application.

Anneke éclata d'un rire charmé.

« *Goed zo* ! Mais je n'aurai pas le mauvais goût de vous tester davantage. »

La glace était rompue. Anneke lui apprit qu'elle venait de Londerzeel, un village au nord-ouest de Bruxelles, où elle vivait encore chez ses parents. Elle faisait partie des deux cent quatre-vingts heureuses élues. Les hôtesses de l'Exposition parlaient toutes quatre langues, français, néerlandais, anglais et allemand ; la plupart d'entre elles étaient envoyées dans des ports, des gares et des aéroports accueillir les visiteurs du monde entier et leur assurer une arrivée sans encombre sur le site. Ambassadrices essentielles de l'Expo, leurs règles de conduite étaient strictes :

pendant le service, il leur était interdit de mâcher du chewing-gum, de fumer, de boire de l'alcool, de tricoter ou de coudre, de lire journaux, magazines ou romans.

« D'ailleurs, ajouta Anneke, je ne suis même pas censée paraître en compagnie d'un homme sans permission écrite des autorités, permission qui m'a été donnée, heureusement, en ce qui vous concerne. »

Elle lui sourit de nouveau mais cette fois ce fut moins un sourire sur papier glacé ; la chaleur humaine y transparaissait. Thomas commençait à s'apercevoir qu'elle était particulièrement jolie.

« Regardez », lui dit-elle tout à coup. Penchée vers lui, elle lui désignait du doigt quelque chose, par la fenêtre. « Vous voyez ? »

Tout d'abord, il ne vit que la cime des arbres découpée contre la lumière bleuâtre, à mi-distance. Puis, au-dessus des plus hauts, il distingua un ouvrage qui devait tout à la main de l'homme : la partie supérieure d'un gigantesque globe d'argent. À mesure que la voiture avançait, et que la perspective changeait, trois autres globes semblables surgirent, à des hauteurs diverses, reliés entre eux par des tubes d'acier étincelant. Il n'était pas possible d'embrasser l'ensemble du regard, mais déjà Thomas pressentait quelque chose d'immense, de majestueux, quelque chose de sublime, de surnaturel, conçu sur une échelle épique par un auteur de science-fiction, puis transposé grâce au miracle de l'ingéniosité et du savoir-faire humains dans l'univers naturel.

« C'est l'Atomium, lui dit fièrement Anneke. On le verra mieux à l'intérieur du parc de l'Exposition. »

Elle se pencha vers le chauffeur et lui dit quelque chose en français.

« Je lui demande de ne pas vous conduire directement au Pavillon britannique », lui expliqua-t-elle. Mais il avait déjà saisi la teneur de ses consignes. « Il faut que vous fassiez un tour de l'Exposition avant. »

Quelques instants plus tard, la voiture s'arrêtait devant un vaste portique entouré d'une douzaine de hampes où ne flottait encore aucun drapeau. Un panneau inachevé annonçait porte des Nations. Un gardien enthousiaste, qui connaissait visiblement bien le chauffeur, les invita à passer d'un geste de la main, et ils s'engagèrent bientôt dans le parc, en roulant à dix à l'heure sur un large boulevard bordé d'arbres qui s'appelait l'avenue des Nations.

La prudence s'imposait en effet : la circulation était bouchée, partout on s'activait, partout on s'affairait. Au début, Thomas ne comprit rien à ce qu'il voyait : ce n'était qu'un méli-mélo de camions, d'échafaudages, de grues, de poutrelles, de tas de briques et de dalles de béton, de planches de bois que transportaient dans tous les sens des ouvriers coiffés de calots en tissu ou de mouchoirs noués. Il n'avait jamais vu un chantier aussi dense sur un si petit espace. Instructions, rappels à l'ordre, avertissements et encouragements se criaient dans toutes les langues imaginables. Il mit quelques secondes à s'accoutumer à la fébrilité et au tohu-bohu avant de distinguer les détails. Le premier édifice qui attira son attention se trouvait sur leur gauche. Il se jetait littéralement à leur tête, diorama spectaculaire — acier, verre et béton — de plus de cent mètres de diamètre, où l'on accédait par une large allée accueillante, ponctuée de drapeaux. Son échelle, son ambition et son dessin circulaire évoquaient à Thomas une version profondément moderne du Colisée.

« C'est le Pavillon américain, expliqua Anneke. Et voici le Pavillon soviétique, juste à côté. Leur voisinage vous donne une idée de l'humour belge », ajouta-t-elle, une lueur dans la prunelle.

Le Pavillon soviétique offrait un contraste frappant avec son homologue américain. Il ne lui concédait rien en termes d'échelle, mais ici la simplicité héroïque de l'Est constituait un désaveu de la vulgarité prétentieuse de l'Ouest. Ce géant vaguement cubique, fait d'acier et de verre, projetait sa masse jusqu'au ciel ou presque, et Thomas se tordit le cou par la fenêtre au passage, bouche bée de stupéfaction. Les parois du Pavillon étaient en verre ondulé, ce qui lui donnait une légèreté et une ouverture qui démentaient ses dimensions. On aurait dit une pierre dans le jardin des Occidentaux toujours convaincus que la transparence était un concept inconnu chez les Soviets.

Ensuite, ils tournèrent à gauche sur une voie plus étroite, et longèrent un édifice qui, sans être imposant comme les deux précédents, lui sembla plus beau qu'eux. Moins arrogant, tout d'abord, plus lisse dans ses courbes, plus clair, plus assuré dans ses lignes. Anneke en fut d'accord.

« Le Pavillon de la Tchécoslovaquie, c'est mon préféré, jusqu'ici. J'ai vraiment hâte de le visiter. »

Ils tournèrent de nouveau à gauche, et s'engagèrent sur l'avenue de l'Atomium. Et cette fois, lorsqu'il vit la structure si souvent célébrée dans sa splendeur féerique, qui grossissait à mesure qu'ils approchaient, Thomas sentit son cœur s'emplir de révérence et d'excitation ; du coup, la portée de l'aventure dans laquelle on venait de l'embarquer s'imposa à lui. Le dimanche, encore, à Tooting, il versait du xérès à sa femme et sa mère en prélude à un interminable déjeuner de famille où il ne s'était rien dit de mémorable, rien passé d'intéressant. Et déjà, il s'était senti comme fourvoyé dans la quiétude douillette de cette banlieue ennuyeuse à périr, cette indifférence écrasante au vaste monde et aux grands événements qui s'y déroulaient. Et voilà qu'à présent, quatre jours plus tard à peine, il était miraculeusement happé vers l'épicentre de ces mêmes événements. Ici, pendant les six prochains mois, convergeraient tous les pays dont les relations complexes entre conflits et alliances, dont les histoires riches et inextricablement liées avaient façonné et continuaient de façonner la destinée du genre humain. Et cette folie éblouissante était au cœur du phénomène, gigantesque treillis de sphères interconnectées, impérissables, chacune emblématique de cette minuscule unité mystérieuse que l'homme venait si récemment d'apprendre à fissionner, avec des conséquences à la fois prodigieuses et alarmantes : l'atome. Cette vue seule lui fit battre le cœur.

« Il vous plaît? disait Anneke, alors que la voiture en faisait le tour complet. Il vous plaît, Mr Foley?

— Il m'enthousiasme, répondit Thomas, qui se pencha de nouveau par la portière. Il m'enthousiasme, il m'emballe totalement. »

Ses propres mots lui parurent étranges sitôt sortis de sa bouche. Depuis quand donnait-il dans une pareille surenchère verbale? Peut-être ce lyrisme n'était-il en rien lié au lieu, ni même à l'Atomium, mais bel et bien à la présence d'Anneke elle-même.

Il s'empressa de refouler cette idée alarmante. La voiture dépassa les pavillons modernistes de la France, du Brésil, de la Finlande et de la Yougoslavie, et puis le Pavillon italien qui, tournant le dos à la tendance, voulait figurer un village de montagne. Ils s'engagèrent dans l'aire scandinave, longèrent les Pavillons turc et israélien, et quelques minutes plus tard ils avaient traversé toute l'Amérique du Sud et l'Extrême-Orient. Thomas commençait à avoir le tournis, mal au cœur. Ces architectures discordantes se brouillaient sous ses yeux.

« Et celui-ci, qu'est-ce que c'est ? demanda-t-il comme ils passaient devant une construction non moins moderniste semi-circulaire, habillée de briques de métal étincelantes et dans laquelle on pénétrait par un escalator captif d'un tunnel de verre.

— Ah, pour nous, les Belges, c'est une partie essentielle de l'Exposition. Ce sera le secteur consacré au Congo belge et au Ruanda-Urundi. De l'autre côté, on a mis un jardin tropical avec un village indigène au milieu. Tout ce qu'il y a d'authentique, avec des petites huttes aux toits d'herbe. On va même y installer des indigènes venus exprès pendant la durée de l'Expo. J'ai hâte de les voir ! Je n'ai jamais vu de vrai Noir. Ils ont l'air bizarre et marrant, sur les photos. »

Thomas ne releva pas, mais ces propos le mirent mal à l'aise. Ce n'étaient pas les visages noirs qui manquaient dans les rues de Londres, par les temps qui couraient ; il y avait des gens que ça dérangeait, il le savait, et un échange assez vif avec Tracepurcel, à la cantine, lui revint tout à coup en mémoire. Il se flattait pour sa part d'être indifférent à la couleur de la peau. Si Anneke disait vrai, cette partie de l'Exposition constituait une fausse note.

Sans lui laisser le temps de formuler une réponse, la voiture tourna le coin, et Thomas vit une silhouette qu'il reconnut aussitôt : celle du Pavillon britannique de James Gardner. Il dut s'avouer qu'il était encore plus excentrique, plus original et plus impressionnant en réalité que sur les photos. Avec ses trois sections triangulaires, il n'avait rien à envier au modernisme et à la dynamique de ses homologues, et en même temps il évoquait les cathédrales ou, du moins, une succession de clochers. Tout ébloui qu'il ait été par les autres édifices, il se sentit cette fois illuminé d'une joie intérieure : celle de l'homme qui retrouve son pays.

Anneke lui ouvrit la portière, mais au lieu de pénétrer par l'entrée principale du pavillon, où des ouvriers alignés sur des échelles posaient des panneaux de verre, ils passèrent par-derrière, et traversèrent un bosquet de hêtres pour se retrouver à l'intérieur du site. D'autres bâtiments étaient regroupés autour d'un petit lac artificiel, et là-bas au bout, incongru à souhait dans le fatras du microcosme hétéroclite où Thomas venait de voyager, surgit cette image à la fois étrange et familière : la façade en bardeaux d'un pub, son nom s'affichant en grosses lettres à l'étage : LE BRITANNIA.

« Mr Foley? » demanda une voix anglaise policée. Thomas vit un jeune type en costume de lin blanc qui descendait les escaliers d'un pas vif, et lui tendit bientôt une dextre ferme et énergique. « Carter. Vraiment navré de ne pas avoir pu vous accueillir à l'aéroport.

— Je vous en prie. J'étais en de bonnes mains. »

Anneke le remercia d'un sourire et dit : « Enchantée » à Mr Carter. Puis, se tournant vers Thomas : « Il va falloir que j'y aille. Une voiture viendra vous chercher au British Council à quatre heures, pour vous ramener à l'aéroport. Et, bien sûr, vous aurez une hôtesse pour vous assister dans tous vos déplacements.

— Est-ce que ce sera vous? » osa Thomas, sans reculer devant le caractère direct de la question.

Anneke détourna les yeux en réprimant un sourire, et se borna à promettre : « Je vais voir si je peux m'arranger. »

Les deux hommes couvèrent d'un regard de regret sa silhouette qui s'éloignait et disparaissait dans les arbres. Carter étouffa un sifflement admiratif.

« Beau châssis. Et vous lui avez fait une forte impression, si je ne me trompe.

— Vous croyez ? Pourtant je n'ai pas, pas cherché à…

— Naturellement. Mais c'est ici le lieu de tous les dangers. Vous ne le sentez pas ? Il pourrait se passer des choses étranges si nous ne gardons pas la tête froide, tous tant que nous sommes. » Avant que Thomas ait pu lui demander de préciser sa pensée, Mr Carter éclata de rire et lui administra une tape dans le dos. « Allez, entrez, maintenant. Vous allez voir ce que Le Britannia réserve à ses clients. Avec la mine que vous avez, une bière anglaise de première classe ne vous fera pas de mal. »

UN DRÔLE DE PAROISSIEN

En l'absence de tout client, Le Britannia parut à Thomas beaucoup plus vaste qu'il ne se l'était figuré. Il eut l'impression que le pub était à peu près opérationnel. Il manquait encore quelques décorations murales, et un trio d'artisans s'affairait derrière le comptoir, mais on était manifestement entré dans la phase d'achèvement. Lui qui avait visualisé tant de plans, de dessins, de photos de l'intérieur ces derniers mois trouva une satisfaction supplémentaire — dans une journée déjà fertile en plaisirs — à voir enfin de ses propres yeux l'établissement réalisé.

Sa première impression fut bonne. Très bonne. On était frappé par la lumière et l'espace. Dans la salle du rez-de-chaussée, trois des murs étaient habillés de frisette de pin et de plâtre blanc, le quatrième avait été laissé en brique naturelle. Le sol était revêtu d'un damier noir et vert. Le comptoir à dessus rouge, alliant bois clair et foncé, prenait presque toute la longueur d'un mur ; une rangée de tabourets de bar s'alignait devant. Sur les autres côtés, des banquettes traditionnelles, avec des guéridons à dessus de verre, ainsi que quelques sièges individuels jaunes et noirs. De nombreuses marines étaient accrochées aux murs ; il y avait aussi des maquettes de bateaux sous verre, ainsi qu'un modèle réduit d'avion de ligne Britannia, suspendu comme en plein vol.

« Superbe, non ? lança Carter, rayonnant. Vous aurez du mal à me décoller d'ici pendant les six mois à venir. Le meilleur de notre chère vieille Angleterre transporté dans son jus au cœur de la morne Belgique. »

Il entraîna Thomas au premier, car Le Britannia comportait deux niveaux avec, en haut, une vaste salle de réception pour les soirées privées, dotée d'un comptoir plus petit. C'était le Club des Exposants — moquette noir et orange, sièges fixes et quelques fauteuils de cuir noir. Comme il n'y avait pas grand-chose à voir, Carter mena Thomas sur la galerie qui prolongeait l'espace, traitée comme un pont de bateau avec plancher, main courante, bouées de sauvetage et coursive protégée. De là, on avait vue sur toute la terrasse du rez-de-chaussée, qui serait bientôt noire de visiteurs venus flâner du Pavillon de James Gardner à celui de l'Industrie, ou bien s'asseoir aux tables, sous les parasols de couleurs vives. Derrière cette terrasse, parmi les arbres, on apercevait le lac artificiel et, tout au bout, un grand mât d'acier fièrement pointé vers le ciel, sans autre vocation particulière.

Carter s'avança vers le bastingage, au bout de la galerie, et il s'y appuya pour contempler le lac. Thomas inspecta quelques instants la charpente et ses piliers de soutènement, puis il le rejoignit.

« Ça va être un sacré bazar, non ? » dit Carter, parcourant du regard le lac et les arbres, sur l'autre rive, où des camions de tous modèles et de tous gabarits passaient dans les deux sens sur l'avenue des Trembles. « Je me dis que je n'ai encore rien vu d'approchant. » Il se tourna vers Thomas : « Cigarette ?

— Merci, c'est très aimable. » Ils partagèrent une allumette. « Ils commencent à dire que c'est mauvais pour la santé, vous savez.

— Tout est mauvais, si vous les écoutez. Quelle bande de rabat-joie... » Il tira une longue bouffée et considéra Thomas d'un œil plus aigu qu'il ne l'avait fait jusque-là. « Alors comme ça le BCI vous envoie surveiller les opérations ?

— Ça y ressemble, dit Thomas. Je n'en vois pas la nécessité, vaste perte de temps et d'argent, si vous voulez mon avis.

— Je n'en jurerais pas. Vous avez fait la connaissance de *nostre hôte* ?

— Mr Rossiter, le patron ? Pas encore. Je comptais d'ailleurs le rencontrer aujourd'hui.

— C'est faisable. Il est à la cave. On va y descendre tout de suite.

— Vous avez des choses à me dire sur lui ?

— Je m'en voudrais de déflorer votre découverte. Alors, comment ils ont fait pour vous distinguer, si je peux me permettre de vous poser la question ? Une mission de six mois en Belgique... Vous avez tiré à la courte paille au bureau, et le sort est tombé sur vous ?

— Je dois m'attendre au pire ? »

Mr Carter réfléchit un instant. « Oh, on pourrait tomber plus mal, certes. Depuis dix ans que je travaille pour le Council, j'ai eu des postes épineux. Amman, Bergen. Toutes sortes d'endroits. Le pire qu'on puisse dire sur les Belges, c'est qu'ils sont un brin excentriques.

— Excentriques ?

— Le surréalisme est la norme, ici, cher ami. Au fond, ce sont eux qui l'ont inventé ou presque. Et, dans les six mois qui s'annoncent, ils vont s'en donner à cœur joie.

— Ah oui, Anneke — l'hôtesse — m'en a touché un mot. Ils ont installé les Américains et les Russes côte à côte. Elle y voit une bonne histoire belge.

— Hmm..., dit Carter en écrasant son mégot contre la rambarde. Cette blague-là, j'en attends la chute. Une chose est sûre, les deux pavillons seront des nids d'espions. Allez, venez, on va retrouver le lieutenant-colonel de l'appareil. »

Sur cette remarque sibylline, il ramena Thomas au rez-de-chaussée, puis le fit passer par une large trappe, ouverte dans un renfoncement, derrière le comptoir. Quelques marches de bois sur lesquelles leurs pas résonnèrent les conduisirent à une cave spacieuse et bien éclairée. Les deux hommes se retrouvèrent devant des rangées de supports métalliques, qui n'attendaient plus que l'arrivée des tonneaux de bière. Devant l'un d'entre eux, une discussion confuse se déroulait. Un grand type basané qui transpirait beaucoup dans sa chemisette de flanelle blanche protestait en français. Face à lui, dos tourné à Thomas, un bonhomme plus petit et trapu était campé poings sur les hanches, nuque écarlate de colère au-dessus de son col blanc empesé.

Thomas en savait assez sur la gestion d'un pub pour suivre la discussion. Le grand type qui parlait français appartenait à la société fournissant les supports; le patron du pub se plaignait du système d'inclinaison automatique qui allait avec : il fonctionnait par à-coups et risquait de faire tanguer la bière dans les tonneaux, après quoi elle serait trouble à la pression. Pourquoi ne pas incliner les tonneaux par de simples coins de bois? demandait-il. L'autre répliquait qu'il s'agissait là d'une méthode vieillotte, réponse saugrenue selon son interlocuteur. Finalement le fournisseur renonça à faire valoir ses arguments, il remonta les marches de bois en maugréant, et disparut avec un geste d'exaspération.

Alors seulement, le patron du Britannia s'aperçut de la présence de ses deux visiteurs.

« Bonjour, messieurs », dit-il avec circonspection, puis passant au français : « *Bonsoir, mes amis, Comment**… Bref, vous désirez ?

— Carter, rappela Mr Carter en lui tendant la main avec un sourire benoît. Du British Council. On s'est rencontrés hier.

— Ah oui, je m'en souviens, répondit le patron, qui de toute évidence ne s'en souvenait pas.

— Et voici Mr Foley. Je vous ai parlé de lui. Il va travailler ici, lui aussi.

— Ah, formidable ! dit le patron en serrant la main de Thomas. Rossiter, Terence Rossiter. Ha ha », il prit la cravate de Thomas entre le pouce et l'index, et la tira vers lui pour l'examiner de plus près. « Celle-ci, je la reconnais. C'est la cravate de Radley College. Ou de Marlborough, peut-être. Dites-moi que c'est bien une cravate d'école, en tout cas, sinon j'ai perdu une belle occasion de me taire.

— C'est bien une cravate d'école, oui. Celle de Leatherhead Grammar.

— Ah, autant pour moi. Vous êtes un enfant de l'École publique, hein ? Oui, c'est logique. Qu'est-ce que ficherait un ancien de Radley à travailler dans un pub. Allez, montez, messieurs. Je vais regarder voir ce que j'ai en boutique pour vous rincer le gosier. »

Ils prirent place au premier, autour d'une table à dessus de verre, et Mr Rossiter alla leur chercher trois bouteilles de blonde. Il s'excusa de ne pas avoir de bière à la pression. La société Whitbread en avait créé une tout spécialement pour l'Expo, une brune forte, baptisée comme de juste la Britannia, mais on attendait toujours livraison des premiers tonneaux.

« Ils n'arriveront qu'une semaine avant l'ouverture, expliqua Rossiter. J'espérais résoudre le problème de l'inclinaison d'ici là, mais je n'ai pas la moindre idée de ce que me racontait ce mangeur de grenouilles, pour être honnête. Ça n'arrange pas les affaires, quand il faut traiter avec une bande d'étrangers.

— Si j'ai bien compris, risqua Thomas, il trouvait que vos supports de bois dataient un peu.

— Sans blague ! Ils ont pourtant fait notre affaire au Duke's Head, qui fut mon domaine pendant onze ans, après la guerre, et les clients ne se sont jamais plaints, ma foi. »

Il but une longue gorgée de son verre, ce qui accrocha un nuage de mousse à chaque pointe de sa moustache roussâtre. Cette moustache était une création remarquable : elle poussait à l'horizontale parfaite, et chaque moitié devait bien être longue de cinq centimètres. Les extrémités flottaient, sans contact avec le visage de Mr Rossiter, visage vermeil, tramé d'un réseau infini de veinules rouges et doté d'un nez violacé. Il était tentant d'en conclure que l'homme n'avait pas raté sa vocation, si elle se résumait à fréquenter la bouteille de très près.

« Le fait est, poursuivit-il, que ces Belges sont plus andouilles que nature, ils connaissent rien à la bière, et d'ailleurs rien à rien. J'en sais quelque chose. J'ai failli perdre une jambe à El-Alamein, et j'ai passé deux ans de guerre dans un genre d'hôpital, près de Tonbridge. Je me suis retrouvé avec deux Belges pendant plusieurs mois et, je peux vous le dire, il n'y avait pas plus tordu ni plus timbré. Frappadingues, l'un comme l'autre.

— L'un des objectifs de cette Foire, selon moi, dit Carter, c'est que les peuples de différents pays vivent côte à côte pendant quelque temps, et que par conséquent ils perçoivent mieux leurs différences et leurs ressemblances pour parvenir, qui sait, à une plus grande compréhension…

— C'est du pipeau, votre histoire, dit Rossiter. Sans vouloir vous vexer, hein. J'ai mon franc-parler, vous l'avez sûrement remarqué. Ce que vous proposez, c'est bien joli, en théorie, mais dans la vie ça marche jamais. Dans six mois, quand on fera nos paquets, on se comprendra pas mieux qu'au début. Maintenant si les dirigeants veulent balancer quelques millions pour monter cette foire de fous, libre à eux. Moi je suis ravi de donner un coup de main tant que je touche ma part du gâteau. »

Carter lança un regard embarrassé à Thomas.

« Bien sûr, vous savez à quel titre Mr Foley va travailler ici…

— Il peut débuter au comptoir. Jusqu'ici, j'ai que ma nièce Ruthie de prévue pour m'aider. J'ai répété je ne sais combien de fois à la brasserie qu'il me manquerait du personnel, et je vois avec plaisir qu'ils ont fini par en tenir compte.

— Je crains qu'il y ait un malentendu, dit Carter. Mr Foley n'est pas barman. Il travaille pour le BCI.

— Le quoi ?

— Le Bureau de l'Information. »

Le regard de Rossiter passa de Thomas à Carter.

« Je n'y suis pas.

— Le fait est, commença Thomas sur le ton le plus raisonnable, que ce superbe pub, qui a une existence en lui-même, fait aussi partie de l'Exposition britannique à la Foire. Et, par conséquent, ma hiérarchie a jugé pertinent — tout cela vous a été expliqué par courrier, je crois — que quelqu'un du BCI reste sur place pendant la durée de la Foire pour… pour…

— Pour me tenir à l'œil, quoi, acheva Rossiter avec flegme.

— Je ne le dirais pas de cette façon, dit Thomas, conscient de s'en défendre médiocrement.

— Alors vous n'êtes pas là pour m'aider ? Tout ce que vous allez faire, c'est fourrer votre nez partout et regarder par-dessus mon épaule ?

— Mon père tenait un pub. Je m'y connais assez bien. Je me ferai un plaisir de vous donner un coup de main au besoin. »

Rossiter n'en fut pas convaincu, ni ravi. À regret, après que ses deux invités eurent bu quelques gorgées de leur bière, il leur fit faire le tour du propriétaire en les menant en particulier aux cuisines, où le gérant du restaurant, Mr Daintry, préparerait ses menus typiques de l'« ordinaire anglais » (Thomas croisa une seconde le regard de Carter, qui accueillit cette formule par un furtif signe de croix). Ensuite, le patron protesta qu'il avait du travail, et il disparut de nouveau à la cave, sans doute pour ruminer l'intransigeance des Belges en matière de supports de tonneaux et de dispositifs pour leur inclinaison.

« Drôle de paroissien », dit Thomas, lorsqu'ils eurent quitté le pub et se dirigèrent d'un pas de promenade vers l'enceinte du Pavillon britannique.

« Je vous avais prévenu. Mais il va faire l'affaire, je crois. Il faudra simplement que vous veilliez à ce qu'il ne roule pas sous la table. Parce que c'est le genre de type à ne plus avoir les yeux en face des trous passé neuf heures du soir. Or justement, ici, n'oubliez pas qu'il n'y a pas d'heure de fermeture légale comme en Angleterre. Il pourra siroter douze heures de suite si ça lui chante. »

Le reste de la journée passa très vite. Carter emmena Thomas au British Council, dans le centre de Bruxelles, où ils déjeunèrent au restaurant administratif. Ils évoquèrent le projet d'un petit cocktail d'ouverture pour Le Britannia, le lendemain de l'inauguration de l'Expo elle-même.

Dans la voiture qui vint chercher Thomas, il n'y avait pas d'hôtesse. Force lui fut donc de conclure qu'il ne reverrait pas Anneke ce jour-là. Pourtant, lorsqu'ils arrivèrent à l'aéroport, avec quarante-cinq minutes d'avance, elle l'attendait devant le hall des départs. Désormais, il ne restait plus rien de ce professionnalisme un brin guindé avec lequel elle l'avait accueilli. Au fil de leurs au revoir réitérés, elle dansait d'un pied sur l'autre, mains derrière le dos, dans une attitude d'écolière, baissant parfois les yeux comme si elle n'osait pas croiser son regard trop souvent. Ils étaient verts, ses yeux, vert clair, avec un reflet mordoré, et elle avait un grand sourire, des dents éclatantes et parfaites. La seule chose qui laissait à désirer chez elle, c'était la tenue qu'elle était obligée de porter. Maladroitement, au moment où ils se séparaient, il essaya d'y glisser une allusion.

« J'espère que nous nous retrouverons souvent pendant l'Expo, venait-elle de lui dire.

— Oui, répondit Thomas, j'aimerais bien vous revoir. » Et, comme la formule lui paraissait tiède, il ajouta : « Peut-être sans votre uniforme. »

Elle rougit violemment.

« C'est-à-dire, je voulais dire, bredouilla Thomas, j'aimerais bien vous voir en tenue de ville.

— Oui, dit Anneke en essayant d'en rire mais toujours cramoisie, j'avais bien compris. »

À l'issue d'un long silence final, elle annonça : « Vous allez rater votre avion », et ils échangèrent une dernière poignée de main fervente et prolongée, que Thomas rompit en se précipitant à l'intérieur. Il se retourna une fois encore. Elle lui fit un signe.

LES COUSSINETS CORICIDES CALLOWAY

Au cours des semaines qui suivirent, Thomas eut peut-être le tort de laisser un peu trop paraître son impatience à la perspective de partir pour Bruxelles. Fallait-il s'étonner alors que Sylvia commence à lui en vouloir, et que la résignation enjouée avec laquelle elle s'était tout d'abord accommodée de sa désertion cède peu à peu à la crispation et la mélancolie ?

Le samedi matin qui précédait son départ, les hurlements particulièrement vigoureux de sa fille le propulsèrent à la pharmacie Jackson racheter une dose de cette eau contre les coliques dont la petite semblait désormais insatiable. On faisait la queue au comptoir et, déjà résigné à attendre une dizaine de minutes, il ne se réjouit guère de se retrouver juste derrière Norman Sparks, l'un de ses voisins immédiats. Ce Norman Sparks, célibataire, vivait avec sa sœur. Thomas le considérait comme un raseur de première. Peu après leur arrivée dans le quartier, Sylvia et lui avaient été invités chez les Sparks, expérience qui n'avait pas été rééditée, car la soirée leur avait paru longue et éprouvante. Judith, la sœur de Sparks, femme maladive d'une trentaine d'années, n'avait guère ouvert la bouche de tout le dîner (fût-ce pour s'adresser à son frère) et elle avait quitté la table peu après neuf heures du soir, alors qu'ils n'en étaient même pas au pudding. La malheureuse à peine partie, Sparks s'était délecté à leur décrire par le menu et sans la moindre pudeur ses maux divers et variés, qui, s'ajoutant les uns aux autres, finissaient par la clouer au lit les trois quarts du temps. Cette façon de prendre les misères d'autrui à la blague n'avait fait qu'accroître l'antipathie de Thomas envers lui. Circonstance aggravante, il avait passé une bonne partie du dîner à reluquer Sylvia d'un œil qu'il fallait bien dire salace. Depuis lors, n'étant pas d'un tempérament vindicatif, Thomas avait su faire décemment bonne figure à leur voisin. Sans avoir oublié les regards concupiscents que l'individu avait jetés à sa femme, il lui marmonnait un « 'Jour, Sparks » cordial quand ils se croisaient dans la rue, et lui accordait trois mots sur la pluie et le beau temps lorsqu'ils se retrouvaient de part et d'autre de la palissade du jardin, par un après-midi de soleil.

« 'Jour, Sparks, lui dit-il donc. Comment va votre pauvre sœur ?

— Oh, ni mieux ni plus mal, elle nous fait des escarres, c'est sa dernière, répondit Sparks avec sa désinvolture coutumière. De grosses escarres rouges. Sur tout le postérieur. Deux semaines que je lui mets de la crème tous les jours. »

Thomas le regarda, soufflé. « Allons bon… », dit-il aussi platement que possible. La pharmacie était pleine de monde et il sentait bien que les autres clients ne perdaient pas une syllabe de leur échange. Il était donc urgent de changer de sujet. « Enfin, vous, au moins, vous avez bonne mine. On se dit que vous n'avez pas de soucis de santé.

— Détrompez-vous, dit Sparks, qui secoua la tête avec un sourire de regret. J'ai des cors. Ils me font souffrir le martyre. C'est à cause de mes pieds, vous comprenez. Je fais une pointure bâtarde. »

Thomas baissa les yeux. À première vue, les pieds de son voisin n'avaient rien de bizarre.

« Vous m'étonnez beaucoup...

— Je fais un trois quarts, expliqua Sparks. Le huit et demi est trop petit pour moi, et le neuf trop grand. Que voulez-vous ! Je suis un spécimen unique. » Un soupçon d'orgueil affleurait dans cette conclusion.

« Ça frotte ou ça flotte, je suppose, dit Thomas avec sollicitude.

— Exactement, je suis pris entre le marteau et l'enclume.

— Et vous ne pouvez pas vous faire faire des chaussures sur mesure ? »

Sparks éclata de rire.

« Je ne suis pas Crésus, mon vieux ! Ça n'est pas dans mes moyens. Loin de là. J'ai déjà du mal à faire bouillir la marmite pour Judy et moi. Non, moi j'ai ces petites merveilles qui me sauvent la mise. » Il désignait du doigt une étagère derrière le comptoir, avec une pile de petites boîtes portant l'étiquette : Coussinets coricides Calloway. Or justement, c'était son tour d'être servi. « Un paquet de Mr Calloway de luxe, je vous prie, ma beauté, lança-t-il avec un sourire censé chavirer la préparatrice de garde ce samedi-là. Et puis vous me mettrez un tube de cette vacherie de crème, pour soulager la partie charnue de la pauvre Miss Sparks. »

Là-dessus, à la contrariété de Thomas, Sparks alla l'attendre devant la pharmacie dans l'intention manifeste de rentrer avec lui. Il faudrait donc continuer à bavasser. Thomas réussit habilement à dévier des maux de Miss Sparks pour parler football, sujet plus anodin. Puis, comme ils atteignaient le portail de son propre jardin, nouvel aléa : Sylvia était dehors, elle nivelait le sol de leur minuscule parterre où elle s'apprêtait à planter quelques rangées de bulbes. Elle se redressa quand elle les vit et, main sur ses reins douloureux, lança : « Bonjour, Mr Sparks. J'ai mis la bouilloire en route il y a deux minutes. Vous boirez bien une tasse de thé ? »

Sourcils froncés, Thomas suivit sa femme et son voisin dans la maison. Il comprenait parfaitement ce qui était en train de se passer. Son départ imminent pesait à Sylvia et les attentions superflues qu'elle prodiguait à Sparks étaient une façon de le punir plus ou moins consciemment. Elle revint de la cuisine avec la théière : « Vous l'aimez bien fort et très sucré, je suis sûre, Mr Sparks », dit-elle, dangereusement penchée sur lui pour remplir sa tasse. Elle avait très vite retrouvé sa ligne, après l'accouchement; sa ligne en mieux, d'ailleurs : comme elle allaitait, ses seins étaient plus ronds, plus pleins, ce qui n'avait pas pu échapper à Sparks, nez dans son décolleté ou presque, humant son parfum avec avidité.

« Du lait et deux sucres, s'il vous plaît, Mrs Foley », dit-il d'une voix altérée, sur quoi il leva les yeux vers elle et soutint son regard noisette un instant de trop, au grand dam de Thomas.

« Il faut que je vous le dise, Foley, reprit Sparks lorsque Sylvia fut repartie à la cuisine couper quelques tranches de cake aux noix, vous êtes un parfait idiot, si vous voulez savoir.

— Pourquoi donc ? demanda Thomas, bien convaincu de ne rien vouloir savoir, précisément.

— Laisser votre petite femme toute seule pendant que

vous allez faire le beau à Bruxelles (à Bruxelles, on n'a pas idée !). Moi, à votre place, je ne la quitterais pas plus de dix minutes. »

Thomas remua son thé pour masquer son irritation.

« Je ne vois pas où vous voulez en venir, mon vieux.

— Six mois, c'est sacrément long. Vous n'avez pas peur de lui manquer ?

— Comme c'est gentil de vous en inquiéter, Mr Sparks, dit Sylvia, qui était revenue avec le cake. À mon avis, c'est un aspect de la situation qui n'empêche pas Thomas de dormir.

— Pas très galant de sa part, alors.

— Je rentrerai les week-ends, vous savez, certains week-ends, en tout cas.

— Et puis bien sûr, vous pourrez vous écrire, vous téléphoner, concéda Sparks.

— Naturellement. Nous allons échanger une correspondance passionnée.

— N'empêche, reprit Sparks. Il y a certains services que seul un homme peut vous rendre. Et je voulais seulement que vous sachiez que si vous aviez des besoins dans ce domaine, Mrs Foley, vous n'aurez qu'à sonner à ma porte, j'arriverai au galop.

— Mais que me proposez-vous là, Mr Sparks ? » demanda Sylvia avec un sourire espiègle.

Mr Sparks rougit jusqu'à la racine de ses cheveux. « Euh, je vous parle de changer une ampoule, de fixer une étagère, quoi.

— Je vois, répondit Sylvia dont le sourire s'attarda pendant qu'elle buvait son thé. Eh bien, c'est très gentil de votre part. Qu'est-ce que tu en penses, mon chéri ? C'est une belle offre de services, non ? »

Thomas la fixa sans expression aucune et se contenta d'observer après une pause de quelques instants : « Sparks me disait qu'il souffrait le martyre, avec ses cors, en ce moment. C'est une infirmité. Il boitait comme un pauvre diable, quand on est rentrés de la pharmacie. »

S'il avait voulu doucher la sympathie qui était en train de se développer rapidement entre Sparks et Sylvia, il en fut pour ses frais. Elle lança à leur voisin un regard de commisération sincère : « C'est terrible. Les cors, ça vous empoisonne l'existence. Ma mère en souffre depuis des années. Comme sa mère avant elle. C'est de famille, lui dit-elle.

— Elle connaît les Calloway, votre mère ? demanda Sparks en sortant le paquet de coussinets. On les colle sur la zone douloureuse, il y a un trou au milieu, si bien que… »

Thomas en avait assez entendu. Avec un soupir condescendant, il mordit trop gros dans son cake, et alla répondre au téléphone qui s'était mis à sonner dans le hall. À son retour, il s'aperçut que, le chapitre médical étant épuisé, Sparks était en train de réitérer ses serments d'assistance à l'épouse délaissée.

« Vous risquez de vous sentir un peu isolée, ici, disait-il. Alors, bien sûr, si vous avez besoin que je vous conduise quelque part, à la gare, par exemple…

— Vous voulez dire qu'il roule toujours, votre tas de boue, Sparks ? persifla Thomas, qui n'avait pas encore les moyens de se payer une voiture. Je le croyais à la casse depuis longtemps.

— Qui était-ce, au téléphone ? demanda Sylvia.

— Personne, je n'entendais que des grésillements au bout de la ligne.

— Ah, ça m'est arrivé tout à l'heure, pendant que tu étais sorti.

— C'est vrai ?

— Oui, et deux fois hier. »

Il était l'heure que Sparks prenne congé, et applique ses mains apaisantes sur les zones douloureuses de sa sœur. Thomas tint à l'accompagner à la porte du jardin, histoire d'être sûr qu'il vidait les lieux. Lorsqu'il rentra dans le hall, Sylvia était au téléphone, oreille collée au combiné.

« Quel abruti insupportable ! » marmonna-t-il dans sa barbe, mais assez fort tout de même pour être entendu de sa femme. Puis, s'adressant à elle : « Tout va bien ?

— Oui, j'étais seulement un peu inquiète pour le téléphone.

— On a la tonalité ?

— Apparemment, oui.

— Alors, pas de problème.

— J'entends de drôles de bruits, dedans, c'est tout. Depuis que le technicien est passé. »

Thomas s'arrêta net sur le trajet de la cuisine.

« Le technicien ? Quel technicien ?

— Un type de la Poste est venu, jeudi matin. Il est resté, quoi, une demi-heure, à bricoler les fils.

— Ah bon ? Pourquoi est-ce que tu ne m'en as rien dit ? »

Sylvia ne jugea pas utile de le préciser : ils en connaissaient parfaitement la raison l'un comme l'autre, puisqu'ils s'étaient à peine parlé de toute la semaine.

« Et tu l'as trouvé comme ça par hasard, sur le paillasson ?

— Non, les deux messieurs m'avaient annoncé sa visite.

— Quels deux messieurs ?

— Les deux messieurs qui étaient passés la veille. »

Thomas commençait à entrevoir confusément de quoi il retournait.

« Je vois, dit-il sombrement. Et je suppose qu'ils t'ont raconté qu'ils étaient de la Poste, eux aussi ?

— Oui, pourquoi ? Personne n'irait inventer un mensonge pareil, si ? »

Elle le suivit dans la cuisine, et ils s'assirent à table. Elle entreprit de lui raconter par le menu son étrange rencontre avec deux messieurs de la Poste tout à fait charmants, le mercredi après-midi. Ils étaient arrivés vers trois heures, et lui avaient expliqué qu'ils faisaient une enquête. Les riverains leur avaient adressé toute une série de réclamations : lignes qui se chevauchaient, appels interrompus, interférences et prestations défectueuses des services locaux.

« Et vous n'avez parlé que de ça ? Du téléphone ?

— Évidemment. Je leur ai dit que nous n'avions aucun problème — à ma connaissance — mais ils m'ont prévenue que le technicien passerait quand même, à tout hasard, et qu'il ferait des vérifications de routine pour l'entretien de la ligne. Et puis ils m'ont demandé de remplir un questionnaire.

— Un questionnaire ?

— Oui.

— Quoi, nom, adresse, ce genre de renseignements ?

— Oui. Avec d'autres questions en plus, comme, je ne sais pas, ça m'a paru bizarre, si j'appartenais à un parti politique, où j'avais passé mes vacances, tu vois le genre. »

Thomas soupira et observa sèchement : « Et il leur fallait tous ces renseignements pour réparer le téléphone ?

— Oui, j'ai quand même trouvé ça curieux. » Elle leva des yeux confiants vers son grand homme de mari. « Tu ne penses pas qu'il y ait quoi que ce soit de... louche, là-dedans ? »

Thomas se leva de sa chaise. « Sans doute pas. Ils vérifient probablement que tout est prêt pour les appels longue distance qu'on va pouvoir passer maintenant, quelque chose comme ça. »

Il fut touché par l'expression de soulagement qui éclaira son visage. Sa naïveté l'exaspérait parfois mais il lui arrivait aussi de la trouver émouvante ; du moins lui donnait-elle l'impression d'être puissant et indispensable. Impression que, pour tout dire, il ne détestait pas. Quant à soupçonner que quelqu'un allait garder un œil sur les allées et venues chez lui en son absence, il y trouvait aussi un singulier réconfort.

Le reste du week-end passa paisiblement. Le soir, ils allèrent au cinéma — sur les conseils de Mrs Foley, qui l'eût cru. « C'est votre dernier samedi soir ensemble avant longtemps, avait-elle dit à son fils. Pour l'amour du ciel, offrez-vous un extra. Gâte un peu ta femme. » Au départ, l'idée d'abandonner Gill toute une soirée avait fait bondir Sylvia, mais sa belle-mère l'avait rassurée, proposant de venir garder l'enfant elle-même. « Ce sera un plaisir pour moi. Ça me changera des soirs où je reste toute seule entre mes quatre murs. Et puis, à quoi ça sert d'avoir une chambre d'amis si personne n'y couche jamais ? » Thomas et Sylvia avaient donc pris le métro jusqu'à Leicester Square, et, en prélude à son immersion dans la cuisine européenne, ils avaient choisi un italien, mangé des lasagnes et bu du chianti. Ensuite, ils s'étaient accrochés sur le choix du film. Thomas voulait continuer sur le thème italien en allant voir *Les Nuits de Cabiria,* qui passait au Continental. Mais Sylvia posa son veto ferme et définitif lorsqu'elle apprit que le film était interdit aux mineurs et racontait l'histoire d'une prostituée. Elle déclara sa préférence pour *Peyton Place*, que Mrs Hamilton, la postière, avait déjà vu quatre fois, et sur lequel elle ne tarissait pas d'éloges. « La vie qu'ils mènent, avait-elle soupiré la dernière fois que Sylvia était venue encaisser un mandat. Ce train de vie qu'ils ont, en Amérique… Les grosses bagnoles, les grandes belles routes, les maisons chics, en couleurs, tout ça, et puis les hommes, tellement beaux gosses. Il y a un acteur, celui qui joue l'instituteur, il est tellement bien moralement, principes solides et tout et tout, mais en même temps, avec ses belles épaules dans ses beaux costumes bien coupés, on imagine quel effet ça doit faire quand il vous prend dans ses bras… » Elle avait laissé sa phrase en suspens, rêveuse, avant d'appliquer un bon coup de tampon sur le mandat de Sylvia, en lui tendant ses deux shillings six pennies. Thomas, à qui elle répercutait ces propos à l'heure du tiramisu, demeura sceptique. Bien des années plus tôt il avait acquis insensiblement la conviction que l'Amérique était un pays vulgaire, sans profondeur, pas civilisé. Il comprenait l'attrait de l'image qu'elle s'efforçait de présenter au reste du monde — une image d'audace et de cran, en Technicolor et Panavision. Mais il y était réfractaire. Quelque chose en lui se rebellait à l'idée de voir un film qui exalte son mode de vie, fût-ce sous couvert d'un mélodrame sordide censé en faire ressortir les ratés et les lignes de faille. Si bien qu'ils finirent par se mettre d'accord sur *L'Homme à démasquer*, film britannique avec Richard Todd et Anne Baxter. L'essentiel de l'action se déroulait dans une villa espagnole, mais le film était en noir et blanc, de sorte que les extérieurs rappelèrent curieusement la campagne du Hertfordshire à Thomas. Un retournement de situation survenait vers la fin, qui ficelait bien l'intrigue, et leur fournit un sujet de conversation lorsqu'ils allumèrent leurs cigarettes, dans le métro du retour. C'était un petit film soigné et pas dérangeant, qui les laissa tous deux sur leur faim, et clôtura cette soirée d'adieu sur un semi-fiasco.

Le lendemain matin, Mrs Foley rentra à Leatherhead, et le reste de la journée mari et femme firent de leur mieux pour offrir les dehors de la normalité domestique. Sylvia consacra le plus clair de l'après-midi à repasser les affaires de son mari, ses chemises, ses gilets et ses slips. Thomas installa son fauteuil à proximité conviviale de la planche à repasser, et lut un journal du dimanche truffé d'anecdotes sur ce Khrouchtchev qui exigeait que l'Amérique suspende ses essais nucléaires dans le Pacifique. Il tenta d'intéresser Sylvia au sujet, mais en vain. Elle lui parut déprimée, absente. Elle oublia même de lui beurrer ses toasts avant de mettre des sardines dessus. À l'heure du thé, elle ne parla que du sumac du jardin, dont les branches étaient encore nues à la mi-avril. « Et s'il n'allait plus jamais faire de feuilles ? lança-t-elle de but en blanc. Si tous les arbres dans le jardin, dans le *common* et partout étaient frappés aussi ? S'il n'y avait plus jamais de feuilles nulle part ? » Impossible de savoir si elle suivait une idée à elle, ou si ces questions étaient induites par le problème des essais nucléaires, qu'il avait mis lui-même sur le tapis. Mais la conclusion s'imposait : Sylvia était profondément perturbée, et ni lui ni elle n'avait le courage de prendre le taureau par les cornes.

MOTEL EXPO

En descendant sur Melsbroek, le lendemain après-midi, l'avion survola à basse altitude les banlieues nord-ouest de Bruxelles. Thomas tendit le cou vers le hublot dans l'espoir d'apercevoir, à travers les volutes de sa cigarette, le site de l'Expo. Mais l'angle d'atterrissage était défavorable, et il ne vit que des champs cultivés sur des kilomètres et des kilomètres, irrégulièrement découpés par de longues haies rectilignes et des canaux, avec, de temps en temps, un village modeste et propret. Plus insolite : un vaste ensemble de constructions provisoires s'étendait à la lisière d'un de ces villages ; des bâtiments tout en longueur, regroupés par rangées de quatre — une quarantaine en tout — réparties sur une large bande de terre plate et nue qu'on aurait dite défrichée exprès, et quadrillées par des chaussées perpendiculaires. Thomas aurait été tenté d'y voir un camp de prisonniers de guerre, à ceci près que les bâtiments étaient beaucoup trop récents ; aussi bien n'était-il pas sûr qu'il y ait jamais eu de camps en Belgique. Quelques secondes plus tard, l'avion les dépassait, et ils disparaissaient à sa vue.

Après avoir récupéré ses deux valises pleines à craquer, il fut accueilli dans le hall des arrivées par une hôtesse belge, mais qui n'était pas Anneke. Les obligations de celle-ci se limitaient apparemment à l'escorter jusqu'à la file des taxis, et à répercuter ses indications au chauffeur. Le trajet traîna en longueur. Le chauffeur, francophone, se plaignait des embouteillages qui s'aggravaient au fil des semaines, et qui, à trois jours de l'ouverture de la Foire, prenaient des proportions critiques. Thomas ponctua ces constats d'une vague formule approbatrice, mais ne se mit pas en frais pour entretenir la conversation lorsqu'elle s'effilocha. Sur ses genoux, dans une enveloppe en papier kraft, se trouvaient dactylographiées les indications relatives à son hébergement. Elles l'informaient qu'il serait logé au bungalow 419 d'un certain Motel Expo, et qu'il le partagerait avec un autre Anglais nommé A. J. Buttress. Ces données ne l'avançaient guère, sauf que le mot bungalow laissait présager un hébergement frugal, et que le numéro 419 impliquait que la cahute en question serait un exemplaire parmi tant d'autres.

Ils roulaient depuis une vingtaine de minutes lorsque, sur la gauche, Thomas revit les sphères étincelantes de l'Atomium s'élever par-dessus les arbres, pleines lunes contre le gris-bleu du ciel changeant. Il reprit du poil de la bête. Demain, il serait revenu sous ces globes, et la certitude l'électrisa derechef. À sa manière complexe et voilée, le monument était emblématique de ce que la Foire — et durant les six mois à venir sa vie à lui — représentait : le progrès, l'histoire, la modernité et la sensation d'être monté dans la locomotive de ce train-là. Et pourtant, comment réconcilier ce sentiment avec la vie qu'il venait d'abandonner passagèrement, celle où Sylvia semblait embourbée jusqu'au cou ? Il y avait là une contradiction profonde.

Dix minutes plus tard, son taxi quittait la route principale et pointait son nez dans un petit village nommé Wemmel composé de quelques douzaines de respectables maisons de briques rouges, pour la plupart généreusement pourvues de terrains où poulets, chèvres et moutons trouvaient leur subsistance ou passaient le temps agréablement, indifférents aux événements majeurs à la veille de se dérouler dans leur voisinage. Le village traversé, le taxi tourna à gauche et, moins d'une minute plus tard, au bout d'une allée sinueuse bordée de peupliers, il s'arrêta devant un imposant complexe de bâtiments préfabriqués où Thomas reconnut aussitôt ceux qu'il avait aperçus du ciel. Il avait été malavisé de les prendre ne serait-ce qu'un instant pour un camp de prisonniers car, selon toute apparence, il y résiderait jusqu'au mois d'octobre.

Derrière la barrière qui s'ouvrit pour leur livrer passage se dressait une guérite de bois solitaire, avec un petit bureau de réception où officiait un préposé à l'air grave, offrant une vague ressemblance avec Joseph Staline jeune.

« Bienvenue, Mr Foley, bienvenue au Motel Expo de Wemmel. Comme vous le voyez, nous en sommes au stade des finitions, mais je pense que tout devrait vous satisfaire. Le petit déjeuner est servi à la cantine de sept à neuf heures du matin. Vous pouvez bénéficier d'un service de blanchisserie. Une chapelle est à votre disposition pour l'office du dimanche, qui sera célébré en anglais ainsi que dans d'autres langues. Le portail de l'hôtel ferme à minuit, si vous arrivez plus tard il vous faudra sonner pour rentrer. Il n'est pas permis de garder des invités à dormir. Voici votre clef. »

Le bungalow de Thomas était à l'autre bout du site. Comme il s'y dirigeait, lesté par ses deux valises, il dut éviter des équipes entières d'ouvriers encore affairés à des finitions : les uns appliquaient une dernière couche de peinture bleu clair sur les boiseries, d'autres, perchés sur des échelles, clouaient des toiles de couleurs vives à l'auvent des baraquements pour leur donner un petit air de fête. Il faillit se faire écraser les orteils par un homme qui poussait une brouette chargée à verser d'une terre rousse et humide. Un autre peignait des numéros sur les quelques portes n'ayant pas encore le leur, il en était au 412, si bien que Thomas trouva son logis assez facilement en comptant les suivantes.

Une fois à l'intérieur, il fut frappé par le calme ambiant. Il s'assit sur l'un des lits jumeaux, le plus proche de la fenêtre puisqu'il y avait déjà une valise posée sur l'autre, et regarda autour de lui. Une penderie, une table, une minuscule salle d'eau avec toilettes, lavabo et douche. Une fenêtre de toit projetait un pâle rectangle de soleil sur le lino du plancher. Ni draps ni couvertures sur le lit mais un de ces bizarres couvre-lits en usage sur le continent. Ça s'appelait une couette, croyait-il. Le bruit des artisans s'entendait au loin, maintenant, et le silence n'en ressortait que mieux. Apparemment il n'y avait personne dans les chambres voisines. Tout était calme, très calme.

Thomas se coucha de tout son long sur le lit, passa ses mains dans ses cheveux et fit enfin ouf. Le voyage était derrière lui, il était arrivé à bon port.

Tout à l'heure, il ouvrirait ses valises. Puis il prendrait un taxi pour se rendre sur le site de l'Expo et pousserait peut-être jusqu'au Britannia. Il faudrait repérer où dîner, et avec qui. Il était quatre heures et demie, soit trois heures et demie à Londres. Il se demandait ce que Sylvia avait prévu pour le repas du soir, qu'elle prendrait sans doute toute seule, à la cuisine.

Il avait fait le bon choix en venant ici. Il en était sûr. Tout en sachant que ce serait dur pour elle, voire très dur. Du moins aurait-elle la compagnie du bébé ; c'était une consolation. Il lui écrirait dans un jour ou deux, quoi qu'il en soit. Plus tôt, peut-être…

« Excusez-moi, mon vieux, je ne voulais pas interrompre votre petite sieste réparatrice. »

Tiré de son sommeil par le bruit, Thomas se retourna sur son lit, lentement et avec raideur. Dehors, il faisait presque nuit. Il se dressa en appui sur le coude, et regarda par la porte de la salle de bains. Il vit un type à peu près de son âge, sympathique, cheveux blonds ondulés, pull à col en V, pipe coincée entre ses dents. L'homme lui rendit son regard, la mine réjouie.

« Le voyage a été long, non ? »

Thomas s'assit sur le lit, parfaitement réveillé, tout à coup.

« Je suis confus, je pensais seulement m'allonger un moment…

— Buttress, lui dit l'homme en lui tendant la main.

— Foley, répondit Thomas en la lui serrant.

— Appelle-moi Tony, reprit l'homme. Apparemment, on va devenir très intimes.

— C'est juste. Moi, c'est Thomas.

— Parfait. Ça t'ennuie si je fume dans la chambre ?

— Oh bon Dieu non, mon vieux. J'en grillerais volontiers une moi-même. »

Tony alluma sa pipe, Thomas sa cigarette, et au bout de

quelques secondes le bungalow baignait dans une agréable tabagie.

« Alors, tenta Thomas en tirant pensivement sur sa cigarette. Comment trouves-tu ce motel ? On n'est pas dans un palace, hein ?

— Pas vraiment, non. Ça rappelle davantage un camp de prisonniers, à dire vrai.

— C'est ce que j'ai pensé en le voyant d'avion, pendant l'atterrissage.

— Bon vol ?

— Pas mauvais. Et toi ?

— Ça aurait pu être pire. » Tony ouvrit sa valise et commença à en sortir des vêtements. « Et toi, ton rôle dans cette bon Dieu d'exposition, qu'est-ce que ce sera, si je ne suis pas indiscret ?

— À Londres, je travaille pour le BCI. Ils m'envoient ici pour garder un œil sur le pub, Le Britannia, tu sais.

— Ah ! Ils vont te faire tirer la bière pression pendant six mois ? Alors, là, mon cher, tu as décroché le pompon.

— Je crois bien, oui. Et toi ?

— Rien d'aussi peinard à mon grand regret, répondit Tony, qui s'était approché de la penderie. Dis voir, si je prends les étagères de gauche, et toi celles de droite, ça t'ira ? Il ne faudrait tout de même pas que tes chaussettes se mélangent à mes caleçons, hein ?

— Ça me paraît équitable.

— Ensuite, on pourra accrocher nos chemises au milieu. C'est ça l'esprit de compromis, mon cher.

— La logique même.

— Ma foi, il me semble que nous allons très bien nous entendre toi et moi. » Tony avait la tête dans la penderie, où il disposait chaussettes, slips, cravates, boutons de manchettes et autres accessoires sur les diverses étagères. Sa voix parvenait à Thomas étouffée et indistincte. « Enfin bref, je suis en mission pour la Royal Institution. Mon titre est un peu ronflant mais, crois-moi si tu veux, je suis le conseiller scientifique du Pavillon britannique.

— Je te crois volontiers, répondit Thomas, mais je ne suis pas sûr de comprendre de quoi il s'agit.

— Il y a pas mal d'équipements de pointe, ici, expliqua Tony, qui sortit de la penderie et jeta un regard circulaire pour voir s'il restait quelque chose à ranger. Le joyau de la Couronne étant la machine ZETA. »

La curiosité de Thomas fut aussitôt piquée. Il se rappela le nuage de secret qui était descendu sur la salle de conférences sitôt que sir John avait mentionné le projet. Ne voulant pas paraître trop indiscret, cependant, il dit, sur le ton le plus naturel : « Ah oui, j'ai vaguement lu un truc là-dessus dans les journaux, il y a quelques mois.

— On a fait tout un ramdam autour, en janvier.

— À quoi sert la machine, au juste ?

— À quoi sert-elle ? Disons pour faire simple que c'est un énorme four. Ils veulent monter à cent millions de degrés Celsius. »

Thomas émit un sifflement discret. « Douce chaleur quand même !

— Oui. Mais, pour l'instant, ils ne sont arrivés qu'à trois millions.

— Déjà pas mal. Ça suffit pour carboniser le rosbif.

— Certes ! Mais l'objectif final est tout de même plus ambitieux. Parce que, à des températures pareilles, vois-tu, les neutrons commencent à exploser. C'est la fusion nucléaire, en d'autres termes, le Saint Graal des chercheurs. Les problèmes d'énergie du genre humain seraient résolus d'un seul coup.

— Et c'est plausible ? Ça va se faire ?

— Certains pensent que c'est déjà fait. Le vénérable sir John Cockcroft, qui dirige l'équipe, a annoncé à la presse qu'ils avaient réussi. D'où le barouf du mois de janvier. Bien entendu, les Yanks et les Soviets tentent l'exploit de leur côté, mais on dit qu'ils auraient pris beaucoup de retard. Par conséquent, il faut garder top secret le fonctionnement de l'artefact. Ce que nous exposons au Pavillon n'est qu'une réplique. N'empêche, expliqua-t-il, il faut quelqu'un pour vérifier qu'elle marche, que les voyants s'allument et s'éteignent au bon moment, etc., etc., histoire d'impressionner le bon peuple. Marrant, quand on y réfléchit. Tu es venu t'occuper d'un pub factice, et moi d'une machine factice. Ça fait de nous des illusionnistes, non ? » Il rit doucement et, comme Thomas méditait cette remarque, il se mit à fouiller dans la poche de sa veste, d'où il tira une petite enveloppe blanche légèrement froissée. « Tiens, au fait, dit-il, avant que ça me sorte de la tête… C'est le vieux Joe Staline qui me l'a donnée pour toi à la réception. Et c'est une invitation, si je ne m'abuse. »

LES BRITANNIQUES FONT PARTIE DE L'EUROPE

Dactylographiée sur le papier à en-tête de l'ambassade de Grande-Bretagne à Bruxelles, l'invitation disait ceci :

Cher Folly
Le Commissaire général a le plaisir de vous convier à une petite réception qui aura lieu au restaurant de l'Atomium le mardi 15 avril, en l'honneur de l'ouverture imminente du Pavillon du gouvernement britannique au public.
Apéritif à 18 h 45
Dîner à 19 h 30
Tenue de ville
Cordialement

S. Hebblethwaite
Secrétaire général

RSVP

Bien des années plus tard, cette soirée resterait dans la mémoire de Thomas comme l'un des grands moments de sa vie. Peu après le crépuscule, il était entré dans le parc de l'Expo par la porte des Attractions en présentant son laissez-passer de délégué tout neuf à l'employé de la sécurité, lequel ne le lui réclama plus jamais. Laissant le parc d'attractions encore fermé et silencieux sur sa gauche, il entra sur la place de Belgique, et tourna à droite. L'avenue était muette, elle aussi. Les nacelles du téléphérique, au-dessus de sa tête, étaient vides et immobiles, leur carrosserie soulignée par les éclairages fluorescents d'innombrables lampadaires futuristes, le long des allées. Quant à l'Atomium, il se dressait droit devant, et sa vue lui coupa le souffle : ses sphères d'aluminium se nimbaient chacune d'une résille de lumières argentées, dont l'effet était à la fois festif, majestueux et d'un exotisme cosmique ; on aurait dit des boules de Noël sur la planète d'une galaxie lointaine. En levant les yeux vers la plus haute, qui s'élevait à une centaine de mètres, il vit briller les lumières plus chaudes et plus dorées du restaurant, où ses pas impatients le menaient déjà.

Au rez-de-chaussée, un valet de pied en livrée l'accueillit dans l'espace de réception, et l'accompagna jusqu'à l'ascenseur, coiffé de verre pour que ses passagers ressentent la vitesse à laquelle il s'élançait sur la colonne centrale. Et en effet ! Les tympans de Thomas faisaient *plop* lorsque la cabine s'arrêta dans un hoquet étouffé. Les portes s'ouvrirent avec un froissement discret, il sortit.

À la porte de l'appareil, un fonctionnaire de l'ambassade de Grande-Bretagne l'attendait, muni de la liste des invités.

« Bonsoir, monsieur, euh (il consulta sa feuille), Mr Folly, c'est bien ça ?

— Foley.

— Ah bon. Vous êtes sûr ?

— Tout à fait sûr.

— Eh bien d'accord. Voilà, voilà. » Il raya le nom de

Thomas sur la liste. « Je suis Simon Hebblethwaite, le secrétaire général de sir John. Vous avez été présenté à sir John ?

— Non, pas ès qualités. Nous nous sommes vus à une réunion, à Londres.

— Ah. En tout cas, c'est vraiment très chic à vous d'être venu au pied levé. L'un de nos invités du Pavillon des Industries a dû se décommander à la dernière minute, on n'aime pas avoir une chaise vide autour de la table.

— Je vois. Ça fait mauvais effet.

— Eh bien, allez vous servir un verre. Il y a quelques bouteilles de bulles, si j'étais vous, j'en prendrais une coupe ou deux avant l'épuisement du stock, parce que après il faudra se rabattre sur un pinard français ordinaire. »

Thomas prit la coupe qu'une hôtesse lui tendait, et, comprenant d'emblée qu'il serait difficile d'entrer en conversation avec les groupes déjà soudés dans la salle, il partit de son côté vers l'une des vastes baies vitrées. Pour l'instant, l'idée d'avoir été convié par raccroc à ce dîner où il n'intéressait personne ne le chagrinait pas. Il aurait pu rester indéfiniment devant cette vitre, à savourer son champagne et contempler les lumières bariolées de cette métropole nouvelle qui défiait l'imagination, si fourmillante, si moderne, étincelante de vie et de promesses. Il avait la sensation de regarder dans l'avenir depuis l'observatoire le plus élevé et le plus dégagé que l'ingéniosité technologique puisse concevoir. Il se sentait le roi de l'univers.

Au dîner, il prit la place qui lui avait été désignée à une table de quatre. On avait apparemment réservé tout le restaurant pour la circonstance et si cette table était placée, comme toutes les autres, devant une baie avec vision panoramique sur le site, elle se trouvait en revanche aux antipodes de celle de sir John Balfour et des autres VIP. Aussi fut-il surpris d'avoir pour voisin immédiat James Gardner, l'architecte du Pavillon britannique ; il y vit un honneur insigne autant qu'intimidant. Ils auraient pour commensaux un certain Roger Braintree, présenté comme le secrétaire auprès du conseiller commercial de l'ambassade de Grande-Bretagne à Bruxelles, et une grande Belge à la voix douce nommée Ilke, Ilke Scheers, qui exerçait de vagues fonctions au sein du comité responsable des contributions musicales.

« Mesdames et messieurs, dit Mr Gardner aux trois autres en levant son verre, buvons à l'Expo 58. Car nous y voilà, nom d'une pipe ! Nous y sommes, à l'heure pile, et il ne reste plus que quelques clous et quelques vis à enfoncer d'ici jeudi. C'est un miracle, un pur miracle, je vous le dis. Nous pouvons nous autoriser une petite tape dans le dos.

— À l'Expo 58, répéta Thomas.

— Et à la Grande-Bretagne, dit courtoisement Miss Scheers, dont la contribution sera parmi les plus belles, je n'en doute pas. »

Ils attaquèrent. On avait servi en entrée des crevettes aux oignons, baignant dans un liquide grisâtre que personne ne réussit à identifier formellement. Thomas trouva le mets plutôt à son goût. Roger Braintree descendait son assiette, tête baissée, le front barré par la concentration. Il semblait considérer le plat comme une fâcheuse interruption plutôt qu'une occasion d'engager la conversation, lorsque Miss Scheers se tourna vers lui. « Vous verra-t-on à la cérémonie d'ouverture, jeudi, Mr Braintree ?

— Si je ne peux pas faire autrement », répondit-il, la bouche pleine.

Miss Scheers tressaillit comme si un insecte venait de la piquer.

« Vous n'avez pas envie d'assister à cet événement historique, que vous pourrez raconter à vos petits-enfants ?

— Vous, si ?

— Bien sûr. Ce sera l'occasion de voir notre roi, d'entendre son discours. » Pour toute réponse, Roger Braintree émit un grognement et piqua une crevette.

« Vous, Britanniques, j'aurais cru que vous aimiez la pompe et le panache, jusqu'à un certain point du moins.

— Nous avons tout ce qu'il nous faut chez nous, en la matière.

— Mais ceci, Mr Braintree, ceci est unique, et ne se répétera jamais. Toutes ces nations réunies, qui hier encore se faisaient la guerre. L'Amérique et l'Union soviétique côte à côte. Les idées qui s'échangent, les États qui s'engagent dans une vision partagée de l'avenir… »

Roger Braintree s'abstint de répondre tout d'abord. Puis, s'étant tamponné les lèvres avec sa serviette, il se borna à déclarer : « Vous avez une conception très européenne des choses.

— Les Anglais font partie de l'Europe, sauf erreur de ma part.

— Oui mais, contrairement à nos alliés du Continent, nous avons une préférence pour le… tangible. Pourriez-vous me passer le pain, je vous prie ? »

Pendant ce temps, Thomas avait engagé la conversation avec Mr Gardner. Ce grand architecte qui passait pour un individu redoutable au BCI, il le trouvait beaucoup plus abordable que prévu. Instinctivement, il avait commencé par lui donner du « monsieur », mais Gardner en avait pris ombrage, et refusé toute cérémonie entre eux.

« Nous ne sommes plus à Whitehall, ici », lui dit-il en remplissant son verre pour la troisième voire la quatrième fois. Il le leva de nouveau dans sa direction, sans porter un toast, et il lui demanda : « Alors, votre pub, ça se présente bien ?

— *Mon* pub, c'est trop dire.

— Allons, allons, oubliez la modestie britannique.

— Il prend vraiment bonne tournure, en tout cas. On y est presque. Nous attendons encore livraison de deux ou trois éléments. L'une des ancres de la *Victory* de Sa Gracieuse Majesté aurait déjà dû arriver, mais apparemment il y a eu un imprévu.

— Il s'agit d'une copie à l'identique, je suppose.

— Oui, bien sûr. Nous l'avons fait faire à Wolverhampton. Ça a été un certain casse-tête, il faut l'avouer, mais la commande était claire, comme vous le savez : on voulait qu'il y ait abondance de pièces à caractère historique.

— Eh oui. Nous y sommes très attachés, à notre passé impérial, nous les Britiches. N'empêche, bravo à vous pour avoir réussi à faire du neuf autant qu'il a été possible. Vous avez évité le kitsch folklorique. Et je suis sûr que vous avez dû croiser le fer plusieurs fois. Dieu sait que je l'ai fait pour ma part. Mais nous ne pouvons pas nous permettre d'être à la traîne par rapport à tout ça. » Il désignait du geste la baie vitrée et sa perspective sur l'avenue éclairée vers la porte du Benelux. « Les Belges se sont lâchés. Je n'ai jamais vu de manifestation plus à la pointe de la nouveauté. Pas étonnant que ça ne plaise pas à notre cher Braintree. » Braintree les avait déjà quittés en prétextant des obligations antérieures, et Miss Scheers les avait abandonnés peu après pour s'installer à une autre table. « Bon Dieu ! Vous avez vu comme moi le mal que s'est donné cette pauvre perruche belge pour lui arracher un minimum d'enthousiasme poli. C'est très caractéristique, hélas. Le nombre de fois où j'ai dû affronter des types de cet acabit ! Ce fichu rejet britannique de tout ce qui est nouveau, moderne, tout ce qui sent les idées plutôt que la platitude éculée des faits. C'est vrai, sans vous vexer, pourquoi croyez-vous qu'ils m'ont exilé ici avec vous, c'est-à-dire au plus loin de sir John Balfour le Preux et de ses vaillants Chevaliers malgracieux ? Je ne suis jamais que l'architecte du pavillon, que diable ! Et à leurs yeux, ça fait de moi un original, pour ne pas dire un énergumène. Croyez-moi, ajouta-t-il en s'échauffant à mesure, chez nous, on a à peu près trente ans de retard sur les Belges. Prenez l'endroit où nous sommes, par exemple. Il a un côté gadget, soit, mais c'est tout de même une réussite esthétique, un prodige, non ? L'architecte est né en Angleterre, figurez-vous. Et à Wimbledon, par-dessus le marché. Mais il n'aurait jamais réalisé un projet pareil à domicile. Les Anglais ne croient pas au progrès, voilà tout. C'est pourquoi tous les Roger Braintree du monde me jugent infréquentable. Le progrès, ils lui rendent un hommage de pure forme mais, au pied du mur, ni le mot ni l'idée ne leur inspirent confiance. Parce qu'ils menacent un système qui les sert fort bien depuis des siècles. Et moi, par conséquent, contrairement à lui, j'assisterai à la cérémonie d'ouverture, jeudi matin. Avec un petit sourire "typiquement britannique" et désabusé, naturellement, parce que nous savons parfaitement d'avance ce que le roi va dire. Il va dire que l'humanité se trouve aujourd'hui à un carrefour, que deux voies s'offrent à elle, l'une menant à la paix, l'autre à la destruction. Que voulez-vous qu'il dise ? Mais peu importe. Ce qui compte, c'est que nous soyons là, et que dans des années nous puissions dire que nous y étions. Participer… » Gardner fut interrompu par la serveuse qui arrivait avec le plateau des fromages. Il en piqua deux tranches à la pointe de son couteau et les fit glisser avec soin sur l'assiette de Thomas. Puis il soupira : « Qu'est-ce que je ne donnerais pas pour un morceau de cheddar acide, avec un peu de wensleydale. Vous l'avez goûté, ce machin hollandais ? On dirait de la bougie. »

NOTRE MÉTIER EST D'INFORMER

Le jeudi 17 avril 1958 au matin, la Foire internationale de Bruxelles fut déclarée ouverte par le roi Baudouin Albert Charles Léopold Axel Marie Gustave de Belgique. Le souverain entra sur le site de l'exposition par la porte royale, et remonta l'avenue de la Dynastie dans sa voiture officielle, accompagné du Premier ministre et des membres de la famille royale. De part et d'autre de l'avenue, des multitudes l'acclamaient sur son passage — Thomas et Tony Buttress étaient du nombre — et le cortège fut survolé par une escadrille d'avions qui tracèrent un B aux couleurs du drapeau belge. Quant à ce dernier point, cependant, Sylvia dut croire le présentateur sur parole car elle suivait l'événement sur leur téléviseur en noir et blanc. Regarder un programme en direct à cette heure matinale (ITV avait commencé à émettre sept heures plus tôt que d'habitude pour la circonstance) représentait une situation inédite, et, rivée à son poste, elle avait passé le reportage à scruter la foule dans l'espoir de plus en plus ténu d'y apercevoir son mari. Elle berçait le bébé sur ses genoux, et stimulait sa curiosité — ou l'affolait complètement — en lui répétant : « Où il est papa ? Où il est papa ? » tandis que la petite fixait sans comprendre cet écran fourmillant, médusée par son jeu de formes abstraites sans couleurs. Pendant la seconde partie de la transmission, elles furent rejointes par Norman Sparks, qui avait pris sa matinée pour la circonstance. Il s'excusa de les déranger ; l'image de son poste sautait, Mrs Foley lui permettrait-elle de regarder la fin de la cérémonie chez elle ? Mrs Foley fut ravie de lui rendre ce service. Le temps de mettre la bouilloire en route, elle lui posa l'enfant sur les genoux et il entreprit de lui gazouiller des *agueu areu* avec le parfait naturel d'un homme dont c'est le lot quotidien. Le bébé lui répondait par des gloussements énamourés.

Parvenu au bout de l'avenue, le roi Baudoin entra dans le Grand Auditorium, où, peu après dix heures du matin, il prononça son discours inaugural. Il y exprima l'opinion que l'humanité se trouvait à un carrefour, face à deux voies, l'une menant à la paix, l'autre à la destruction, et que, somme toute, il recommandait plutôt de prendre la première. Un beau discours, sage, mémorable aux dires de tous ou presque. Chaque hôtesse pourrait bientôt en recevoir un exemplaire, gravé sur disque 45 tours.

À la fin du discours, mais avant la dispersion générale, Thomas se fraya tant bien que mal un chemin à travers la morasse humaine, et se dirigea vers Le Britannia. Il lui fallut une bonne demi-heure pour parcourir les cinq cents mètres qui l'en séparaient.

Terence Rossiter était déjà derrière son comptoir, où il astiquait les verres en prévision de l'ouverture, à midi. Il était aidé dans cette tâche par une grande fille filiforme qui pouvait avoir vingt-cinq ans, une blonde platinée à l'expression dure et lasse. Thomas présuma qu'il s'agissait de sa nièce, celle dont il lui avait parlé lors de sa première visite.

« Pas du tout, lui répondit le patron. Ruthie était fin prête, mais elle a trouvé mieux. La semaine dernière, du jour au lendemain, un poste de secrétaire, très bien payé ; exactement ce qu'elle cherchait. Ça ne se refuse pas. Moi, sur le coup, j'étais rudement embêté, mais on n'a pas eu à s'inquiéter longtemps. Miss Delavey a eu vent que le poste était vacant avant même qu'on passe une annonce, et elle a posé sa candidature. On ne risquait pas de dire non. Il n'y a pas tellement de gens disposés à venir en Belgique six mois dans un délai de quelques jours. Et elle m'a l'air très capable. » Il se retourna pour l'appeler — elle était à l'autre bout du bar. « Jamie, venez que je vous présente à notre Seigneur et Maître. »

La blonde s'avança, ondulante, sur des talons d'une hauteur improbable. Elle serra la main de Thomas avec énergie.

« Voici Mr Foley. Il travaille pour le BCI, et il est venu s'assurer que notre affaire ne cache pas d'activités antipatriotiques qui relèvent de la haute trahison.

— Enchantée, dit Jamie en gratifiant Thomas d'un regard appuyé mais dépourvu d'aménité.

— Le plaisir est pour moi », répondit-il.

Jamie n'ajouta rien et, tournant les talons, elle lui lança un coup d'œil par-dessus son épaule avant de se remettre au travail.

« Alors Sa Majesté a fini de pontifier ? demanda Rossiter.

— En effet. Vous ne l'avez pas regardé arriver ?

— Je suis le loyal sujet de la reine d'Angleterre, pas du roi des Belges. »

Ayant ainsi clarifié sa position, Rossiter se remit à faire

briller ses verres. Thomas s'apprêtait à lui offrir ses services lorsque son attention fut attirée par une petite pile de cartes d'invitation posée sur une étagère, derrière le bar. Elles concernaient la soirée d'ouverture du Britannia, le lendemain, et il les avait conçues et rédigées lui-même depuis Londres avant de les envoyer aux imprimeurs. Comme il était convenu qu'elles seraient ensuite expédiées au British Council de Bruxelles, il s'étonna d'en voir là.

« Vous les avez eues comment, Mr Rossiter, sans indiscrétion ? »

Le patron jeta un coup d'œil aux invitations et dit : « C'est Mr Carter qui m'en a apporté quelques douzaines pas plus tard que la semaine dernière, en nous disant de ne pas hésiter à les faire passer à ceux que ça intéresserait. J'en ai distribué au personnel, mais je n'en ai pas gardé pour moi.

— Bien, dit Thomas. C'est parfait. Je voulais juste… » il en sortit deux de la pile, « je vais juste en prendre une ou deux pendant que j'y suis, à toutes fins utiles. »

Après en avoir réservé une à Tony Buttress, il glissa l'autre dans une enveloppe adressée à Anneke et il la déposa dans le hall d'accueil, où on pouvait laisser des messages aux hôtesses et autres membres du personnel. Il avait écrit au dos de l'invitation : « J'espère vivement que vous viendrez. Meilleurs sentiments. Mr Foley. » Mais à peine l'eut-il déposée qu'il craignit d'avoir employé une formule présomptueuse. Après tout, ils ne s'étaient rencontrés qu'une fois.

La soirée battait son plein. Si bien qu'à dix heures, le vendredi soir, Jamie et l'autre barmaid commençaient à accuser la fatigue. Au bar avec Mr Carter, Thomas attendait patiemment son verre. Tout autour, des invités s'égosillaient dans un pot-pourri de langues qui vous vidait la cervelle. Lorsque Jamie s'avisa enfin de leur tirer deux pintes de Britannia, elle s'aperçut que le tonneau était presque vide et dut faire venir Rossiter pour l'aider à le remplacer. L'opération elle-même prit un certain temps, d'autant que le patron tapait sans retenue dans ses propres stocks depuis des heures, et que — la chose n'échappait à personne — il avait le regard trouble et vitreux.

« La vache ! dit une voix à la gauche de Thomas, on traîne comme ça pour tout, en Angleterre ?

— On n'avait pas prévu qu'il y aurait tant de monde, me semble-t-il, répliqua Thomas avec raideur.

— Sans blagues ! Eh bien moi il me semble que j'ai soif, voyez-vous, et il me semble que j'en ai marre de poireauter pendant que cette blondasse mal élevée fait semblant de pas me voir. »

Thomas se retourna pour découvrir à qui il avait affaire. Cette seule réplique venait de valider tous ses préjugés à l'encontre des Américains. L'homme était jeune, entre vingt-cinq et trente, les cheveux en brosse. Il portait des lunettes à monture d'écaille et brandissait une liasse de francs belges dans la direction de Jamie avec une arrogance insigne. La veste de son costume était très épaulée, son col blanc empesé, sa cravate étroite.

« Puis-je voir votre invitation ? »

L'Américain se retourna : « Je vous demande pardon ?

— Si nous avons tant de monde et si le bar ne chôme pas, c'est parce que beaucoup des gens ici présents n'étaient pas sur la liste des invités.

— Vous m'en direz tant, répondit l'Américain qui

donna un coup de sifflet strident pour attirer l'attention de Jamie.

— Je présume que vous êtes attaché au Pavillon américain.

— Vous présumez juste.

— Puis-je vous demander à quel titre ?

— Eh bien, regardez ma carte, dit l'Américain en fouillant dans sa poche, ou même ceci puisque — tenez — il me semble que c'est une invitation à cette soirée. Et puis regardez, là, c'est mon nom, Edward Longman, chercheur, Pavillon EU. » Il brandissait la carte sous le nez de Thomas avec insolence.

« Écoutez, mon vieux, je suis désolé, je..., répondit celui-ci, dûment impressionné.

— Je suis pas votre vieux, mon pote, j'ai vingt-sept ans, moi. Quoique... à ce train-là, j'aurai largement passé la trentaine d'ici que je me fasse servir, dans ce rade. »

Jamie finit par poser deux chopes de brune devant Thomas et Mr Carter.

« Servez ce monsieur après nous, dit Thomas en lui tendant un billet de vingt francs. Et puis vous prendrez un quart d'heure de pause.

— Je ne peux pas, lui dit-elle, il y a trop de monde.

— Tant pis. Vous avez l'air crevée.

— Mais Mr Rossiter va...

— Il faudra bien qu'il s'y fasse. Venez prendre un verre avec nous. Nous sommes à une table dans le coin, là-bas.

— D'accord, merci infiniment, Mr Foley », dit Jamie en ramassant l'argent avec un sourire de gratitude.

Thomas resta encore quelques minutes au bar, à bavarder avec Carter tout en tentant de lier conversation avec Edward Longman, partie qu'il abandonna vite en comprenant que ses ouvertures seraient accueillies par des monosyllabes dissuasifs. Il prit congé de son collègue du British Council, et rejoignit Tony Buttress à leur table d'angle. Jamie l'y avait précédé. Elle buvait un bitter lemon et Tony, qui avait largement entamé sa troisième pinte, riait un peu bêtement en la regardant dans les yeux avec une jovialité de buveur.

« Salut, Thomas, mon garçon, tu n'aurais pas une petite cibiche ? »

Thomas sortit son paquet de Players Navy Cut et le fit tourner.

« Qu'est-ce qu'il y a de si drôle ? demanda-t-il à Tony.

— Elle vient de me dire son nom », expliqua ce dernier. Jamie lui rendit son regard avec la lassitude résignée de quelqu'un qui entend une blague pour la énième fois. « J'ai mis un moment à m'en apercevoir.

— T'en apercevoir ?

— T'as pas encore pigé ? Jamie. Jamie Delavey. Jamais de la vie. Ça y est, tu percutes ?

— Aaah, dit Thomas, eh bien tu vois, non, je n'avais pas réalisé.

— Est-ce que les gens font des plaisanteries sur votre nom ?

— Pensez-vous, jamais ! Ça ne vient à l'idée de personne. Allez savoir pourquoi ! »

Percevant enfin le sarcasme, Tony déclara : « Écoutez, je ne voulais pas vous vexer, moi je trouve ça plutôt rigolo, quoi. » Jamie se pencha vers lui et Thomas la vit passer en un clin d'œil du fiel au miel.

« Pas grave, mon lapin. T'as de beaux yeux, tu sais. Moi je pardonne tout à un homme qui a ces yeux-là. » Tony rougit et recula légèrement. « Au fait, qu'est-ce qui vous amène ici, vous ? Je veux dire à l'Exposition.

— Oh, je suis au Pavillon britannique, sur un poste de technicien.

— De technicien, c'est-à-dire ? » demanda Jamie, et Thomas se dit que si son intérêt était feint, elle avait l'étoffe d'une grande comédienne. Avant que Tony n'ait eu une chance de lui répondre, une voix impérieuse mais musicale interrompit la conversation.

« Mr Foley, je crois, Mr Thomas Foley ? »

Thomas et ses compagnons levèrent les yeux. Au-dessus d'eux se dressait un homme brun, très grand, mince et athlétique. Il portait un costume gris clair et tenait dans une main un verre de bière et dans l'autre un paquet de chips *Salt'n'Shake* de chez Smith. Il découvrait en souriant une dentition parfaite et éclatante. Thomas lui-même voyait qu'il était bel homme, dangereusement bel homme.

Il se leva pour lui serrer la main non sans perplexité.

« C'est exact, je suis Thomas Foley. À qui ai-je l'honneur ?

— Je m'appelle Chersky, Andrey Chersky, mais mon nom ne vous dira rien. Voici… voici ma carte. »

Thomas la considéra. Elle était écrite en russe de sorte que, sinon à confirmer l'identité de son interlocuteur, elle ne l'avançait pas à grand-chose.

« Puis-je me joindre à vous un instant ? demanda Chersky.

— Je vous en prie. »

Il n'était pas plus tôt assis que Rossiter se précipita à leur table.

« Qu'est-ce qui vous prend ? dit-il à Jamie.

— Mr Foley m'a dit de…

— Je me fiche pas mal de ce qu'il vous a dit. Vous voyez pas le boulot qu'il y a ? Retournez à votre poste ! »

Jamie se leva avec un soupir excédé. Elle tendit la main à Tony Buttress.

« J'ai été ravie de faire votre connaissance. Revenez nous voir, s'il vous plaît…

— Je n'y manquerai pas. »

Elle prit brièvement congé de Thomas, et de Chersky, dont elle croisa le regard le temps de l'évaluer, mais ce fut Tony qui la suivit des yeux avec le plus de regret comme elle se frayait passage dans la cohue pour retourner au bar.

« Très belle femme », dit Chersky à la cantonade, avant de boire sa première gorgée de bière. Puis, s'adressant à Thomas : « Pardonnez mon intrusion parmi vous, mais j'avais très envie de vous rencontrer ce soir.

— Moi ? répondit Thomas, abasourdi.

— Permettez-moi de m'expliquer. Je suis journaliste, et rédacteur en chef, aussi. Je vais passer les six prochains mois à Bruxelles, attaché au Pavillon soviétique, où j'aurai pour tâche de publier chaque semaine un magazine destiné à distraire et à instruire nos visiteurs. Le nom de ce magazine… vous l'aurez deviné, c'est *Spoutnik.* » Il sourit. « Je sais. Ce n'est pas d'une originalité folle. Mais il y a des évidences qui s'imposent, parfois. »

Il marqua un temps pour considérer son paquet de chips. Le nom du produit parut l'intriguer et il lut lentement à haute voix, d'un air perplexe : *Salt'n'Shake.* « Qu'est-ce qu'il veut dire, ce *n* ? Moi qui croyais bien maîtriser l'anglais, là…

— C'est l'abréviation de "*and*", expliqua Thomas.

— Pourquoi est-ce qu'ils n'écrivent pas *and* en toutes lettres, alors ? Pour économiser l'encre ?

— Non, c'est seulement pour faire, je ne sais pas moi, plus familier, plus "parlé".

— Je vois. C'est un genre qu'ils se donnent. » Chersky déchira le paquet pour en extraire une chips, qu'il observa avec une perplexité aussi grande. « Et ça se mange, hein ?

— De l'avis général », dit Tony.

Thomas réalisa que les deux hommes n'avaient pas été présentés l'un à l'autre et il y remédia aussitôt. Après quoi Chersky se mit à grignoter sa chips avec circonspection, et fit tourner le paquet.

« Drôle de goût, commenta-t-il. Alors ils aiment ça, les Anglais ? C'est passablement insipide, et je doute qu'il y ait beaucoup de principes nutritifs là-dedans.

— Ça ne constitue qu'un en-cas, dit Thomas.

— En plus, ajouta Tony, vous n'avez pas mis de sel.

— De sel ?

— Oui, parce que en principe cette marque-là vous fournit un petit sachet bleu qui contient du sel. »

Chersky farfouilla au fond du paquet, et découvrit le sachet en question. Quêtant leur approbation du regard, il l'ouvrit soigneusement, y découvrit en effet du sel qu'il éparpilla sur ce qui restait des chips.

« Admirable ! déclara-t-il. Je n'aurais pas dû en attendre moins des Anglais, peuple plein de ressources. Le voilà, le génie qui vous a ouvert la conquête du globe ! » Il prit le sachet déchiré et le rangea avec soin dans son portefeuille. « Je le garde pour le faire voir à mes collègues. Je vais peut-être même l'envoyer à mon neveu, en URSS.

— Parlez-moi de votre magazine, lui demanda Thomas.

— Bien sûr. Tenez, jetez un coup d'œil à notre premier numéro. »

De la poche intérieure de sa veste, il sortit une grande feuille de papier, la déplia avec soin et l'étala sur la table, devant eux. *Spoutnik* ne comportait que quatre pages, mais on y trouvait quantité d'articles imprimés en caractères serrés. Pour l'essentiel, comme on pouvait s'y attendre, ils faisaient l'éloge des réussites récentes en matière de technologie du satellite, mais il y avait aussi des colonnes consacrées à d'autres inventions scientifiques et aux avancées de l'industrie minière, ainsi qu'un court essai sur le cinéma soviétique moderne.

« Vous publiez en anglais, donc.

— Oui, bien sûr. Et aussi en français, en néerlandais, en allemand et en russe. Nous avons une équipe de traducteurs chevronnés qui travaillent pour nous à l'ambassade, ici. Gardez-le, je vous en prie, dit-il en glissant le magazine à Thomas. Vous me ferez plaisir.

— Je peux ? C'est très très chic de votre part.

— En retour, dit Chersky avec son plus charmant sourire, j'apprécierais beaucoup vos conseils. Votre employeur, si j'ai bien compris, est le Bureau central de l'Information à Londres et, voyez-vous, c'est un organisme que nous admirons beaucoup chez nous en Russie. Vous avez atteint une qualité dans la propagande que nous avons tout lieu de vous envier. C'est élégant, tout en finesse. Nous avons beaucoup à apprendre de vous.

— Hé là, minute ! dit Thomas. Ce que nous faisons au BCI ne s'appelle pas de la propagande.

— Ah bon, et ça s'appelle comment, alors ?

— Eh bien, comme notre nom l'indique, notre métier est d'informer.

— Oui, mais rien n'est aussi tranché. Dans vos publications et vos expositions, vous choisissez certaines informations plutôt que d'autres. Vous les présentez sous un certain angle. Ce sont des choix politiques, comme nous en faisons tous. C'est d'ailleurs bien pourquoi nous voici à Bruxelles. Nous sommes venus nous vendre au reste du monde.

— Non, non, je proteste, je m'inscris en faux.

— Très bien. J'ai six mois pour vous rallier à mon point de vue. En attendant, vous voulez bien m'aider ?

— En quoi puis-je vous être utile ?

— Vous allez être très occupé pendant la durée de l'Exposition, je n'en doute pas, et, de mon côté, je n'ai pas les moyens matériels de rétribuer l'aide que vous auriez l'obligeance de m'apporter. Mais j'espère de tout cœur que vous trouverez un instant par-ci par-là pour jeter un coup d'œil sur notre modeste publication, et me faire part ensuite de vos suggestions quant aux améliorations possibles. Si, dans cette intention, vous me faisiez le plaisir d'un rendez-vous informel de temps en temps, je vous en serais très reconnaissant.

— Mais…, répondit Thomas, considérablement flatté et tentant de ne rien en laisser paraître, ça me va très bien les rendez-vous informels.

— Vraiment ? dit Chersky avec un sourire radieux. Peut-être alors… peut-être que nous pourrions nous retrouver dans cet excellent établissement.

— Pourquoi pas ? C'est une fameuse idée ! Absolument fameuse !

— Mr Foley, vous me faites beaucoup d'honneur.

— Le plaisir est pour moi. Après tout, c'est bien dans le but de promouvoir ces échanges que nous sommes ici.

— Vous avez tout à fait raison. Et si j'ai pu vous paraître cynique tout à l'heure, permettez-moi de me rétracter, en partie du moins. Ce soir, l'heure n'est pas au cynisme. Les six mois à venir ne seront pas une saison du cynisme. Je dirais même plus, 1958 n'est pas l'année du cynisme.

— Je vote pour cette proposition !

— À 1958, dit Tony en levant son verre.

— À 1958 », répétèrent les deux autres, et tous burent un bon coup.

C'est alors que Thomas sentit une main sur son épaule : c'était Anneke. Il se leva d'un bond pour lui faire face et, incapable de trouver la salutation appropriée, lui serra vigoureusement la main.

« Quel plaisir, quel grand plaisir de vous revoir ! » dit-il, non sans croiser le regard interrogateur que posaient sur eux Tony et Chersky. Elle portait son uniforme d'hôtesse, qui avait l'air bien mouillé, et des gouttelettes s'accrochaient dans sa chevelure blond cendré. « Oh là là, mais vous êtes trempée, on dirait...

— Je sais. Il pleut dehors, figurez-vous.

— Je ne m'en étais pas aperçu. Mais asseyez-vous, prenez un siège, je vous en prie, mettez-vous à l'aise.

— C'est très gentil. Et c'était très gentil de votre part de m'envoyer cette invitation. Mais je ne vais pas pouvoir rester.

— Non ?

— J'ai fini ma journée il y a seulement une demi-heure, et dans dix minutes mon père va venir me chercher en voiture à la porte de l'Esplanade. Mais je tenais absolument à vous remercier. »

En veine d'audace, Thomas la prit doucement par le bras.

« Est-ce que je peux vous faire un bout de conduite, alors ?

— Ce serait chic. Merci. »

Ils sortirent de concert. Ce fut un soulagement d'échapper au babil polyglotte du Britannia.

« Vous êtes content de votre soirée ?

— Je crois, oui. En tout cas l'affluence est au rendez-vous.

— On ne parle que du Pavillon britannique et du pub anglais.

— C'est vrai ? Voilà qui fait plaisir à entendre. »

Il pleuvait de plus en plus dru. Ils s'abritèrent un instant sous l'un des arbres qui bordaient le lac d'agrément.

« J'ai une proposition à vous faire, dit Anneke, puisque je n'ai pas pu rester ce soir. Lundi je ne travaille pas, et j'avais envie de venir à l'Expo avec mon amie Clara. On se disait qu'on ferait bien un tour au parc d'attractions. Vous pourriez vous joindre à nous ?

— Oui, bien sûr. Merci. Ce serait sensationnel.

— Peut-être avez-vous un ami, quelqu'un que vous pourriez amener ?

— Naturellement, je vais inviter Tony. C'est mon camarade de chambre.

— Parfait. »

Elle sourit à Thomas, qui fut parcouru d'un frémissement contradictoire. Il ne l'avait pas vue depuis des semaines et, ce soir, elle lui paraissait plus belle encore que dans son souvenir, en dépit de cet uniforme rébarbatif. Mais il lui vint également à l'esprit, et pour la première fois, qu'il ne devrait plus trop tarder à lui annoncer qu'il avait femme et enfant à Londres.

« J'étais si contente de trouver votre invitation ! J'avais peur que vous m'ayez oubliée. C'est vrai, vous avez dû rencontrer des tas d'hôtesses. »

La conversation risquait de prendre un tour dangereusement intime si elle se poursuivait sur ce terrain glissant.

« Quelle barbe, cette pluie, dit Thomas pour créer diversion. Il ne faut pas faire attendre votre père. Si seulement nous avions un parapluie… »

À ces mots, une main surgit de l'obscurité, brandissant l'objet en question.

« Et voilà, mon cher. »

Deux silhouettes familières sortirent de l'ombre.

« Prenez le nôtre, si vous voulez.

— Toujours prêts à rendre service. »

C'était Radford et Wayne. Thomas les considéra, ahuri. Depuis quand étaient-ils tapis dans les fourrés ? L'avaient-ils suivi depuis qu'il était sorti du pub ? Voire avant ?

« 'Soir, Foley, dit Wayne en lui tendant la main. Nous comptions bien vous croiser sous peu.

— On ne vous dérange pas, j'espère ?

— On s'en voudrait d'interrompre un tendre tête-à-tête.

— Je m'appelle Radford, dit Radford en tendant la main à Anneke.

— Wayne.

— Anneke, répondit-elle, son regard passant de l'un à l'autre, désorienté. Anneke Hoskens.

— Vous voulez qu'on vous accompagne jusqu'à votre rendez-vous ? proposa Wayne. Il fait un temps de chien, ce soir.

— Un temps à attraper la mort, pour une jeune fille comme vous.

— Tenez, prenez mon bras, venez vous abriter, reprit Wayne.

— Et moi, je vais vous suivre avec Foley. La pluie ne nous fait pas peur, à nous ?

— Euh… non, sans doute.

— Bien sûr que non. Il en faut plus pour nous arrêter, nous autres Anglais. »

Wayne prit les devants au pas de charge, entraînant Anneke dont il détourna sans doute l'attention par quelques banalités si tant est qu'il en fût capable, pendant que Radford, fidèle à ses habitudes, passait en mode interrogatif.

« Bien, la réception, Foley ?

— Pas mal. Ça peut aller.

— Des surprises ? Des gens venus sans invitation ?

— Deux ou trois, oui.

— Comme le Russe, par exemple. »

Thomas lui jeta un regard de côté. « Comment le savez-vous ?

— Il aimerait vous rencontrer de temps en temps, si j'ai bien compris.

— C'est ce qu'il dit. Ça pose problème ?

— Que non pas ! Susciter des échanges culturels en toute liberté et en toute franchise entre les différentes nations, c'est le sens même de cet événement. C'est la raison de votre présence ici, non ?

— C'est bien ce qu'il me semble », répondit Thomas, radouci. Puis il ajouta : « Je suis content que vous voyiez les choses de cet œil, je l'avoue. Parce que vous avez entendu ce que le roi a dit hier. Nous n'allons jamais progresser tant que nous ne nous ferons pas confiance.

— Confiance ? Qui vous parle de confiance ? Gardez-vous bien de lui faire confiance.

— Pourquoi donc ?

— Parce que nous ne savons rien de lui pour l'instant, sinon qu'il a la liberté de s'aventurer tout seul dans votre pub, alors que la plupart des Soviétiques sont assignés à résidence dans leur hôtel à cette heure de la nuit. Voilà qui le rend déjà suspect. Seigneur, mon cher, je ne voulais pas dire qu'il faille lui faire confiance. Où allez-vous chercher ça ?

— Je me disais seulement…

— Voyez-le tant que vous voudrez, plus vous le verrez, mieux ce sera. Mais ouvrez bien vos yeux et vos oreilles, et s'il lâche quoi que ce soit qui présente, disons, un intérêt, tenez-nous au courant.

— Comment vous contacterai-je ?

— Oh, ne vous inquiétez pas, nous restons sur zone. À présent, écoutez, il est l'heure d'aller dire au revoir à votre petit lot belge. Charmante, d'ailleurs. Excellent choix. Quant à votre pauvre petite épouse délaissée, il y a bien peu de chances qu'elle l'apprenne, si vous voulez mon avis. Très improbable. Vous pouvez dormir sur vos deux oreilles. »

Sur ces propos rassurants, il lui adressa un clin d'œil crapuleux, toucha le bord de son trilby pour le saluer, et s'esquiva.

MOI, J'AIME QUI JE VEUX

Le lundi soir, Thomas et Tony décidèrent de se rendre sur le site à pied. Ce serait l'affaire d'une demi-heure et ils profiteraient d'un magnifique coucher de soleil.

L'Atomium se dressait devant eux, brillant de tous ses feux dans le crépuscule qui gagnait. Thomas se sentit parcouru par un frémissement d'excitation, en partie à la simple vue de ce monument bizarre, impudent, dont il savait ne pas pouvoir se lasser ; en partie aussi à la perspective de tout ce que les heures à venir lui réservaient.

« Au fait, je trouve que tu joues un jeu rudement dangereux avec Miss Hoskens, lui lança Tony — pas pour la première fois de la journée.

— Je ne joue aucun jeu, je te l'ai dit.

— Ah bon, et quelles sont tes intentions, au juste ?

— C'est une fille charmante, voilà tout. Et le temps que je suis à Bruxelles, je ne vois pas de mal à entretenir avec elle une franche amitié sans équivoque.

— Amitié, tu parles ! Excuse-moi, mon vieux, mais j'ai vu comment elle te regardait, vendredi soir, et il y avait plus que de l'amitié dans ses prunelles belges luminescentes. »

Thomas ne cessait de découvrir des facettes insoupçonnées chez son nouvel ami. Où était-il allé chercher l'adjectif luminescent ?

« Même ce drôle de Russe s'en est aperçu, poursuivit Tony. Et ce n'est pourtant pas le genre sentimental, à mon avis. Je te le dis, tu vas lui faire du chagrin, à cette fille, si tu n'y prends pas garde. Et je ne parle pas de ta femme : on a vu des mariages se défaire pour moins que ça.

— Sans vouloir t'offenser, qu'est-ce que tu y connais, toi, à la vie conjugale dans ses servitudes ou ses agréments ?

— Rien du tout, je m'empresse de le dire. Libre comme l'air je suis, libre comme l'air je reste. C'est d'ailleurs ce qui me permet d'anticiper les plaisirs de cette soirée en toute bonne conscience. Et si l'amie d'Anneke est seulement à moitié aussi jolie qu'elle, rien ne m'arrêtera. Parce que, au cas où tu ne l'aurais pas remarqué, je me suis fait beau, ce soir. Ma plus jolie chemise, ma cravate la plus chic, quelques giclées d'eau de Cologne derrière les oreilles, et un brossage complet avec ce nouveau dentifrice aux rayures miraculeuses. Comment veux-tu qu'elle me résiste ? »

Thomas sourit, mais il l'écoutait d'une oreille distraite. L'allusion à Chersky lui rappela certaines recommandations qui lui avaient été faites le vendredi soir. Radford, en particulier, lui avait demandé de tenir le Russe à l'œil et de leur rapporter tout élément suspect. Qu'est-ce qui avait alerté ces deux étranges Anglais omniprésents et en vigilance permanente ? La demande pressante — assez improbable, à bien y réfléchir — qu'avait exprimée le Russe de ses conseils éditoriaux n'était peut-être qu'un prétexte fallacieux pour se présenter non pas à lui, mais à Tony, l'homme venu à Bruxelles surveiller le précieux matériel scientifique exposé par les Britanniques, matériel au fonctionnement entouré d'un secret bien gardé. Thomas perdait pied, pris d'un vertige subit. Il se serait cru à la fenêtre du globe supérieur de l'Atomium, avec sous les yeux non pas les divers pavillons et attractions de l'Expo 58, mais un kaléidoscope hallucinogène d'allégeances réversibles et de mobiles occultes — jusqu'à cette conversation à première vue anodine le week-end dernier sur le désarmement nucléaire. Il avait été, sinon choqué, du moins surpris que Tony ait participé à l'une des marches d'Aldermaston[1]. Certes, on ne pouvait pas le cataloguer comme communiste pour autant. N'empêche, il y avait sans doute de quoi faire tiquer tous les Radford et les Wayne. Décidément, son impression d'être entraîné de plus en plus loin dans un monde qu'il ne comprenait pas vraiment tendait à s'aggraver. Avec Anneke, c'était plus ou moins la même chose. En toute logique, il n'aurait pas dû la fréquenter de cette façon. Il était marié, et prenait au sérieux ses vœux de fidélité. Mais il n'entendait pas malice à leur relation, pour cette raison même. Il saurait ne pas aller trop loin. Il aurait conscience des limites à ne pas franchir. Ils trouveraient la force de faire machine arrière, tout de même, quand la situation menacerait de leur échapper ?

Lorsqu'ils arrivèrent à la porte du parc d'attractions, où ils s'étaient donné rendez-vous, il n'était plus temps de réfléchir, et les deux heures qui suivirent ne firent rien pour le remettre d'aplomb. Avec Anneke et Clara, son amie, ils prirent les *montagnes russes**, ils tournèrent comme

1. En 1958, sous l'impulsion de Bertrand Russell, la campagne pour le désarmement nucléaire en Grande-Bretagne lance la première marche d'opposition aux armes nucléaires, de Londres à Aldermaston, lieu où une usine de fabrication de missiles nucléaires avait été installée. *(N.d.T.)*

des toupies dans une roue gigantesque, puis partirent sur orbite dans des modèles réduits de vaisseaux spatiaux. Ils foncèrent sur la piste des autotamponneuses, se percutant à plaisir avec des rires stridents comme des gamins de quatorze ans. Thomas n'avait jamais éprouvé un tel étourdissement. Il sentait s'envoler les années de son âge, et bientôt il eut tout oublié, le Pavillon britannique, Le Britannia, son bureau dans Baker Street, sa maison à Tooting, Sylvia, sa mère, la petite Gill… Grisé par la compagnie des deux filles, dopé à l'adrénaline de manège en manège, il avait l'impression d'être entré par magie dans un présent sans fin, où ses faits et gestes ne connaîtraient ni terme ni conséquence.

Ils avaient faim et soif. « Allons à l'Oberbayern ! » lança Clara. Les deux Anglais ne savaient pas de quoi il retournait, mais ils suivirent en toute confiance les deux Belges.

L'endroit était la reconstitution d'une taverne bavaroise avec parquet dansant. Invités à entrer par un portier en costume traditionnel, ils se retrouvèrent dans un espace grand comme une usine de belle taille, plein à craquer, où régnait un boucan assourdissant. À travers un épais nuage de fumée de pipe et de cigarette, Thomas entrevit vaguement une salle essentiellement occupée par des tréteaux avec, le long d'un mur, une estrade à peu près de la taille d'un ring de boxe où des musiciens en culottes tyroliennes martelaient une rengaine folklorique.

Clara et Anneke s'éclipsèrent aux toilettes tandis que les deux hommes décrochaient de haute lutte quatre places à une table.

« Bon Dieu, c'est la foire d'empoigne », déclara Tony une fois qu'ils furent assis.

Un serveur apparut, et ils commandèrent quatre bières,

qui leur arrivèrent promptement dans des chopes d'un bon litre chacune.

« Eh bien, à la tienne, mon vieux, dit Thomas. La soirée s'annonce mémorable.

— Tu peux le dire.

— Tu en es où, avec Clara ?

— Euh... pour parler franc... elle n'est carrément pas mon genre. »

Thomas eut un hochement de tête navré. « Oui, j'ai bien vu. Elle a l'air d'une chic fille, pourtant.

— Oh, pour ça oui. Très chic fille.

— Très sympathique.

— Rudement sympathique. Seulement voilà...

— Oui, je vois ce que tu veux dire. » Thomas chercha une formule qui ne soit pas blessante. « C'est une fille bien bâtie, hein ?

— C'est ça. Charpentée. Elle ferait merveille dans une ferme...

— À quoi est-elle employée, sur l'Expo ?

— Eh bien, elle vient de la même petite ville qu'Anneke, et elle avait déposé sa candidature pour être hôtesse, elle aussi, mais elle n'a pas été retenue. Alors elle travaille dans une sorte de village historique bidon construit pour l'Expo, la Belgique joyeuse.

— Ah oui, j'en ai beaucoup entendu parler. Voir la Belgique joyeuse et mourir...

— Et donc Clara y travaille dans une échoppe, et la malheureuse est obligée de s'habiller en boulangère du XVIIIe siècle tous les jours. Si j'ai bien compris, elle s'est attiré un rappel à l'ordre cet après-midi parce qu'elle portait un bracelet-montre.

— Qu'est-ce que tu vas faire, alors ? Elle a l'air d'avoir fichtrement le béguin pour toi.

— Je ne sais pas. Je vais voir venir. Mais, motus, les voilà. »

Le contraste entre les deux filles qui s'approchaient de la table était on ne peut plus flagrant. Anneke portait une robe d'été bleu pâle, à manches courtes, qui mettait en valeur ses bras et ses chevilles graciles. Libérée de sa toque ridicule, sa chevelure se répandait sur ses épaules en un charmant désordre. Ses yeux brillaient et, sous les taches de rousseur, sa peau bronzée avait l'éclat de la santé. À côté d'elle, le visage vermeil de Clara n'exprimait rien d'autre qu'une heureuse nature. Avec ses jambes comme des poteaux, sa jupe au genou était peu seyante. Mais il y avait chez elle une bonne humeur inaltérable et conquérante qui vous faisait oublier ses défauts. Thomas la trouvait sympathique. Il faut dire qu'elle ne s'accrochait pas à son bras depuis deux heures.

Elle leur fut précieuse pour commenter ce qui se passait sur scène, car ayant grandi dans une région germanophone elle connaissait bon nombre des chansons jouées par l'orchestre. Comme Anneke, elle avait attaqué de bon cœur son assiette de *bratwurst* et de *sauerkraut*. Thomas s'étonnait que les Belges soient si disposés à embrasser la culture d'un pays qui les avait occupés moins de quinze ans auparavant, en commettant toutes sortes d'atrocités de surcroît, mais il ne dit rien. L'heure était mal choisie pour se lancer dans ces discussions-là.

L'orchestre entamait une rengaine particulièrement facile à retenir. Tous ceux qui n'étaient pas en train de manger se mirent à frapper dans leurs mains en mesure. Clara se pencha sur la table et dit — ou plutôt dut brailler — que l'air s'appelait « Ein Prosit », et qu'il s'agissait d'une chanson à boire du folklore bavarois. Elle et Anneke tapaient des mains aussi. L'orchestre jouait de plus en plus vite et de plus en plus fort, et le refrain revenait sans fin. De nombreux dîneurs le reprenaient en chœur, et à quelques mètres, point de mire de tous les regards, deux jeunes femmes s'étaient levées d'un bond et dansaient sur la table au milieu des reliefs de nourriture. On riait, on applaudissait, on tapait des pieds. Beaucoup s'étaient levés pour danser, le volume montait de plus belle.

Ein Prosit, ein Prosit
Der Gemütlichkeit
Ein Prosit, ein Prosit
Der Gemütlichkeit
OANS ZWOA DREI ! G'SUFFA !

Santé, santé
À la bonne humeur et aux bons moments
Santé, santé
À la bonne humeur et aux bons moments
UN DEUX TROIS ! ON BOIT !

Anneke et Clara s'arrachèrent de leur chaise et tendirent les bras aux deux hommes. Mais Tony déclina avec un large sourire, tandis que Thomas se cachait derrière son énorme chope en descendant sa bière. Les filles haussèrent les épaules et se mirent à danser ensemble.

« Tu parles d'une hystérie collective ! s'exclama Tony en regardant autour de lui, ébahi. C'est pas ce genre de phénomène qui a porté Hitler au pouvoir ?

— Chtt. Pas de politique ce soir, je te prie. »

Enfin, quand il parut impossible que la musique joue

plus fort ou plus vite, un accord majeur apporta une conclusion fracassante bienvenue. Parmi les acclamations, les applaudissements et les rires, Anneke et Clara vinrent s'affaler sur leur siège, le feu aux joues, en nage, et se précipitèrent aussitôt sur leur bière.

« *Auf die Gemütlichkeit,* dit Clara en faisant danser son verre dans la direction de chacun à son tour.

— Aux bons moments et à la bonne humeur », dit Anneke.

Ils se rincèrent le gosier à grands traits, puis se calèrent au fond de leur siège, et sourirent longuement avec une satisfaction éméchée.

L'orchestre entama un autre air, et sur un balcon, bien au-dessus des tables, un chœur d'une vingtaine d'hommes et de femmes, tous en costumes traditionnels, apparut comme par enchantement et reprit la mélodie à trois voix. Clara eut un soupir ravi.

« Ah, *Horch was kommt von draussen rein!* J'adore cet air. »

De fait, la chanson avait quelque chose de reposant après la transe précédente. La musique n'était guère élaborée non plus, mais la mélodie dansante charmait Thomas, et si le public se remit à frapper dans ses mains, ce fut un geste moins robotisé cette fois.

« La Bavière doit être une province joyeuse, dit Thomas. Je n'ai jamais entendu un air bavarois qui ne soit pas entraînant.

— Hmm, les paroles sont tragiques, pourtant, expliqua Clara. L'amoureux, ou l'amoureuse, j'aime à penser qu'il s'agit d'une femme, raconte qu'aujourd'hui celui qu'elle aime se marie avec une autre, et que c'est donc un jour de deuil, pour elle. Mais elle revendique ses sentiments. Elle ne cessera pas d'aimer cet homme. »

Et, au couplet, Clara reprit en chœur :

Laß sie reden, schweig fein still
Hollahi hollaho
Kann ja lieben wen ich will
Hollahi aho

« Moi, j'aime qui je veux. » Jusque-là, elle avait chanté à la cantonade, mais elle répéta ces mots en lançant un regard appuyé à Tony. Puis elle se dressa, le prit par la main et le fit se lever à son tour. « Allez venez, on danse. Vous devez en avoir envie. »

Tony suivit tel le mouton qu'on mène à l'abattoir, avec une mimique de supplication impuissante à l'intention de Thomas.

Anneke se leva et tendit les bras à ce dernier.

« Et vous, Thomas, ça vous arrive de danser ?

— Très rarement », avoua-t-il. Il avait failli ajouter : « La dernière fois, je crois que c'était pour mon mariage », mais les mots moururent sur ses lèvres. Il se laissa mener en douceur vers un espace libre entre les tables. Il lui prit une main dans la sienne, lui passa un bras autour de la taille. À travers la mince étoffe de sa robe, il sentait la naissance de sa croupe. La chose lui parut inconvenante, et il posa les mains plus haut, où elles rencontrèrent le creux de ses reins, ce qui lui parut tout aussi malséant sinon plus. Un instant sa main resta en suspens, et il cessa presque de toucher sa cavalière. Clara, au contraire, serrait Tony de près en dansant, et elle avait posé sa tête sur son épaule avec un sourire gentiment béat.

« Quelle soirée merveilleuse, dit Anneke.

— Merveilleuse », répondit Thomas. Mais, avant que la conversation n'aille plus loin, il fut interrompu par une voix familière à l'accent cockney strident. « Eh bonjour, m'sieur Foley. J'aurais jamais cru vous trouver ici ! »

C'était Jamie Delavey, la barmaid du Britannia. Et son partenaire n'était autre — ô surprise — que Longman, l'Américain désagréable de la soirée d'inauguration.

« Hello », leur dit Thomas. Il ne put s'empêcher d'ajouter à l'intention de Longman : « Je vois que vous avez fini par vous faire servir… »

L'Américain eut un petit sourire. « C'est l'hospitalité anglaise. Il m'a fallu un moment pour y comprendre quelque chose, mais maintenant je suis un inconditionnel. » Il serra la taille de Jamie et lui coula un long regard au fond des yeux.

Thomas se dit que, dans ce vaste dancing, presque tout le monde était ivre à divers degrés, et que la salle entière fourmillait d'idylles éphémères, internationales, voire intercontinentales, sur le point d'éclore. Il éprouva un profond soulagement lorsque la musique s'arrêta, et qu'ils purent retourner à leur siège. Il fit au revoir de la main à Jamie et Longman, et s'assit en face d'Anneke, qui lui sourit et se mit en devoir de se repoudrer en jugeant de l'effet de cette opération dans son compact.

Tony apparut, et se pencha pour lui souffler :

« Écoute, vieux, moi je file.

— Quoi ?

— Clara est aux lavabos. C'est ma seule chance de prendre la poudre d'escampette.

— Tu ne peux pas lui faire ça. Elle va être effondrée.

— Ce n'est pas reluisant comme procédé, je sais, mais

tu vas m'aider, hein ? C'est une mangeuse d'hommes, cette femme.

— Qu'est-ce que je vais lui dire ?

— Je ne sais pas. Dis-lui que j'ai reçu un message urgent, que la ZETA allait exploser, débrouille-toi pour me sauver la mise, d'accord ? »

Thomas se doutait que son ami lui demandait l'impossible, et il ne se trompait pas. Il n'avait pas exagéré en disant qu'elle serait effondrée. Comme il raccompagnait les deux femmes dans la foule qui s'effilochait jusqu'au point où le père d'Anneke les attendait, il aperçut des larmes sur les joues toutes pâles de Clara. Il échangea un regard avec Anneke, qui les avait vues aussi. Ce fut donc un trio dégrisé qui se dit au revoir à la porte des Attractions. Pourtant, s'il restait quelque chose de l'ivresse, ce fut dans le baiser d'Anneke pour la circonstance. Chaste baiser sur la joue, certes, mais débordant d'une tendresse indéniable, qui lui fit battre le cœur. Et comme elle s'éloignait avec son amie, elle se retourna et lui en souffla un autre.

Lorsqu'elles eurent disparu, Thomas resta encore quelques instants, mains dans les poches. Le vent balayait des sachets de hot dogs et des paquets de cigarettes vides. Il poussa un gros soupir en gonflant les joues.

Il était à l'Expo depuis plus d'une semaine et il n'avait pas encore écrit une ligne à Sylvia. Il était grand temps d'y remédier.

LA FILLE DU WISCONSIN

22 avril 1958

Ma Sylviababa chérie,

Me voilà bien penaud de ne pas t'avoir écrit plus tôt. Comme nous l'avons découvert tous deux la semaine dernière, les communications entre Bruxelles et Londres s'annoncent mouvementées, et ruineuses par-dessus le marché. Malgré tout le plaisir que j'ai eu à entendre ta voix, je crois qu'il va falloir nous en tenir aux lettres dans un premier temps.

En tout cas, tu seras heureuse d'apprendre que je suis installé, et que ma hiérarchie m'occupe à plein temps. Le logement est un tantinet spartiate, Motel Expo se ramenant à un effroyable ramassis de bicoques en parpaings au milieu d'un bourbier, à trois kilomètres du plateau du Heysel. Il y règne une discipline militaire, extinction des feux et fermeture des barrières à minuit, sans exceptions ; Tony B. et moi envisageons de monter un comité d'évasion.

Tony B., c'est Tony Buttress, mon camarade de chambre, dont je t'ai parlé au téléphone. J'ai joué de chance, en l'occurrence, c'est vraiment un chic type. Il est ici plus ou moins en qualité de conseiller scientifique auprès du Pavillon britannique, et je le trouve incroyablement calé sur tous les sujets. Sa partie semble être le nucléaire, cependant. Les circonstances nous réunissent souvent. Hier soir, nous sommes allés au parc d'attractions, autotamponneuses, grande roue, fausse taverne bavaroise, tout le tralala. On s'est amusés comme des fous, résultat, aujourd'hui je suis vanné. J'ai la tête comme un rouleau d'ouate mouillée. Manifestement, je vieillis.

Mes obligations au Britannia demeurent quelque peu ambiguës. Je ne suis pas censé donner la main pour la gestion du pub au quotidien, mais hélas Rossiter ne me laisse pas le choix. Pendant les heures qui suivent l'ouverture, on peut encore compter sur lui. Seulement au fil de l'après-midi, il s'imbibe. N'ayons pas peur des mots, d'ailleurs, le verbe s'imbiber est loin de rendre justice à ses capacités d'absorption. À cinq ou six heures du soir, tu peux être sûre qu'il est royalement pinté. Par chance, sa barmaid en chef est apparemment une fille capable, pleine de bon sens. Elle répond au joyeux nom de Jamie Delavey. (Réfléchis, tu vas voir l'astuce.)

La Foire elle-même monte rapidement en puissance. On voit passer les groupes et les associations les plus baroques. Cette semaine, on recevait un Congrès international d'Opticiens. Hier, ils sont venus en bande déjeuner au Britannia. Il y en avait un qui était si myope qu'il s'est cogné la tête contre une de nos maquettes d'aéroplanes, et qu'il a fallu soigner sa bosse.

Écris-moi vite, mon amour

THOMAS XXX

2 mai 1958

Thomas chéri,

Quel bonheur d'avoir enfin des nouvelles de toi ! Je commençais à me demander si tu avais oublié notre adresse, ou si, par hasard, les postes belges s'étaient mises en grève. Mais je réalise à présent combien tu as été occupé. Je comprends tout à fait que tes journées soient remplies en ce début de Foire.

Je suis ravie d'apprendre que tu es déjà en train de te faire des amis. Toi qui t'intéresses à l'énergie atomique, tu vas pouvoir aborder le sujet avec Mr Buttress dans des conversations qui ne sont hélas pas à ma portée. Maintenant que je réfléchis combien notre vie ici doit te sembler pépère et ennuyeuse, je comprends pourquoi tu t'es empressé d'accepter ce poste à Bruxelles. N'empêche, ç'aurait été chic que tu puisses nous emmener avec toi.

Tu ne dis rien de Bébé, dans ta lettre, mais j'imagine que tu ne seras pas mécontent d'avoir de ses nouvelles. Les nouvelles sont joyeuses, du reste : ça y est, elle marche à quatre pattes ! Tu t'en souviendras peut-être (encore que...) : immédiatement avant que tu partes, elle commençait à s'asseoir très bien. Or figure-toi que, samedi matin, je l'avais avec moi dans la cuisine ; je faisais une théière pour l'apporter à Mr Sparks dans le jardin, et j'ai laissé la petite par terre sans plus y penser. J'ai apporté son thé à Mr Sparks, je me suis arrêtée pour échanger quelques mots avec lui, et quand je me suis retournée, je l'ai trouvée là. Elle m'avait suivie dans le jardin, jusqu'au milieu de l'allée ! Quel tour de force !

Tu dois te demander ce que faisait Mr Sparks dans notre jardin. Mais tu n'imagines pas les services qu'il m'a rendus depuis que tu es parti ! Tout a commencé lorsque l'inauguration de la Foire est passée à la télévision, jeudi dernier. Ce matin-là, naturellement, j'ai suivi tout le déroulement, et au bout d'un moment Mr Sparks est venu me rejoindre parce qu'il avait du mal à recevoir l'émission sur son poste. Nous avons tous deux essayé de te repérer dans la foule, mais je ne t'ai vu nulle part. Tu y étais pourtant, je présume ? Ensuite, Mr Sparks m'a demandé s'il pouvait faire un tour de jardin, et j'ai vu tout de suite qu'il y avait des détails qui attiraient son attention. Des bricoles, tu sais, que tu n'as pas eu le temps de finir avant ton départ. Creuser le bassin pour les poissons, par exemple. C'est là qu'il m'a demandé avec la plus grande délicatesse si tu serais chiffonné qu'il termine ceci ou cela. Bien entendu, je n'étais pas en mesure de te consulter, mais j'étais sûre de ta réponse. Et donc, samedi, il est arrivé avec sa pelle et ses outils et il a fini de creuser la mare en deux temps trois mouvements — et profonde, avec ça, incroyable ! Pour un homme aussi fluet, il est d'une force étonnante. Dimanche il l'a mise en eau, et le week-end prochain, c'est promis, il m'emmènera à l'aquarium d'East Sheen acheter des poissons, des nénuphars et de la végétation. Je suis certaine que l'effet te plaira beaucoup.

Bon, voilà, Bébé se réveille, je l'entends qui pleure. Réponds-moi vite, mon cœur, mais ne t'inquiète pas pour moi. Je me débrouille très bien, et je ne risque pas de me sentir abandonnée.

TA SYLVIA QUI T'AIME X

19 mai 1958

Ma Sylviababa,

Merci de ta dernière lettre, qui m'a bien rassuré. Quelle chance d'avoir un voisin aussi prévenant que Mr Sparks ! J'espère que tu n'abuses pas de sa gentillesse, mon ange, et que tu ne l'encourages pas à venir trop souvent te rendre ces menus services ? Ce ne serait pas juste de priver sa sœur de ses soins, tout de même. Mais enfin, c'est toi le meilleur juge de cette situation.

Une fois de plus, je crains bien d'avoir été trop long à répondre. Excuse-moi, nous n'avons plus une minute à nous depuis quinze jours. Je suis sûr que tu le comprendras, nous sommes sur les dents au Britannia chaque fois que des hordes de nos compatriotes visitent la Foire, et il en est venu beaucoup ces derniers temps. La semaine dernière, le Pavillon a subi la visite des délégués de la chambre de commerce de Bristol, et comme si ça ne suffisait pas, quelques jours plus tard, le London Symphony Orchestra donnait un concert de musique anglaise dans le Grand Auditorium. Je veux bien être pendu si l'orchestre au complet n'a pas décidé de venir boire une bière chez nous après le spectacle. Nous avons dû nous mettre en quatre pour restaurer et abreuver toute la clique — jusqu'à la contrebasse et au triangle. Rossiter cuvait sa bière à la cave, pendant ce temps-là, alors tu imagines d'ici le branle-bas de combat. Anneke elle-même nous a donné un coup de main.

Ah, mais je ne t'ai pas encore parlé d'Anneke, peut-être ? Anneke est mon ange gardien, du moins, j'aime à le croire. C'est l'hôtesse qui est venue m'accueillir à l'aéroport lors de ma première visite. Et le hasard nous réunit sans cesse depuis. Elle était venue au pub ce jour-là boire un verre avec son amie Clara, et c'était fichtrement chic de leur part de mettre la main à la pâte.

Mais en te disant ça, je ne te dis pas tout. Parce que la vérité, c'est que Clara a un gros faible pour Tony B., ce qui veut dire qu'elle passe son temps à traîner du côté du Pavillon britannique, dans l'espoir de l'apercevoir, tandis que lui tâche de se déguiser en courant d'air. Je la plains, la pauvre, et surtout parce que son boulot à la Foire — boulot où elle doit se déguiser en boutiquière du Temps Jadis au milieu de cette espèce de musée vivant qu'ils ont baptisé la Belgique joyeuse — n'est pas aussi agréable et prestigieux que celui d'Anneke.

Enfin, il ne faut pas que je délaie trop sur ces deux jeunes personnes, ce d'autant que je ne t'ai encore rien dit de Chersky, mon nouvel ami russe. C'est un rédacteur en chef de journal moscovite qui se figure que ton serviteur est un expert ès prose journalistique. Tu te rends compte ? Bah, c'est une longue histoire, je la garde pour une prochaine lettre.

J'espère tout de même t'en avoir dit assez pour te donner l'impression que la vie ici est bousculée mais palpitante. Je m'amuse comme un fou, je l'avoue (sauf que tu me manques, ma douce).

Un autre groupe est venu nous voir hier. Des membres du Congrès pour la Prévention des accidents du travail dans l'industrie. Pas de chance, l'un d'entre eux est tombé dans les escaliers en descendant aux toilettes et il a fallu l'hospitaliser d'urgence, fracture de la jambe.

Porte-toi bien, mon ange,

Ton fidèle

THOMAS XXX

26 mai 1958

Thomas chéri,

Quel plaisir d'avoir de tes nouvelles, et dans une lettre si pleine de détails passionnants. Servir à boire au London Symphony Orchestra ! Les journaux ont beaucoup parlé des hôtesses belges et de leur rôle dans la Foire. Une collection de jolies filles, visiblement. Est-ce qu'elle parle bien anglais, cette Anneke, ou est-ce que tu as appris le belge pour elle ? On doit être un peu désorienté là-bas, avec tous ces gens qui parlent une langue différente en permanence. Quel dévouement, cette Anneke, qui t'accorde tant de temps. Toi et Tony B., avec elle et son amie, vous devez faire un fameux quatuor. Je me réjouis que tu ne manques pas de compagnie.

De mon côté, je ne mène pas une vie aussi mondaine, et de loin. Le week-end dernier, j'ai bien fait une petite sortie, c'est vrai, mais plus pénible qu'agréable. J'avais dit à Mr Sparks que j'avais mauvaise conscience de ne pas être allée visiter cousine Beatrix depuis son accident. Comme tu le sais, elle se trouve actuellement au Royal Free Hospital de Hampstead, et même si l'établissement est d'un accès facile par les transports publics, le fait de devoir emmener Bébé en bus ou en métro m'avait rebutée jusque-là. Ce landau, tu sais, j'ai parfois l'impression qu'il pèse aussi lourd qu'une voiture de tourisme. Mais Norman est venu à ma rescousse — sa gentillesse n'a pas fini de m'étonner. Nous avons calculé que si je prenais la Northern Line, je pourrais réaliser l'aller-retour en moins de trois heures, et il a vaillamment proposé de garder Bébé pendant ce temps-là, dimanche après-midi. Adorable, non ? Il faut dire qu'il a passé pas mal de temps auprès d'elle ces dernières semaines.

(Mardi soir dernier, il est resté quelques heures chez nous pour redresser l'étagère dans la bibliothèque du salon — celle qui te résiste depuis si longtemps.) Et Gill paraissait en confiance avec lui. À cet âge-là, je me dis que les bébés sont contents d'avoir une présence masculine dans la maison. Qu'il s'agisse de leur père ou d'un autre homme. Je me suis dit que j'allais lui faire prendre un déjeuner bien copieux, pour qu'elle dorme une bonne partie de l'après-midi et qu'elle ne donne pas trop de mal à Norman. C'est en effet ce qui s'est passé.

Pour autant, l'après-midi n'a pas été une partie de plaisir. Pauvre Beatrix, elle ne va pas fort. Elle a le cou coincé dans une de ces affreuses minerves, elle est complètement bloquée. Je pensais au moins lui faire plaisir en venant la voir ; j'avais apporté une belle grappe de raisin et des tas de magazines, mais tu sais qu'elle a toujours eu un caractère de chien, et sa situation lui fait broyer du noir. Pour finir je ne suis restée qu'une demi-heure. Et du moins, quand je suis rentrée chez moi, j'y ai retrouvé la bonne humeur. Gill venait de se réveiller et elle jouait tout gentiment avec Norman. Si bien que nous avons bu une tasse de thé en bavardant comme une vraie paire d'amis.

Il faut que je te quitte, mon amour. Essaie de ne pas me faire attendre aussi longtemps ta prochaine lettre.

TA SYLVIA AFFECTIONNÉE X

7 juin 1958

Chère Sylvie,

Merci pour ta dernière lettre, quoique les nouvelles de Beatrix soient plutôt préoccupantes. Dis-lui bien des choses de ma part si tu retournes la voir. Sparks a été fichtrement chic de te garder la petite pendant ce temps-là. Franchement, je n'aurais jamais deviné qu'il soit du genre à savoir s'occuper des bébés mais, à mieux réfléchir, il y a quelque chose de curieusement féminin, chez lui, c'est donc assez logique.

La grande nouvelle, ici, les deux grandes nouvelles, devrais-je dire, c'est d'abord que nous avons eu droit à la visite d'une authentique VIP, il y a deux jours. Inutile de préciser que la Foire accueille au quotidien toutes sortes de célébrités. Il y a une ou deux semaines, il s'est tenu une sorte de mini-Cannes, un gala bourré de vedettes de cinéma. Il paraît que, dans certains coins du site, on ne pouvait plus faire un pas sans se cogner à Yves Montand ou Gina Lollobrigida. Hélas, aucun d'entre eux n'est arrivé jusqu'à notre Britannia national. Nous, c'est Mr Heathcote-Amory qui nous a fait l'honneur de sa présence ! Eh oui, le chancelier de l'Échiquier en personne, le numéro deux du gouvernement de Sa Majesté, rien que ça ! J'aimerais pouvoir te dire qu'il est le charme fait homme, qu'il nous a mis à l'aise et nous a traités avec cette bonne grâce teintée de condescendance qui passe pour le fin du fin du savoir-vivre chez nous. Mais on aurait cru un poisson hors de l'eau. Et un poisson mal luné, en plus. Je ne sais pas ce qu'ils leur apprennent sur les terrains de sport d'Eton, mais manifestement pas à attaquer une assiette de *fish and chips* arrosée d'une pinte de bière dans un faux pub anglais comme si c'était un régal des dieux. Tony dit qu'il a dû être déçu devant ce menu sans caviar béluga ni rôti de cygne (ni autres mets de choix servis à la table d'honneur d'Oxford).

En fait, Tony a vu Mr H.-A. davantage que moi, car il lui est revenu de l'accompagner visiter les pièces scientifiques de notre Pavillon, et il faut avouer qu'il ne lui a pas du tout fait une impression favorable. Je ne sais pas si je te l'ai déjà dit, mais mon cher camarade de chambre, Mr B., est un peu gauchiste sur les bords, à sa manière sympathique. Par exemple, il approuve la campagne pour le désarmement nucléaire — et il ne faut pas le lancer sur le canal de Suez. Il ne tient pas Macmillan et son cabinet en haute estime, si bien que, après que Heathcote-Amory et son entourage se sont dispersés, il a dit à haute et intelligible voix ce qu'il pensait d'eux. Anneke, qui se trouvait avec nous par hasard, en est restée soufflée — elle n'aurait pas cru que nous, les Britanniques connus pour notre flegme, étions capables d'une franchise aussi brutale ! Bien entendu, Tony est trop bien élevé pour parler devant les clients. Nous sommes ici pour représenter ce que l'Angleterre a de mieux, tout de même, et personne n'a envie de faire un esclandre.

L'autre nouvelle dont j'ai parlé concerne également Tony. Parce que, après des semaines passées à faire tout ce qu'il pouvait pour semer la malheureuse Clara, il vient de décrocher le gros lot de notre gent féminine. Il s'est mis à sortir avec Emily, la fille du Wisconsin. Personne ne se rappelle au juste d'où elle sort, ni comment elle a surgi un beau soir au Britannia, mais pour une entrée, ce fut une entrée très remarquée ! Elle est comédienne de métier, dit-elle. Seulement il est si difficile de décrocher un rôle, à Broadway, qu'on l'envoie ici jouer les ménagères de base sur un des nombreux stands du Pavillon américain consacrés aux arts ménagers. Elle te bluffe un parterre de visiteurs issus du bloc soviétique en leur montrant les mille et une astuces dont dispose le Monde libre pour gagner un temps précieux. Sa spécialité, c'est l'aspirateur ; dans son salon américain poli comme un miroir, elle aspire à longueur de journées des montagnes de poussière qu'un comparse a déversées sur le sol un instant plus tôt à cet effet. Toujours est-il qu'elle est entrée dans notre auberge tout récemment, qu'elle s'est attachée à Tony B., ça n'est rien de le dire ! Et à présent il se balade avec le sourire faraud du chat qui a croqué le canari. Précisons que la jeune Emily est une fort belle personne. Et par-dessus le marché, bien qu'elle vienne d'un bled qui doit s'appeler Diddly Squat W.N., elle est d'une culture redoutable, elle parle bien, et c'est une femme indépendante. Ces Yanks, ils ne manquent pas d'assurance, il faut le leur reconnaître.

Et voilà, pendant ce temps-là, l'Expo 58 bat son plein, toujours aussi animée. Le Ballet du Bolchoï ne va pas tarder à passer, et hier Le Britannia a reçu la visite d'une délégation importante, venue du Cinquième Congrès européen sur la Fluorisation et la Prévention des Problèmes dentaires (titre ronflant). Malheureusement, l'un de leurs membres s'est cassé une dent sur le pâté de porc, spécialité de notre restaurant, et ses collègues ont dû procéder à une extraction improvisée.

Tendrement à toi, toujours,

THOMAS X

P.-S. Il me revient que je t'avais promis de te parler de cet énigmatique Mr Chersky dans ma prochaine lettre, non ? Eh bien, il faudra qu'il attende la suivante.

28 juin 1958

Cher Thomas,

Merci beaucoup pour ta dernière lettre. Tu n'imagines pas combien c'est distrayant, dans ma petite vie pépère, de recevoir tes chroniques croustillantes, tes petites dépêches qu'on croirait venues d'une autre planète — une planète tellement plus intéressante que la mienne, hélas. Je ne vois vraiment pas quoi te dire de ces dernières semaines qui ne t'ennuie pas à mourir, comparé à ta description de la visite du chancelier de l'Échiquier.

Et non seulement tu passes tes journées à côtoyer les Grands de ce Monde, mais j'ai l'impression que Bruxelles est un véritable vivier d'intrigues amoureuses ! Il faut croire que Tony, ton nouvel ami, est dangereusement bel homme — il attire les femmes comme des mouches. Entre lui et toi, Emily et Anneke, vous devez constituer un quatuor spectaculaire, quand vous sortez faire la tournée de Bruxelles by night.

Ici, hélas, je n'ai rien d'aussi grisant pour me distraire. Mon monde est circonscrit par les poussettes, les couches, les repas de Bébé et l'eau contre les coliques. Ma seule distraction de la semaine a été une sortie au cinéma, et encore, je la dois à la gentillesse de Norman, une fois de plus. La semaine dernière, je lui avais dit en passant que je mourais d'envie de voir *Peyton Place.* (Tu t'en souviendras, parce que je t'avais demandé de m'emmener le voir le week-end précédant ton départ, mais tu as préféré un autre film.) Moi, bien sûr, je pensais que ça ferait partie de ces rêves impossibles, et voilà qu'avant-hier soir, au moment précis où j'allais mettre mon dîner en route, je trouve Norman sur le perron avec une jeune fille que je ne reconnais pas. Il me la présente, c'est Susan, une des secrétaires de son bureau, et elle a la gentillesse de bien vouloir garder Bébé pendant qu'il m'emmène au ciné. Tu imagines ma stupéfaction. J'ai bien essayé de protester, mais il m'a affirmé que tout était prévu et organisé, que je l'avais bien mérité, et c'est comme ça qu'avant de comprendre ce qui m'arrivait je me suis retrouvée en train d'enfiler ma plus jolie robe et de me pomponner. Nous avons pris le métro, Norman et moi, jusqu'à Oxford Circus et sauté dans un bus ensuite, si bien que nous avons attrapé la première séance au Prince Edward. Comme le film est assez long, nous sommes sortis à neuf heures passées, mais il a quand même tenu à m'inviter au restaurant. Nous sommes allés chez Jimmy, dans Frith Street, un bistrot plutôt minable, dans un sous-sol mal éclairé. Il y avait des plats grecs au menu, dont de la moussaka, et Norman m'a poussée à prendre des risques, mais je t'avoue que je me suis dégonflée ; j'ai commandé les côtelettes d'agneau-purée — très savoureuses, d'ailleurs. Nous avons sifflé une demi-bouteille de vin entière à nous deux, et j'étais pas mal éméchée quand nous sommes sortis. C'est sans doute pourquoi je ne me rappelle pas grand-chose du film, ni de ce qu'on a pu se dire à table, sinon que le sujet des cors de Norman est revenu plusieurs fois. Ce n'est pas ce qu'on appelle un brillant causeur ; il est clair qu'il ferait piètre figure dans une conversation entre toi et tes nouveaux amis sur l'énergie atomique ou le désarmement nucléaire, mais il a bon cœur et il est profondément gentil. Ce sont des qualités qui comptent, à mes yeux en tout cas.

Bon, voilà une lettre qui n'est pas bien longue, mais comme je te l'ai dit au début, je n'ai rien de sensationnel à te raconter. Et puis il est l'heure que je fasse manger Bébé, il faut donc que je m'arrête,

Affectueusement,

SYLVIA

2 juillet 1958

Ma Sylviababa chérie,

Pas de nouvelles de toi depuis longtemps, je ne peux donc qu'espérer que tout se passe bien à la maison. J'ai voulu te téléphoner l'autre jour, mais la ligne continue de toute évidence à nous jouer des tours ; je n'entendais qu'un grésillement à l'autre bout. Je me demande ce qui se passe…

Donc, à défaut d'avoir de tes nouvelles, je t'écris comme promis quelques lignes sur Mr Chersky.

Andrey, comme je l'appelle à présent, est un monsieur de Moscou, qui a pendant des années vécu de l'édition de magazines littéraires et culturels. On l'a envoyé six mois à Bruxelles pour créer un hebdomadaire qui s'appelle *Spoutnik.* Je le plains un peu, parce qu'il se trouve dans une position inconfortable. Ce que ses supérieurs veulent le voir produire, c'est une feuille de chou bassement propagandiste et rien d'autre, alors que son instinct le porte vers un objet nettement plus sophistiqué. Sa tâche s'apparente donc à celle de l'équilibriste.

Détail amusant, il a sollicité mon aide. À mon avis, il ne connaissait même pas mes nom et qualités, mais le bruit avait couru que quelqu'un du BCI resterait sur le site pour la durée de la Foire. Toujours est-il qu'il est venu m'aborder au Britannia lors de la soirée d'inauguration. Depuis, nous nous sommes retrouvés maintes fois, et toujours au pub. Au début, j'ai été surpris qu'il choisisse ce lieu, mais il apparaît qu'il vénère tout ce qui est britannique. Il a une connaissance encyclopédique des aventures de Sherlock Holmes, par exemple. On dirait qu'il connaît par cœur le plan du métro de Londres, et il nourrit une passion pour — tiens-toi bien — les chips *Salt'n'Shake*, de chez Smith, que Rossiter a toujours en stock. Il collectionne même les petits sachets de sel : pour montrer à ses neveux et nièces quand il rentrera à Moscou, dit-il. C'est une des merveilles de cette Foire qu'on y découvre, non sans surprise parfois, les divers aspects de notre culture qui séduisent les autres pays. En retour, il y a quelques jours, Andrey nous a invités au spectacle du Bolchoï, à la Monnaie, un théâtre en ville, et à la soirée privée qui a suivi. C'était très généreux de sa part, dans la mesure où les avis que j'ai pu lui donner jusqu'ici sont négligeables : en fait, il s'agit seulement de gommer l'aspect trop crûment propagandiste de son journal, de l'estomper, et de l'assaisonner d'un zeste d'humour, ce qui paie toujours en pareille circonstance.

Je n'ai qu'un sujet de désaccord avec Andrey. Il s'est mis en tête que les lecteurs de *Spoutnik* seraient curieux de découvrir la fiche scientifique de la machine ZETA exposée au Pavillon britannique, et la dernière fois qu'il est venu au pub, il a essayé de tirer les vers du nez à Tony. Tony, qui est un peu naïf en politique, à mon humble avis, n'y voit que du feu, mais j'ai essayé de le mettre en garde. Pour tout dire, je me demande si lui, Andrey et Emily ne sont pas en train de se rapprocher plus qu'il n'est souhaitable. T'ai-je dit que notre ami moscovite est un garçon superbe ? Parfois, je surprends Emily à les regarder tous deux, et on serait en peine de dire lequel la fait rêver plus que l'autre.

Je saute du coq à l'âne : la semaine dernière, nouveau congrès ici. Cette fois, c'était le Deuxième Congrès annuel de la Société belge d'Urologie. Vendredi après-midi, quelques délégués sont venus voir si la bière était bonne chez nous. Fort heureusement, il n'est rien arrivé de fâcheux lors de leur visite.

Bien affectueusement.

THOMAS XXX

P.-S. Je rouvre cette enveloppe pour te dire que ta lettre vient enfin d'arriver. Je vois que les attentions de Mr Sparks ne faiblissent pas. Sortie au cinéma avec dîner ensuite ! Heureusement que je ne suis pas jaloux.

DES STIMULANTS ARTIFICIELS

Il y a des gens qui forcent l'attention, pensait Thomas, et il y en a d'autres qui se fondent dans le décor quel que soit l'intérêt de ce qu'ils racontent. Cette réflexion lui parut originale, sur le moment, car elle lui était nouvelle. Et celle qui l'avait inspirée, un petit gobelet de vodka porté à ses lèvres, ses yeux papillonnant de Tony Buttress à Andrey Chersky tandis que le second tentait de convaincre le premier des nombreux avantages des colonies de vacances chez les Soviets, n'était autre qu'Emily, la fille du Wisconsin.

Le bar du Théâtre de la Monnaie était plein à craquer. Andrey avait beau lui avoir dit de s'habiller comme il voulait et que personne ne s'offusquerait de le voir arriver en tenue de ville, Thomas était intimidé de se trouver en présence de tous ces personnages en habit. L'air bourdonnait de bavardages d'après-spectacle, souvent mais pas toujours en russe. Thomas écoutait ses amis d'une oreille distraite. Ses yeux revenaient se poser sur Emily, et sa beauté n'était pas seule en cause ; elle comptait, certes, à quoi bon le nier, mais la jeune femme avait autre chose, une qualité singulière difficile à définir — du charisme, oui, c'était sans doute le mot juste, du magnétisme. Sauf à penser en termes de physique nucléaire (il y était d'ailleurs enclin ces derniers temps) qu'elle dégageait une forme d'énergie. Une énergie concentrée dans ses yeux, dans l'éclat de son sourire, plutôt que dans ses jolis traits fins et harmonieux ou dans sa silhouette élancée, un brin garçonnière.

Elle se tournait vers lui. Elle riait à gorge déployée d'une de ces piques que Tony et Andrey échangeaient en permanence. Thomas fit chorus mollement, agacé de ne pas avoir suivi la conversation. Il se sentait exclu, court-circuité, sentiment qui lui devenait familier quand il se trouvait en la compagnie du trio.

« Allons, Thomas, soutenez-moi cette fois-ci, lui dit-elle. Mr Chersky voudrait nous faire croire que les colonies de vacances des Soviets sur les bords de la Baltique sont le lieu de jeux et de plaisirs innocents, où il n'est jamais venu à l'idée de personne d'endoctriner les enfants. Et votre ami ne proteste que très mollement, selon moi.

— Je prétends simplement, répondit Tony après avoir ménagé à Thomas le temps de relever le propos s'il l'avait voulu, qu'Andrey n'a pas tort. Les petits Américains partent en camps de vacances tous les étés, eux aussi, c'est un fait.

— Oui, admit Emily, mais on les y envoie pour leur apprendre à se débrouiller tout seuls, à être heureux dans la nature.

— Et pour leur inculquer les valeurs américaines, répliqua Andrey. On hisse bien les couleurs tous les soirs en chantant des chants patriotiques, si je ne m'abuse ? Pardi ! Je me tue à vous le dire : sur le fond, l'Ouest n'est pas si différent de l'Est.

— Il n'a pas tort, répéta Tony en descendant son quatrième ou son cinquième verre de vodka. Il y a de la propagande dans les deux camps. Personnellement, ça m'a l'air formidable, ce bivouac de pionniers, à Artek. Je donnerais n'importe quoi pour y aller.

— Mon chou, je commence à penser que tu es quasiment communiste », déclara Emily en le chatouillant sous le menton. Thomas se demanda si cette marque d'affection voulait dire quelque chose ou si Emily faisait partie de ces gens qui donnent du *mon chou* à tout le monde. Parce que, avec une actrice, allez savoir !

« Mon but, dit Andrey, c'est de vous convertir tous au communisme, et mes armes, ce sont les ballets et la vodka. » Pour souligner son propos, il désigna le bar et leva bien haut la bouteille aux trois quarts vide.

Tony et Emily éclatèrent de rire et, avec un léger décalage, Thomas les imita ; mais, une fois de plus, sans conviction. Il commençait à se dire que ses amis n'étaient que trop prêts à accepter les déluges de sentiment prosoviétique comme un travers somme toute aimable chez Chersky ; alors que lui les prenait très au sérieux. Pour autant, il ne protesta pas lorsque le Russe remplit son verre comme ceux des autres. L'homme savait vous prendre par les sentiments, il fallait le reconnaître. Et puis, d'ailleurs, que faire sinon boire de la vodka après une soirée de ballets russes ? Autant se détendre, et profiter de l'instant.

« Mr Chersky, il y a une forte teneur en alcool dans cette boisson ? s'enquit Emily pas tout à fait innocemment. Parce qu'on le sent au goût. On a presque l'impression de boire de l'alcool pur.

— Miss Parker, vous ne me soupçonnez tout de même pas de vouloir vous soûler ? répondit le Russe en ouvrant de grands yeux. Allons, allons. Nous sommes entre amis.

Nous pouvons avoir confiance les uns dans les autres. *Budem zdorovy !* » À ces mots, les trois hommes descendirent leur vodka cul sec, comme on le leur avait appris. Emily en but une gorgée circonspecte et, comme précédemment, fit la grimace quand le liquide amer coula dans sa gorge.

« J'avais toujours cru que les Russes disaient *Nazdorovje* quand ils portaient un toast, dit-elle.

— C'est une légende, expliqua Andrey. Nous le disons aux étrangers, parce que dans leur ignorance ils nous le disent, et que nous sommes trop polis pour les mettre dans l'embarras. Mais vous ne trouverez pas un Russe qui le dise à un autre Russe. Nous avons un protocole élaboré pour les toasts, selon les occasions, et il existe un ordre à respecter. Il y a ceux qui signalent le début des réjouissances, et ceux qui en marquent la fin. Allez, buvez, maintenant ! Je vais vous aider. » Il prononça quelques mots en russe — une formule particulièrement sonore, fleurie et musicale —, sur quoi Emily, le scepticisme le disputant à l'adoration dans son regard, descendit ce qui restait de sa vodka.

« Quelle belle langue ! Du moins, quand c'est vous qui la parlez. Qu'est-ce que vous venez de dire ?

— C'est un toast assez nouveau, lié à une phase récente de l'histoire soviétique, concéda Andrey. En gros ça signifie : "Et que les tâches qui vous incombent soient achevées dans les temps impartis." »

Leurs regards se croisèrent de nouveau avec une certaine intensité. « De la poésie pure ! » commenta Emily, ses lèvres tremblant un peu aux commissures. Puis elle se ressaisit et se leva promptement. « Il faut que je fasse un saut aux toilettes », déclara-t-elle en disparaissant du côté des vestiaires.

Les hommes la regardèrent s'éloigner avec une admiration muette.

« Votre amie est charmante, tout à fait charmante, dit Chersky à Tony.

— Merci, c'est bien mon avis.

— Avec votre permission, messieurs, je vais commander une autre bouteille. La musique de Tchaïkovski m'a transporté dans un autre monde, ce soir, et je suis bien persuadé que nous avons tous envie d'y rester le plus longtemps possible, fût-ce avec l'aide de stimulants artificiels. »

Au lieu d'aller au bar, Andrey aborda l'un des serveurs et échangea quelques mots à voix basse avec lui. Il lui demandait apparemment une certaine vodka de derrière les fagots qu'on ne se procurait pas partout. Tony vit Thomas jeter un coup d'œil à sa montre.

« Qu'est-ce qui se passe, mon vieux ?

— Oh, rien, je m'étonne qu'Anneke ne soit pas là. Elle m'avait promis de passer. »

Le visage de Tony s'assombrit à la mention de son nom.

« Pourquoi cette grimace, je croyais que tu l'aimais bien ?

— Elle oui, je l'aime bien. Ce que je n'aime pas, c'est ton attitude envers elle. »

Thomas soupira : « On a déjà fait le tour de la question.

— Oui, en effet. Et je n'ai toujours pas obtenu d'explication satisfaisante de ta part. Tu joues à quoi ?

— Que veux-tu que je t'explique !

— Tu lui as dit, ou pas ?

— Dit quoi ?

— Que tu es marié. Et père de famille. »

Thomas hésita, puis lança sans conviction : « Pourquoi faudrait-il que je le lui dise ? »

Tony secoua la tête, exaspéré. « Thomas, je ne veux pas

croire que tu es un salopard, parce que je t'aime bien. Mais je vais quand même finir par me le dire, et dans pas longtemps. Ou alors, tu es dans le brouillard mental. Et nigaud comme on ne l'est pas. Cette fille est en train de s'amouracher de toi, et il viendra un moment où elle ne se contentera plus d'un chaste baiser sur la joue en fin de soirée. »

Thomas considéra la chose et, ne trouvant pas de réponse satisfaisante, finit par cracher : « Oh, lâche-moi cinq minutes, tu veux !

— Toi, l'alcool est en train de te monter à la tête », dit Tony, surpris par la vivacité du ton de son ami.

Emily revint et détendit l'atmosphère en abordant spontanément un sujet tout autre. « Mon chou, dit-elle à Tony, tu ne crois pas que ce serait le moment de parler à Mr Chersky des robes d'Angela ? » Elle ajouta à l'intention de Thomas : « À New York, j'ai une amie de fac qui s'appelle Angela Thornbury. Elle prépare une collection absolument époustouflante de robes du soir, mais elle a besoin d'un bon coup de publicité. Et je me disais que Mr Chersky pourrait nous aider.

— Je ne vous suis pas, dit Thomas.

— Il est rédacteur en chef, non ? Et il cherche des articles pour son *Spoutnik* ?

— Mais il n'y a que les sujets sur l'URSS qui l'intéressent.

— Quelle étroitesse d'esprit ! Alors que tout le propos de cette Foire, justement, c'est de promouvoir les échanges culturels. Pourquoi pas un article qui compare la mode de New York et celle de Moscou ? Moi, ça m'intéresserait, pas vous ?

— Il présenterait le sujet de façon biaisée, et les robes de votre amie n'en ressortiraient pas à leur avantage.

— Je vais tout de même soulever la question avec lui. »

Et pour la soulever, elle la souleva, mais Andrey ne manifesta qu'un intérêt poli.

« L'idée se tient, vous savez. Mettre en regard le mode de vie de l'Ouest et celui de l'Est. Nous pourrions d'ailleurs étendre la comparaison à toutes sortes de domaines. Dont la technologie. »

Thomas dressa l'oreille.

« Comme je crois vous l'avoir déjà dit, poursuivit Andrey, qui s'adressait maintenant à Tony, nous avons en préparation un article sur les avancées soviétiques dans le domaine de la fusion nucléaire. Ce qui serait intéressant, ce serait de comparer nos découvertes à celles des Anglais.

— Mais libre à vous, dit Tony. Nous, comme vous savez, nous travaillons dans la transparence, elle fait partie de notre culture. La ZETA est exposée aux yeux de tous dans le Pavillon britannique.

— La ZETA oui, enfin, son fac-similé, rectifia Andrey en riant. Il est très agréable à regarder, mais pour un vrai scientifique, là s'arrête son intérêt.

— Certes. Tout à fait comme le Spoutnik que vous exposez.

— Précisément. Aucun des deux camps ne veut livrer ses secrets. Qu'est-ce qui nous y oblige ? Ce serait de la sottise. Comme toujours, l'Ouest et l'Est ont exactement la même attitude. Seulement vous, vous vous arrogez le monopole de la morale en prétendant être différents.

— Mais nous le sommes.

— Alors prouvez-le.

— Comment ?

— En apprenant aux lecteurs de *Spoutnik* deux ou trois choses qu'ils ne sachent pas déjà sur la ZETA. »

Tony le regarda intensément. Quelque chose dans le ton d'Andrey l'avait piqué au vif.

« J'ai bien envie de le faire, dit-il. Ne serait-ce que pour vous prouver que vous avez tort.

— Écoute, vieux, l'avertit Thomas en posant sa main sur son bras, c'est idiot comme raisonnement. »

Il allait en dire plus lorsque Anneke apparut. Il se pencha pour l'accueillir, et il y eut un long moment de gêne, car il avait voulu l'embrasser sur la joue, et elle lui avait tendu ses lèvres (mais peut-être n'était-ce que le fruit de son imagination biaisée par la remarque de Tony). Résultat, le baiser avait atterri entre les deux.

« Je suis désolée, dit Anneke en rougissant de plaisir à sa vue, j'ai eu une journée très chargée... »

Elle se lança dans une explication circonstanciée : un couple de Hollandais avait perdu sa petite fille de six ans sur la Foire et, avec d'autres hôtesses, elle avait dû passer deux heures à chercher l'enfant... pour la retrouver au pied d'une hutte de paille du Pavillon du Congo belge, en contemplation devant un indigène à demi nu qui frissonnait dans la fraîcheur, inhabituelle pour lui, d'un soir d'été en Europe du Nord. Thomas hochait la tête et souriait à chaque étape de cet innocent récit, quoiqu'il fût beaucoup plus intéressé par le dialogue entre Tony et Andrey, car le Russe s'obstinait à parler de la ZETA, et on aurait dit que Tony l'encourageait dans cette voie au lieu de détourner la conversation. Quant à Emily, son regard passait de l'un à l'autre avec une inquiétude croissante. Plus Thomas écoutait tout en faisant mine de suivre le récit-fleuve d'Anneke, plus il tiquait, et sa contrariété fut à son comble lorsque Tony déclara qu'il avait toujours voulu visiter Moscou, à quoi Andrey répondit qu'il serait heureux de l'accueillir chez lui, si bien qu'Emily conclut que c'était formidable quand des personnes de pays opposés se liaient d'une pareille amitié, comme quoi la politique internationale, c'était du pipi de chat, et Tony en tomba d'accord, ça prouvait ce qu'il avait toujours pensé, que la course à l'armement nucléaire n'était qu'une perte de temps aussi ruineuse que dangereuse, qu'il ne croyait pas que l'Union soviétique avait la moindre intention d'attaquer l'Ouest, et puis d'ailleurs le mode de vie à l'Ouest, parlons-en, il était fondé sur le matérialisme et l'inégalité, le communisme n'était peut-être pas parfait, mais ce n'était pas non plus l'aberration que les gens prétendaient, et Andrey de s'écrier : *Oui, enfin ! Un Occidental qui comprend*, et en le prenant par l'épaule, il lui déclara : *Vous êtes des nôtres !*, sur quoi le trio but encore force vodkas, et on en reversa aussi à Thomas, et au bout de deux verres, il s'aperçut que cette gnôle-là était forte, carrément raide, quoi, rien à voir avec ce qu'ils avaient bu jusque-là, et il s'aperçut confusément qu'il peinait à suivre ce qui se passait, mais il remarqua tout de même qu'Emily avait glissé son bras autour de la taille de Tony, ou plutôt, mais ça c'était curieux, autour de celle d'Andrey, et peu après il sentit lui-même le contact réconfortant du bras de Sylvia autour de sa taille à lui, sauf que — curieux, ça aussi — c'était le bras d'Anneke, parce que Sylvia se trouvait à Londres, à des centaines de kilomètres, en même temps, quelle importance, vu qu'on commençait vraiment à s'amuser, avec tous ces gens formidables, et puis, tiens, encore un type formidable, ce sympathique Mr Carter du British Council, qui venait se joindre à eux et s'asseyait à leur table, et lui disait quelque chose, mais il n'avait jamais compris quoi, parce que la dernière chose qu'il se rappelait, c'était Mr Carter en train de s'asseoir, justement ; de la suite il ne se rappelait rien, il lui fallut attendre son réveil, le lendemain après-midi, dans une chambre d'hôtel inconnue, avec une migraine atroce, une soif d'eau fraîche, et un mauvais goût à vomir dans la bouche.

WILKINS

Au prix d'un effort de volonté considérable, Thomas hissa son corps endolori sur un coude, et regarda d'un œil larmoyant la pièce qui l'entourait.

Les rideaux de velours mangés aux mites étaient encore fermés, et ses yeux mirent quelques secondes pour s'accoutumer à la pénombre. Bientôt, les contours des objets s'esquissèrent suffisamment pour qu'il s'aperçoive qu'il se trouvait dans un lieu qui ne lui disait absolument rien. Dans une bouffée de panique, il se dressa sur son lit. Ses tempes cognèrent sous l'effet du mouvement brusque. À tâtons, il chercha l'interrupteur de la lampe de chevet et alluma.

Chambre au mobilier banal, on était loin du luxe. Dans la salle de bains, un robinet gouttait. Thomas s'était visiblement couché tout habillé. Il lança les jambes hors du lit, et se leva, plus précautionneusement cette fois, sachant qu'un geste inconsidéré déclencherait une nouvelle douleur. Il s'approcha de la fenêtre en deux ou trois enjambées, et ouvrit les rideaux. Mais la vue ne le renseigna guère. On donnait sur une courette grise et battue par la pluie, bornée à quelques mètres par un mur de briques. Dans cette lumière, comment évaluer l'heure qu'il était ? Il jeta un coup d'œil à sa montre : trois heures moins le quart.

Après s'être passé la tête sous le robinet d'eau froide une minute ou deux, après avoir cherché dans la poche de sa veste — veste accrochée dans la penderie — si son portefeuille s'y trouvait toujours, après avoir jeté un coup d'œil circulaire pour s'assurer qu'il n'oubliait rien qui lui appartienne sur le dessus d'un meuble, il ouvrit sans bruit la porte de sa chambre, et sortit dans un couloir étroit, avec une fine moquette au sol. Il mit la clef dans sa poche et tira la porte derrière lui. Tout était parfaitement silencieux. Pas de femme de chambre dans le couloir, en train de passer l'aspirateur ou de transporter une brassée de draps propres, qui le saluerait en coup de vent d'un joyeux « *bonjour** ! » Un silence aussi profond, c'était rare.

Ne trouvant d'ascenseur nulle part, il descendit trois volées de marches, et aboutit dans un petit vestibule minable et étriqué. L'éclairage était chiche et il n'y avait personne à la réception. Thomas sonna la cloche. Bientôt, un long type dégingandé, au teint cireux, fit son apparition par une porte située derrière le comptoir. Il mangeait un sandwich.

« *Oui** ?

— *Bonjour, monsieur** », dit Thomas ; puis il s'en voulut d'être aussi déférent. Il se préparait à adopter un ton plus énergique lorsqu'il s'aperçut qu'il ne savait pas du tout ce qu'il allait demander. « Euh, *je voudrais le check-out** », tenta-t-il avec une nuance interrogative dans la voix.

« Chambre numéro combien ? »

Thomas dut regarder sa clef : « 312. »

L'homme prit la clef et feuilleta un kardex sur son bureau. Puis il leva les yeux et dit : « Vous n'avez rien à payer. » Il était sur le point de disparaître de nouveau par où il était venu lorsque Thomas — qui se dirigeait vers la porte principale et la rue — lui demanda après avoir hésité : « Vous voulez dire qu'on a réglé ma chambre ?

— Oui.

— Mais… qui ? Si je peux vous poser la question. »

L'homme rouvrit son kardex en soupirant.

« M. Wilkins.

— Wilkins ?

— Wilkins. »

Les deux hommes se dévisagèrent quelques secondes sans rien dire. Thomas se posait des tas de questions, à présent, mais il se doutait qu'il perdrait son temps à interroger le réceptionniste.

« Vous avez fait bon séjour ? demanda ce dernier.

— Oui, oui… très confortable.

— *Bien**. »

L'homme mordit dans son sandwich et se retira. Thomas se dirigea vers la rue.

Au cours des dernières semaines, il s'était rarement rendu au centre-ville, où il se trouvait apparemment en ce moment même. Il ne se repérait pas du tout. Au bout d'une centaine de mètres, il déboucha sur un large boulevard bordé de boutiques et de cafés, où le flot des voitures circulait à double sens. Malgré un soleil timide — il avait du mal à percer la muraille de nuages cendrés —, l'éblouissement lui arracha une grimace. En regardant au loin, il crut voir une station de taxis et se précipita dans cette direction. Il dit au chauffeur de le conduire au Motel Expo, à Wemmel.

Le trajet ne fit qu'aggraver sa migraine et sa nausée. Il eut toutes les peines du monde à s'extraire du véhicule et à compter les billets de sa course. Une fois la voiture repartie, il se glissa devant la silhouette morose et distraite de Joseph Staline, à la réception, et reprit le chemin familier de ses pénates temporaires. Comme il louvoyait entre les bungalows, il lui fallut s'arrêter deux fois pour s'appuyer contre un mur le temps que son vertige passe et que ses forces lui reviennent. Il dut s'y reprendre à plusieurs fois pour introduire sa clef dans la serrure.

Il avait espéré revenir à la normale une fois à l'intérieur. Mais il n'était pas plus tôt dans les murs qu'il fit une découverte plus déconcertante encore que tout ce qu'il avait vécu lors de cette journée déjà déconcertante.

Le premier indice que quelque chose clochait lui sauta aux yeux dans la salle de bains, où il était entré se mettre de nouveau la tête sous l'eau. La brosse à dents de Tony avait disparu. Et son dentifrice aussi (cette nouvelle pâte à rayures), ainsi que son rasoir, sa crème à raser — toutes ses affaires de toilette, en un mot.

Il se rua dans la chambre et ouvrit la penderie : la moitié réservée à Tony était absolument vide. Les chemises, les cravates, les vestes et les slips : disparus. Il regarda sous le lit, où Tony rangeait ses valises : elles n'y étaient plus.

Il s'assit sur son lit, et se passa nerveusement la main dans les cheveux. Il s'aperçut qu'il tremblait et qu'il respirait beaucoup trop fort. Il se passait quelque chose d'anormal; quelque chose qui ne lui disait rien qui vaille. Mais alors, rien du tout.

On frappa à la porte, qui s'ouvrit d'une poussée (il l'avait laissée entrebâillée), et il vit s'encadrer la dernière surprise de cette journée fertile en rebondissements.

« Anneke ! Qu'est-ce que vous faites ici ?

— L'employé de l'accueil m'a donné votre numéro de

chambre, je me suis dit que j'allais passer avant de prendre mon service.

— Mais pourquoi ?

— Je voulais m'assurer que vous alliez bien. Je me faisais du souci. »

Elle s'avança dans la chambre. Il s'aperçut qu'elle n'avait pas où s'asseoir. Gêné, il débarrassa la pile de linge sale sur l'unique siège, un machin en bois, moche et inconfortable, peu propice au farniente ou d'ailleurs aux mondanités.

« Asseyez-vous, je vous en prie », dit-il en lui désignant le lit. Elle y prit place en souriant sous cape tandis qu'il s'asseyait sur un quart de fesse au bord de la chaise.

« Alors voilà, lui dit-elle en regardant autour d'elle avec ce même sourire aux lèvres, charmée par la situation inédite. Maintenant je vois pourquoi Tony et vous avez fait connaissance aussi vite et aussi facilement. C'est très... intime, ici. Comment faites-vous lorsque l'un des deux veut amener l'une de ses conquêtes ?

— C'est bien la question, dit Thomas, euh, non, la question ne se pose pas. Celle qui se pose, c'est que Tony a disparu. Et ses affaires avec lui.

— Comment ça, disparu ?

— Envolé, volatilisé. »

Anneke réfléchit : « Peut-être qu'il est simplement parti travailler.

— En emportant sa brosse à dents ? Et tous ses vêtements ? Avec ses deux valises ?

— C'est très curieux, admit-elle avec un froncement de sourcils.

— Bon, dites-moi, qu'est-ce qui s'est passé au juste, hier soir ?

— En ce qui vous concerne, ou en ce qui concerne Tony ?

— Les deux, mais moi d'abord, disons.

— Eh bien… », elle se pencha en avant et le regarda dans les yeux avec une expression pleine de sollicitude et d'affection, qui le toucha profondément sans qu'il s'en rendît compte ou y réfléchît sur le moment. « Je crois, j'ai l'impression que vous étiez très ivre.

— Sans aucun doute. Est-ce que j'ai fait des bêtises plus grosses que moi, comme de monter sur la table, ou de danser au son des balalaïkas, par exemple ?

— Absolument pas. Vous vous êtes endormi, c'est tout. Sur mes genoux. C'était plutôt mignon, je dois dire. Il n'y avait pas que moi pour le penser ; c'était l'avis général.

— L'avis général de qui ?

— De Tony, de Miss Parker, de Mr Chersky et de Mr Carter.

— Carter ? Il était là ?

— Mais oui. Vous ne vous rappelez pas qu'il s'est joint à nous ? C'est d'ailleurs lui qui s'est inquiété le premier en voyant qu'on n'arrivait pas à vous réveiller. »

Elle expliqua que Mr Chersky et Mr Carter avaient fini par le transporter dans la rue tant bien que mal, mi-traîné, mi-porté. Que Mr Carter avait appelé un taxi et emmené Thomas, à l'hôtel sans doute, tandis que Mr Chersky était revenu les rejoindre au bar.

« Après ça, reprit Anneke, je commençais à fatiguer pour de bon. Vous parti, je n'avais plus envie de rester. Je me préparais à aller passer la nuit au foyer de Laeken, qui peut héberger les hôtesses, si bien que Tony, Miss Parker et Mr Chersky m'y ont accompagnée. Ils parlaient fort, ils étaient très gais. Ils chantaient des chansons. Des chansons enfantines, qu'on apprend dans les colonies de vacances des Jeunes Pionniers, à Artek, a dit Mr Chersky. Et puis, à ma porte, ils m'ont dit bonne nuit, et Tony a lancé à Mr Chersky : "Allez, venez, on va vous les faire voir, ces dessins." Et ils sont partis dans la nuit, tous les trois. »

Thomas la regarda, horrifié.

« Ces dessins ? Quels dessins ?

— Aucune idée. Je me disais que vous le sauriez, vous. »

Thomas se passa de nouveau la main dans les cheveux. La situation était-elle aussi catastrophique qu'elle le paraissait ?

« Attendez, s'écria-t-il. Ils en avaient effectivement parlé, de ces croquis, un peu plus tôt dans la soirée. Emily a une amie dessinatrice de mode. Ils voulaient qu'Andrey publie quelques croquis d'elle dans son journal.

— Ah oui ? En ma présence, il a surtout été question de la machine ZETA. Celle sur laquelle Tony travaille. »

Thomas médita ces paroles. C'était vrai. Il essaya de se remémorer les détails de la conversation de la veille, mais tout se mélangeait. Enfin pourquoi avait-il laissé Andrey le faire boire ? Il aurait dû savoir s'arrêter. Il avait encore la migraine, les idées pas en place. Il lui fallait un café. Un café bien fort.

Anneke l'observait toujours, les yeux débordant de sympathie. Ils se regardèrent un instant encore. Il fallait croire que le soleil avait percé la croûte nuageuse, car son visage et ses cheveux resplendirent passagèrement comme un rayon filtrait à travers la fenêtre de toit. Elle était si belle. Il aurait voulu tendre les bras et l'embrasser.

« Il faut qu'on y aille, dit-il.

— Oui, on m'attend, au travail.

— Je vais m'arrêter au Pavillon britannique et je poserai

quelques questions. Il doit y avoir une explication parfaitement rationnelle à tout ça. »

Mais l'optimisme de Thomas se révéla sans fondement. Lorsqu'il arriva au Pavillon, il fit une découverte plus alarmante encore. Il manquait une des pièces d'exposition.

« Excusez-moi, dit-il à l'un des conservateurs adjoints, d'une voix qu'il put à peine empêcher de trembler, mais… où est-elle passée ? La ZETA, je veux dire ?

— On est venu la retirer ce matin, expliqua l'adjoint.

— La retirer ? Sur les ordres de qui ?

— De Mr Buttress, monsieur. Il est venu superviser les opérations en personne. Avec deux jeunes gens, ils l'ont démontée et chargée dans une camionnette.

— Et après ? Où l'ont-ils emportée ?

— Je ne saurais vous le dire, monsieur. Ça fait un vide, hein ? Il va falloir mettre quelque chose d'autre à sa place. Il paraît qu'il va nous arriver un gros appareil, là, … un ordinateur, d'ici un jour ou deux. »

Pris de vertige devant les implications de l'affaire, Thomas remercia l'adjoint et se précipita vers Le Britannia en contournant le lac d'agrément. Adressant un signe de tête minimal à Rossiter, il se fraya un chemin dans la foule des clients, se glissa derrière le bar et, après avoir demandé à Jamie de lui faire un double express serré dès qu'elle en aurait le temps, il se dirigea tout droit vers le téléphone.

« Pourrais-je parler à Mr Carter, je vous prie ? demanda-t-il au standard du British Council à Bruxelles. Je suis Mr Foley. Dites-lui que c'est très urgent. »

Un instant plus tard, le timbre chaleureux et rond de Carter lui parvenait.

« Bonjour, Foley. Toujours sur la liste des vivants, on dirait ?

— Oui, de justesse. Et largement grâce à vous, si j'ai bien compris.

— Je vous en prie, mon vieux. Ça fait partie du métier. N'empêche, mieux vaudra mettre la pédale douce sur le jus de patate. Elle est mortelle, cette gnôle. Comment avez-vous trouvé l'hôtel ? Désolé, vous n'avez pas dû vous vautrer dans le luxe. Pas de problème, du côté de la note ?

— Non, elle était réglée. Par un certain Mr Wilkins, un illustre inconnu pour moi. » Mr Carter ne fit aucun commentaire, de sorte que Thomas ne put déduire de son silence si le nom lui disait quelque chose. « Eh bien, quelle que soit la façon dont les choses se sont organisées, vous avez droit à ma reconnaissance éternelle. Mais ce n'est pas la raison de mon appel. Écoutez, Carter, il s'en passe de drôles, aujourd'hui. » Il regarda autour de lui, mais personne n'écoutait, sinon Jamie, qui s'était approchée de lui avec son café, et dont il sentait la présence flottante. « Tony, Tony Buttress, je veux dire, a disparu. Il s'est volatilisé. Il a pris ses affaires et il s'est fait la malle sans même laisser un message. Et ce n'est pas le pire — il baissa la voix sensiblement —, la machine a disparu aussi. »

Il y eut encore un silence, assez long, au bout du fil.

« Je ne suis pas sûr de vous suivre, cher ami…

— La machine. La ZETA.

— Comment aurait-elle disparu ?

— Il semblerait que Tony soit arrivé à la première heure, et qu'il l'ait fait emballer. Environ huit heures après que vous et moi avons entendu Mr Chersky dire quel progrès feraient les relations internationales si les Russes apprenaient tout de ses rouages. »

Nouveau silence au bout du fil. Il était clair que ces révélations laissaient Carter pantois.

« Très bien, finit par dire sa voix. Message reçu. Je pense que nous risquons de nous trouver dans une vraie panade, Foley. Il va falloir que je prenne conseil dans mon entourage immédiat. Je… je vais poser quelques questions à droite à gauche, aussi, et puis je vous rappelle. Moi ou quelqu'un d'autre. Où êtes-vous ? Au pub ?

— Oui.

— Alors ne bougez pas. Qu'on puisse vous joindre. Vous aurez un appel d'ici une heure ou deux.

— Très bien. Mais je voulais seulement… »

Thomas regarda fixement le récepteur : Carter avait déjà raccroché, la ligne était muette.

Le reste de l'après-midi, il s'occupa à changer la disposition des marines du Club, au premier étage. Quand il en eut fini, il nettoya les sous-verre et consigna les quantités de boissons qui restaient dans les bouteilles d'alcool, puisque Rossiter ne semblait pas avoir fait ces relevés depuis longtemps. Il était encore au premier lorsqu'il entendit Jamie l'appeler dans le brouhaha de la grande salle.

« Mr Foley ? Téléphone ! »

En prenant la communication, il entendit une voix inconnue, qui s'exprimait dans un anglais neutre et sans accent.

« Foley ?

— Lui-même.

— Bien. Alors écoutez-moi attentivement. Nous vous demandons de venir au parc Josaphat ce soir. À neuf heures.

— Mais quand vous dites “nous”… Qui est à l’appareil ?

— Trouvez un banc dans le coin nord-ouest du parc, ayez avec vous un exemplaire du journal *De Standaard* et tenez-le ouvert à la page 27. Vous avez compris ?

— Eh bien, je comprends ce que vous venez de dire, mais ce que je ne comprends pas c’est qui est à l’app… »

On lui avait raccroché au nez : apparemment c’était le jour. Il se retrouva de nouveau en train de fixer un combiné qui se taisait. Jamie se mit à rire et lui offrit un second café.

Il faisait encore clair, à neuf heures, ce soir-là. Néanmoins, le fond de l’air était frais et le parc quasi désert. Les premières minutes, Thomas eut pour seule compagnie une dame d’âge mûr en train de dégourdir les pattes de ses deux caniches nains. Du moins présumait-il qu’il s’agissait d’une femme d’âge mûr. Les événements du jour avaient pris un caractère tellement surréaliste et inexplicable qu’il n’aurait pas été surpris de découvrir en elle son mystérieux correspondant de l’après-midi, sous un déguisement habile. Mais non, et il en fut assuré lorsque ce personnage lui-même fit son apparition. Il portait le mackintosh beige et le trilby de rigueur et on le repérait de loin, malgré le crépuscule qui gagnait. Thomas se pencha sur son banc, et brandit l’exemplaire du journal non pas de façon à pouvoir le lire, mais pour qu’il soit vu par l’inconnu s’avançant vers lui. Il faut croire que la ruse opéra, car l’homme vint s’asseoir à côté de lui, et fixa intensément le journal un instant, avant de poser les yeux sur Thomas, pour revenir au journal, puis à lui encore avec une perplexité visible. Il finit par s’éclaircir la voix :

« Mr Foley ? »

Thomas acquiesça. « Évidemment, je suis Mr Foley. Faut-il que nous en passions par ces palabres ? Vous voyez quelqu'un d'autre lire *De Standaard* dans ce coin du parc ?

— Vous le lisez à la page 23. Je vous avais dit de l'ouvrir à la page 27.

— Ce numéro n'a que vingt-quatre pages…

— Ah bon ? J'aurais dû y penser, sapristi ! » Son étourderie parut tracasser l'homme une minute ou deux, puis il l'oublia et se leva vivement. « Suivez-moi, voulez-vous. »

Il fonça aussitôt comme un furieux, et Thomas dut se précipiter à ses trousses.

« Soit, mais dites, où allons-nous ? Qu'est-ce que ça veut dire, cette mise en scène ?

— Vous verrez bien.

— Quand ?

— En temps opportun.

— Vous pourriez au moins me dire votre nom.

— Je m'appelle Wilkins. »

Ils étaient arrivés à l'orée du parc. Wilkins regarda à droite puis à gauche, il scruta une rangée de voitures garées dans la rue, manifestement il était de nouveau perplexe. Au bout de quelques secondes, cependant, une paire de phares leur fit un appel.

« Ah, voilà. »

Wilkins entraîna Thomas vers la voiture, une Coccinelle verte. Le chauffeur se pencha pour leur ouvrir la portière passager.

« Qu'est-ce qui t'a pris de choisir ce tacot ? lui lança Wilkins avec un geste d'impatience. Tu pouvais pas en prendre un plus grand ? » Le chauffeur ne répondit rien et Wilkins poussa un soupir exaspéré. « Allons-y, dit-il à Thomas. Il va falloir se serrer un peu. »

C'était plus facile à dire qu'à faire. Wilkins était corpulent, Thomas n'avait rien d'un poids plume. Le premier essai — Thomas entrant d'abord, Wilkins derrière lui — se solda par un échec. Wilkins se retrouva coincé entre le siège passager et la portière, et il dut se débattre comme un beau diable pour s'extirper du véhicule en pestant tout ce qu'il savait. Lorsqu'ils furent enfin installés tous deux sur la banquette arrière, ils étaient si serrés l'un contre l'autre qu'ils pouvaient à peine respirer, et moins encore bouger.

« Le trajet va être long ? s'enquit Thomas. Parce que, alors, il vaudrait mieux que je retire ma veste. »

Cette simple opération présentait des difficultés considérables. Lorsqu'il en eut réalisé la moitié — en donnant par mégarde au moins un coup de coude dans l'œil de Wilkins —, les deux hommes étaient à cran.

« Pour l'amour du ciel, mon garçon, vous ne pouviez pas la garder sur le dos, cette fichue veste !

— J'y suis presque, dit Thomas en tirant sur la manche qui restait. Et je dois dire que ce serait tout de même plus facile si cet… objet que vous avez dans votre poche ne me rentrait pas dans les côtes. Qu'est-ce que c'est, au fait ?

— Mon revolver, naturellement. »

Thomas était sur le point de poser son vêtement sur ses genoux ; il s'immobilisa et dévisagea Wilkins avec effarement. « Votre revolver ? Qu'est-ce que c'est que cette histoire ? Vous êtes en train de me braquer ?

— Naturellement.

— Pourquoi ?

— Sapristi, mon garçon, vous n'avez pas l'air de comprendre la gravité de la situation. À présent vous allez passer ceci et vous taire. »

Il tendait à Thomas une bande d'étoffe noire.

« Qu'est-ce que c'est ?

— Qu'est-ce que vous voulez que ce soit ? C'est un bandeau. Là ! Ne bougez plus, je vais vous l'attacher.

— Mmmais… »

Se rappelant la présence du revolver, Thomas décida que protester serait inutile et résister plus encore. Il attendit en silence que le bandeau soit noué derrière sa tête.

« Parfait, constata Wilkins avec conviction. Ça devrait aller. Combien de doigts est-ce que je lève ?

— Trois, dit Thomas.

— Eh merde, comment vous le savez ? Vous y voyez, à travers le tissu ?

— Non, j'ai deviné.

— Mais qui vous demande de deviner ? Bonté divine, je tâche de m'assurer que vous ne voyez pas où nous allons, moi. On n'est pas là pour jouer aux devinettes. Combien de doigts est-ce que je lève ?

— Aucune idée. J'y vois que dalle.

— Très bien. J'en levais quatre, si vous voulez savoir. Enfin, peu importe. Maintenant fermez-la, on va être coincés comme ça pendant un bon moment, et je ne suis pas d'humeur à bavasser. »

Le chauffeur mit le moteur en route, et la voiture finit par démarrer avec un soubresaut dans le désert de la rue estivale en voie d'assoupissement.

DANS LA PANADE

Le trajet fut long (une heure et quart, au jugé) et très inconfortable. Au bout d'une vingtaine de minutes, Thomas comprit qu'ils avaient quitté le ronronnement de la circulation urbaine et entraient dans la campagne, tout en restant sur des voies principales bien droites. À force de sentir la voiture tourner à droite et à gauche sans logique apparente, il soupçonna qu'on s'efforçait surtout de lui faire perdre ses repères. Ce fut seulement lors du dernier quart d'heure qu'ils ralentirent et que les routes se firent plus étroites et moins praticables. Thomas et Wilkins auraient été violemment projetés l'un contre l'autre par les virages brusques s'ils n'avaient pas été aussi étroitement emboîtés.

Enfin, après avoir gravi une pente douce et régulière pendant quelques minutes, la voiture fit une pause, moteur tournant ; puis elle prit un virage serré à droite, et emprunta un chemin de terre. Elle bourlingua ensuite sur les cahots pendant près d'un kilomètre, il y eut un coup de volant à gauche, elle s'arrêta net et on coupa le moteur. Les soupçons de Thomas étaient confirmés : ils étaient en rase campagne. Le silence qui les entourait était profond, souligné par le hululement régulier, à quelques pas semblait-il, d'un hibou solitaire.

« Bon, dit Wilkins. Sortons de ce maudit véhicule. » Ils eurent tout autant de mal et mirent autant de mauvaise volonté à s'en extraire qu'ils en avaient eu à s'y introduire — Thomas, les yeux bandés, circonstance aggravante. Enfin libre de ses mouvements, il respira un instant, sentant des graviers épars sous ses pieds, jusqu'à ce que le calibre de Wilkins lui entre de nouveau dans les côtes.

« Par ici, lui lança son ravisseur, et pas de blagues, hein ? »

Ils parcoururent quinze ou vingt mètres sur le gravier. Puis quelqu'un — Wilkins, sans doute — cogna à une porte en bois massif avec un heurtoir de fer. La porte s'ouvrit et ils entrèrent. On n'avait pas échangé un mot.

Ils prirent un couloir — sans doute dallé de pierre à en juger par le bruit de leurs pas. Il y avait une petite marche à monter, sur laquelle Thomas faillit trébucher. Le couloir était long ; la maison, s'il s'agissait d'une maison, devait être vaste. Au bout du couloir, une autre porte s'ouvrit, et il fut poussé à l'intérieur.

« Vous voilà arrivé, dit Wilkins. Ça y est. Home, sweet home. »

Il détacha le bandeau, et Thomas cligna des yeux, ébloui par le plafonnier. Les paupières papillotantes, il regarda autour de lui. Il se trouvait dans une petite chambre du rez-de-chaussée, au mobilier massif et sombre, simple et cependant confortable. Les volets étaient fermés, les murs peints en jaune moutarde sale et décorés de gravures, originaux ou reproductions, représentant des paysages flamands. Outre le lit à une place, il y avait un bureau et un fauteuil. En somme, la chambre était nettement plus engageante que son bungalow du motel.

« Fort bien, dit-il en se tournant vers Wilkins, j'ai été très patient. Et maintenant, auriez-vous l'obligeance de m'expliquer à quoi rime ce cérémonial grotesque ?

— On vous a servi un cacao, voyez-vous ? dit Wilkins en désignant du menton un mug posé sur la table de chevet. Si j'étais vous, je l'avalerais. Ça va vous aider à dormir.

— Ne me dites pas que…

— Bonne nuit, cher ami. Faites de beaux rêves, comme on dit… Demain matin quelqu'un viendra vous voir et tout s'éclaircira, je crois. »

Et, avant que Thomas ait pu lui réclamer de plus amples explications, il disparut en fermant à clef derrière lui. Thomas empoigna le bouton de porte et tira dessus de toutes ses forces, mais en vain. Quant aux volets, il le découvrit bientôt, ils étaient verrouillés de même.

Découragé, il s'assit sur son nouveau lit et prit le mug de cacao. Il n'avait rien mangé de la journée, à part un paquet de chips *Salt'n'Shake* au Britannia ; son estomac criait famine. Il renifla plusieurs fois le cacao avec circonspection, et puis en but deux ou trois gorgées. Le breuvage était tiède, il le descendit en quelques coups de gosier. Et le sédatif qu'il contenait devait être puissant, car il ne se réveilla pas avant une heure tardive le lendemain matin.

Ce n'était même pas le bruit de la clef dans la serrure qui l'avait tiré du sommeil, ni la porte qui s'ouvrait. C'était l'invasion subite de la lumière, un joyeux soleil matinal, sitôt les volets ouverts. Il s'assit sur son lit et vit une femme âgée dans sa chambre. Elle s'agitait, elle époussetait, elle vidait la corbeille à papier, elle remettait les meubles en place. Elle ramassa son mug de cacao et le regarda d'un air de dégoût.

« *Waarom blijf je zo lang in bed liggen ?* bougonna-t-elle. *Ik heb werk te doen. Ik moet deze kamer schoonmaken en klaar maken. Er komt nog iemand vanavond is me gezegd.* »

Thomas se leva en se frottant les yeux. Deux nuits de suite qu'il couchait tout habillé, dans les mêmes vêtements. Il se sentait crasseux, fatigué, sa migraine le faisait souffrir pire que jamais.

« Où suis-je ? dit-il.

— *Naar buiten ! Nu ! Ontbijt !* » répliqua la vieille.

Thomas alla à la fenêtre. La vue le surprit agréablement, il dut se l'avouer. Sa chambre ouvrait sur une galerie de bois, laquelle donnait sur une vaste pelouse. L'herbe était tondue rase sur les cent premiers mètres, et au-delà on l'avait laissée haute, parsemée de fleurs des champs de toutes les couleurs. Des sculptures modernes se dressaient çà et là dans l'herbe, et au loin une rangée de chênes en majesté se profilait contre le ciel d'été d'un bleu immaculé. À gauche, il apercevait des champs de blé sans clôture, à droite, un paddock où trois alezans et un poney grignotaient des balles de foin avec un plaisir évident.

« *Kom mee,* lui intima impatiemment la femme dans l'embrasure de la porte. *Naar buiten ! Volg me !* »

Thomas quitta la fenêtre et la suivit en empruntant le couloir qu'il avait pris les yeux bandés la veille. Des livres et d'autres tableaux s'alignaient sur ses murs, dans des cadres de chêne foncé. L'impression générale était plutôt lugubre, mais cette humeur ne persista pas : à la suite de son guide, il traversa un salon clair et aéré, franchit des portes-fenêtres et déboucha sur la terrasse dans l'éblouissement du soleil matinal. Une grande table ronde y était dressée pour le petit déjeuner, nappe blanche, argenterie, rien n'y manquait. Et, assis à cette table, attendant manifestement son arrivée, deux personnages désormais familiers, dont la présence dans cette mystérieuse maison le frappa comme une évidence quelque peu lassante.

« Ah, Mr Foley, bonjour ! lança Radford.

— Ça fait plaisir de vous revoir, constata Wayne.

— Prenez une chaise.

— Approchez-vous de la Sainte Table.

— Prenez du café.

— Le jus qui sauve.

— Il est fameux.

— Goût continental. »

Thomas s'assit sans un mot. Étant donné la manière dont il était arrivé sur place, il jugeait superflu de se répandre en salutations. Il laissa Radford lui verser du café et le but de bon cœur. En suite de quoi, il se fit un grand silence. Wayne s'employait à beurrer son toast et à le tartiner de confiture de fraise, tandis que Radford s'appliquait à ouvrir son œuf à la coque en tapotant le sommet avec le dos de sa cuillère.

« Matinée magnifique, finit par dire Radford.

— Un pur bonheur, répondit Wayne.

— Vous voulez bien me passer le sucre, cher ami ?

— Avec plaisir. Du lait ?

— Un nuage, ce sera parfait, merci beaucoup. »

Pendant ce temps, Thomas se servait un toast et un œuf. Il voulait bien être pendu s'il engageait la conversation en leur demandant ce qu'il faisait là. Pendant quelques minutes, les trois Anglais continuèrent de prendre leur breakfast en silence, tout en admirant le paysage.

« C'est très aimable à vous, Foley, d'être venu nous retrouver jusqu'ici, finit par dire Wayne.

— Il m'avait échappé qu'on me laissait le choix, répliqua Thomas.

— Que voulez-vous dire, cher ami ?

— Nous pensions que Wilkins vous avait amené.

— Il m'a fourré dans une voiture comme un ballot de linge sale en braquant un revolver sur moi, en effet.

— Un revolver ? »

À ces mots, les deux hommes éclatèrent d'un rire goguenard.

« Un revolver, allons bon !

— Pauvre vieux Wilkins.

— Non vraiment, il exagère.

— Il est limite.

— Il vit dans ses fantasmes, pauvre diable.

— Il lit trop de romans, vous savez, ces romans-là…

— Je sais. Ils sont de qui, déjà ?

— De Fleming. Vous en avez lu, Foley ?

— Personnellement, non.

— Ils ont une influence déplorable, vous comprenez…

— Sur les types qui travaillent dans notre domaine.

— C'est de la pure fiction, naturellement. Arpenter le monde…

— En refroidissant les gens sans même leur dire "vous permettez".

— Coucher avec une femme différente tous les soirs… »

Manifestement, ce détail leur paraissait plus farfelu encore que les autres.

« Parce que, enfin, sapristi, à quand remonte la dernière fois que ça vous est arrivé ?

— De refroidir quelqu'un, vous voulez dire ?

— Non, de coucher avec une femme différente.

— Ça dépend : différente de qui ?

— Différente de la dernière avec qui vous aviez couché.

— Alors là, vous me posez une colle.

— De mémoire d'homme ?

— Ça ne me rappelle rien, mon vieux.

— C'est bien ce que je disais. Il n'y a pas la moindre base réelle là-dedans.

— Quoi qu'il en soit, nous sommes désolés de vous avoir imposé une situation inconfortable, Foley.

— Inconfortable ? Allons donc ! J'adore rouler pendant des heures dans une voiture avec un bandeau sur les yeux.

— Une voiture, avec un bandeau sur les yeux ? demanda Wayne.

— Vous n'êtes pas en train de nous dire que Wilkins a obligé le chauffeur à conduire les yeux bandés ?

— Bien sûr que non.

— Dieu merci.

— Il y a des limites à tout.

— Les procédures de sécurité, ça se respecte. »

Thomas se sentit prêt à demander : « Au fait, où est-ce que je suis, bon Dieu ?

— Ça, mon cher, on ne peut guère vous le dire.

— À quoi servirait le bandeau ?

— Mais qu'est-ce que c'est que cette maison ? »

Radford et Wayne échangèrent un regard, puis ils hochèrent la tête et se levèrent.

« Venez, on va vous faire faire le tour du propriétaire. »

Ils rentrèrent dans la maison par les portes-fenêtres, tournèrent à droite dans le couloir lugubre, mais prirent presque aussitôt un escalier de bois étroit qui menait à l'étage. On avait l'impression d'être dans un grenier qui occupait toute la longueur de la maison, avec des portes donnant sur un corridor central. Certaines étaient ouvertes, de sorte que Thomas put apercevoir au passage, dans les petites salles, une invraisemblable batterie d'appareils électroniques : magnétophones, micros, gros postes de radio, et même ordinateurs. Enfin, ils parvinrent à une salle plus vaste, qui possédait tous ces équipements plus quelques autres. Elle abritait également trois personnages — deux femmes et un homme — assis casque sur la tête devant des postes de radio, et qui transcrivaient à toute vitesse ce qu'ils entendaient. Ils levèrent les yeux lorsque Thomas, Radford et Wayne entrèrent, sans se laisser autrement distraire de leur tâche.

« Eh bien voilà, dit Wayne. Bienvenue au Centre nerveux.

— Vous êtes au cœur des opérations, en somme.

— Impressionnant, non ? »

Un homme en costume sombre surgit derrière eux.

« Tout va bien, messieurs ?

— Oui, oui, tout à fait.

— Nous donnions simplement à notre ami une idée de ce que vous faites…

— Parfait. Eh bien, s'il a vu tout ce qu'il lui fallait voir… »

Le ton demeurait poli, mais on ne pouvait manquer d'y déceler une note d'autorité. Ils venaient bel et bien de se faire sortir. Radford et Wayne tournèrent les talons à contrecœur. Thomas les suivit dans l'escalier ; il ne se souvenait pas de les avoir vus aussi penauds.

« Qui est-ce ? demanda-t-il comme ils retournaient sur la terrasse.

— Ce monsieur est celui qui nous donne nos ordres », dit Radford, qui ne semblait pas en être ravi.

« Vous n'avez rien remarqué, sur lui ? demanda Wayne.

— Américain, non ?

— Justement », dirent les deux Anglais en chœur. Sur quoi, ils l'entraînèrent au-delà de la pelouse, dans la partie plus sauvage du domaine.

Au bout de quelques pas, Thomas se retourna pour regarder la maison. C'était la première fois qu'il en avait une vue d'ensemble. Dans son décor, nichée parmi les bois, le lierre s'accrochant aux piliers de sa galerie, un couple de colombes perchées sur le faîte du toit, elle semblait sortie d'un livre pour enfants. (C'est du moins en ces termes qu'il l'aurait décrite à Sylvia s'il s'y était cru autorisé.) Le rouge chaud de la brique et le toit de chaume avec ses quatre lucarnes qui observaient le jardin sous leurs paupières somnolentes ajoutaient à cet effet. Il était certes difficile de faire coïncider l'image de cette maison en pain d'épices avec la nature du travail qu'elle abritait.

Radford et Wayne s'assirent sur l'un des bancs de bois, au bord du premier bouquet de chênes, et ils invitèrent Thomas à s'asseoir entre eux. Radford sortit trois cigarettes et les fit circuler. Wayne prit sa boîte d'allumettes.

« Bel endroit, non ?

— Dommage qu'il serve à ça. C'est un peu choquant, reprit Radford.

— Que voulez-vous, lui répondit son collègue, par les temps qui courent, on fait flèche de tout bois.

— Certes », soupira Radford en méditant la formule. Puis, s'adressant à Thomas : « Alors, quelle est votre lecture de tous ces événements ?

— Comment ça ?

— Votre lecture de la situation et du tour qu'elle a pris ces deux jours. Qu'est-ce qui s'est passé, d'après vous ?

— Nous sommes curieux de savoir comment vous comprenez les choses. »

Thomas les regarda l'un après l'autre. Ils avaient l'air sincères. « Eh bien voilà — il tira longuement sur sa cigarette et se lança —, Tony, Tony Buttress, travaillait au Pavillon britannique comme conseiller technique pour la ZETA factice et d'autres pièces d'exposition. Il s'est lié d'amitié avec Chersky, du journal *Spoutnik.* Je me doute que vous avez écouté leurs conversations d'une manière ou d'une autre et fini par vous en inquiéter. Tony est un peu gauchiste à sa manière discrète, toute britannique. Il soutient les campagnes pour le désarmement nucléaire, il vote travailliste, vous voyez. Et il semble bien que ses penchants socialistes aient pris le pas sur lui, et que Chersky l'ait persuadé de passer à l'Est. Il a pris les plans de la machine et, si j'ai bien compris, la réplique de la machine elle-même, et il est allé les apporter sur un plateau aux Soviets. À l'heure qu'il est, il se trouve sûrement dans un bureau de leur ambassade, à leur raconter tout ce qu'il sait. » Thomas s'arrêta pour reprendre son souffle et quêta leur approbation du regard. « C'est bien ça ? » Radford jeta un coup d'œil à son collègue : « Qu'est-ce que vous en pensez, Wayne ?

— Je dirais que c'est bien ficelé. Je lui mettrais deux sur dix, pour l'effort.

— Et encore un point pour l'ingéniosité, peut-être ?

— Pourquoi pas, mon vieux, la générosité n'a jamais fait de mal à personne.

— Comment ? demanda Thomas. Vous êtes en train de me dire que je me trompe sur toute la ligne ?

— De À à Z, hélas.

— Vous êtes loin du compte. »

Thomas poussa un soupir excédé : « Bon alors, il se passe quoi ? Auriez-vous l'obligeance de me dire pourquoi on m'a traîné ici ?

— Eh bien, répondit Wayne en marquant un temps pour faire tomber la cendre de sa cigarette sur l'herbe folle, commençons par votre ami Tony. Mr Buttress et sa fameuse machine. Par où commencer, avec celui-là ? Je suis sûr qu'il vous a dit, ou que vous avez lu dans les journaux, qu'il y a quelques mois le chef du programme ZETA, sir John Cockcroft, a claironné une avancée prodigieuse. Moi je ne suis pas un scientifique, je ne connais pas les détails, Radford pourra peut-être nous éclairer sur ce point…

— Ne comptez pas sur moi, mon vieux. Je n'y connais rien.

— Bon, apparemment, en janvier sir John a annoncé que son équipe avait observé ces choses — comment ils appellent ça ? —, les explosions de neutrons, et qu'elles se produisaient dans des quantités qui laissaient à penser qu'il y avait une réaction thermonucléaire. Ça vous paraît correct, à vous ?

— Aucune idée. J'ai raté les épreuves de sciences au brevet des collèges, alors…

— Bref, d'après ce que j'ai compris, il s'agissait de fusion nucléaire. Il l'a annoncé à la presse en janvier, et la chose a été considérée comme l'atout maître de la science anglaise depuis Dieu sait combien de temps. Trois fois hourra pour sir John, et un pied de nez aux Russes, pendant qu'on y est. Voilà donc la bande de Baker Street qui propose de fabriquer un fac-similé de la machine et de l'exposer au Pavillon britannique. C'est un bijou de la

Couronne en matière de recherche, à les entendre. Aussitôt dit, aussitôt fait, dans un certain secret, de façon que personne ne trahisse les détails du fonctionnement. Vous me suivez, jusque-là ? »

Thomas acquiesça.

« Très bien. Alors nous voilà tous à Bruxelles, on prend du bon temps, on s'ingénie à vendre l'Angleterre au reste du monde, et tout et tout, mais pendant ce temps-là, sir John et son équipe de petits génies continuent à bosser, ils bidouillent leur machine bien-aimée, ils font test sur test. Et puis au début de la semaine, surprise ! Nouvelle découverte, nouvelle avancée. Sauf que, cette fois, c'est moins enthousiasmant. Ils viennent de découvrir du neuf quant à la ZETA. Du neuf et de l'inattendu.

— Oui ? dit Thomas.

— Hélas, elle ne marche pas. » Le temps que ses mots fassent leur chemin, Wayne alluma une cigarette. Ni Thomas ni Radford ne risquèrent un commentaire.

« Il semblerait que l'annonce de janvier ait été par trop optimiste, et que cette explosion de neutrons, si c'est comme ça que ça s'appelle, n'ait été qu'une coïncidence, un sous-produit tout à fait banal de l'expérience. Tous, le rouge au front, vous vous en doutez. Et la machine délictueuse qui trône au beau milieu du Pavillon britannique à la Foire, pendant que, sur le stand, votre petit camarade Tony Buttress raconte à qui veut l'entendre qu'il s'agit d'une invention sensationnelle qui va épargner les problèmes d'énergie à l'humanité tout entière dans les siècles à venir. Alors chez nous, les gars ont craqué. Hier matin, il a eu un appel urgent de Whitehall qui lui a enjoint d'emballer tout le saint-frusquin et de rentrer avec dare-dare. Ce qu'il a exécuté à la lettre.

— Donc il est parti ? Il est rentré à Londres ? Et il ne va pas revenir.

— J'en ai bien peur, dit Wayne. D'un autre côté, l'avantage, c'est que vous allez avoir le bungalow pour vous tout seul.

— Le malheur des uns fait le bonheur des autres », approuva Radford.

Thomas demeura silencieux un bon moment. Dans la confusion mentale où il se trouvait, la question la plus élémentaire lui devenait difficile à formuler.

« Donc… ce qui m'échappe, c'est que si cette affaire n'a rien à voir avec Tony ni avec Chersky... en quoi est-ce qu'elle me concerne ?

— Elle a tout à voir avec Chersky au contraire, dit Radford. Avec Chersky et Miss Parker.

— Emily ? demanda Thomas, plus abasourdi que jamais.

— Tout juste.

— La fille du Wisconsin. »

Radford se pencha vers lui : « Que savez-vous d'elle, au juste ?

— Quelle est votre impression ?

— Qu'en pensez-vous ?

— Elle vous fait quel effet ? »

Thomas gonfla les joues. « Difficile à dire. Belle femme, certes. Très séduisante. À part ça, je ne me suis pas tellement intéressé à elle.

— Eh bien, il est grand temps.

— Il est temps de vous intéresser un peu plus à elle, et un peu moins à Anneke Hoskens. »

Thomas les dévisagea l'un après l'autre, interloqué.

« Emily Parker, expliqua Wayne lentement et avec emphase, est amoureuse d'Andrey Chersky.

— Pour l'amour du ciel, qu'en savez-vous ?

— Mais enfin, saperlipopette, avec tout le matériel qu'on a là-haut, et que vous avez vu, on sait tout ce qui se passe sur la Foire !

— Pourtant... c'est la petite amie de Tony. Du moins depuis ces dernières semaines.

— C'est peut-être ce que vous croyez, et ce qu'il croit lui-même. Nous, nous savons qu'il en va tout autrement. Elle retrouve Chersky en secret. Bien plus souvent qu'elle ne sort avec Tony Buttress.

— Soit, dit Thomas en prenant lentement en compte ce qui venait d'être dit. Et quand bien même ? Une jeune Américaine qui tombe pâle devant un beau journaliste russe... Ils ont une... aventure à Bruxelles. Et alors ? Qu'est-ce que ça change ?

— Andrey Chersky n'est pas journaliste, expliqua Radford. C'est un haut gradé qui travaille pour le KGB.

— Quant à Emily Parker, poursuivit Wayne, avant même que Thomas n'ait digéré l'information, ce n'est pas une jeune Américaine comme une autre. Son père, le professeur Frederick Parker, est l'un des experts les plus éminents dans la recherche nucléaire.

— Dans le domaine de l'armement nucléaire, plus précisément. »

Au bout d'un moment, Thomas se leva. Il s'éloigna du banc et se mit à l'ombre des chênes. Radford et Wayne le regardèrent sans mot dire, impassibles. Il arpenta une ou deux minutes la prairie entre les arbres, le temps de finir sa cigarette, dont il écrasa le mégot sous sa semelle. Lorsqu'il revint auprès d'eux, une note de résistance inhabituelle s'entendait dans sa voix.

« À supposer que vous disiez vrai, je ne vois toujours pas ce que nous avons à voir là-dedans.

— Nous ? demanda Wayne.

— Nous, les Anglais. C'est une affaire entre les Américains et les Russes, de toute évidence. Nous avons tout intérêt à rester en dehors du coup. »

Wayne et Radford échangèrent un regard et se mirent à rire.

« Mon cher ami, ce n'est pas aussi simple.

— Les choses ne marchent plus comme ça.

— Nous sommes tous concernés, aujourd'hui.

— Il faut choisir son camp.

— Écoutez-moi bien, vous avez vu ce qui se passe là-bas, dit Radford avec un geste en direction de la maison de conte de fées. Qui paie tout ça, d'après vous ? À qui appartient-il, ce matériel ? Ils ne nous le prêtent pas pour rien, figurez-vous, ils attendent du retour.

— Ils attendent des services.

— Donnant, donnant.

— Passez-moi la rhubarbe, je vous passerai le séné.

— Soit, dit Thomas après réflexion. Mais pourquoi moi ? Qu'est-ce que je viens faire dans l'histoire ? »

Ce fut autour de Wayne de se lever pour arpenter le pré.

« Miss Parker, expliqua-t-il, est une jeune femme très sensible, ça ne vous aura pas échappé, je pense. Romantique à l'excès, pourrait-on dire. Exaltée.

— C'est une actrice, malgré tout..., ponctua Radford.

— Elle est venue en Belgique avec la ferme intention de vivre une idylle à l'européenne. D'abord avec votre ami Tony, et puis, quand elle s'est lassée de lui, avec Chersky, qu'elle avait repéré. Ce qui montre bien qu'on peut faire diversion.

— Diversion ?

— Oui. Il suffit que quelqu'un lui fasse oublier son Russe. Un nouvel objet d'affection.

— Un beau gosse, de préférence — dans votre genre.

— Moi, beau gosse ?

— Allons, allons, ne soyez pas modeste.

— Pourquoi vous en défendre ?

— Vous avez un faux air de Gary Cooper, savez-vous.

— Moi, j'aurais dit de Dirk Bogarde.

— Donc vous voyez où nous voulons en venir.

— Vous saisissez notre perche. »

Thomas voyait enfin où ils voulaient en venir. Il ne savait s'il fallait en être scandalisé ou flatté. Sur le coup, il était les deux.

« En somme, vous suggérez, dit-il avec hésitation, que je fasse oublier Chersky à Miss Parker ?

— En un mot, oui.

— Il y a urgence.

— Urgence ? Est-ce que vous n'en rajoutez pas un peu ? Parce que, enfin, je veux bien croire que vous ne vous seriez pas donné tout ce mal si vous ne preniez pas l'affaire au sérieux, de là à dire que… »

Wayne lui prit le bras : « Écoutez, cher ami, nous ne galvaudons pas des mots pareils. Il faut impérativement intervenir.

— D'après nos renseignements, cette idiote est prête à suivre le Soviet de son cœur à Moscou, il n'a qu'un mot à dire.

— Vraiment ?

— Eh oui, vraiment », dit Mr Wayne avec un mordant qui trahissait sans doute une résignation irritée vis-à-vis de cette situation. « Et vous savez ce qui s'ensuivrait pour nous ? Nous serions dans une jolie panade. »

UN SALON PARTICULIER

« Le SMERSH est l'organisme officiel d'exécutions du gouvernement soviétique. Il opère à l'intérieur comme à l'extérieur des frontières et, en 1955, employait un total de 40 000 hommes et femmes. Le mot SMERSH est la contraction de Smiert Spionam qui signifie Mort aux Espions. Ses membres et les officiels du Parti sont les seuls à le prononcer. Aucun citoyen sain d'esprit ne le laisserait jamais passer ses lèvres.

« Le QG du SMERSH est un immeuble moderne très vaste et très laid, situé au 13 de Sretenka Ulitsa, large avenue morne. »

Thomas lisait ces mots deux jours plus tard, assis sur son lit dans le bungalow, pour tuer la demi-heure qui lui restait avant d'aller dîner avec Anneke. Il avait acheté cet exemplaire relié de *Bons baisers de Russie* la veille, dans une librairie anglophone de Sint Katelijnestraat, au centre-ville.

Il trouvait le passage troublant, pour ne pas dire plus. Ces pratiques brutales avaient-elles vraiment cours en URSS ? Il avait du mal à croire qu'un homme aussi spirituel, sympathique et avenant que Chersky soit impliqué dans un pareil système. Il était tentant de lire les romans d'Ian Fleming — qui commençaient à faire fureur en Angleterre — comme des œuvres de la plus haute fantaisie. En même temps, Fleming donnait l'impression d'écrire avec beaucoup d'autorité : n'avait-il pas travaillé dans le renseignement militaire lui-même ? Thomas se rappelait vaguement l'article d'un journal qui avait enquêté sur son parcours. Son expérience personnelle de l'espionnage n'était pas mince, apparemment. Il y avait donc des chances qu'il parle en toute connaissance de cause.

Il en avait lu assez pour le moment. Dans quel guêpier il était en train de se fourrer, rien ne servait de s'en inquiéter ni même de trop y réfléchir ; à présent qu'il s'était engagé à aider Wayne et Radford dans leur plan tortueux, impossible de faire machine arrière. Pourquoi il avait accepté ? difficile à dire. La vanité y avait sa part, sans nul doute ; il était tout de même assez flatteur qu'on veuille faire de lui l'appât d'une souricière amoureuse. Puisqu'on le voyait comme le type même du héros romantique irrésistible, il était mal placé pour s'inscrire en faux. Mais un fonds de patriotisme, inattendu chez lui, avait aussi joué son rôle. Ces deux derniers jours, il lui était clairement apparu qu'il y avait une aura héroïque à monter au créneau pour servir sa reine et son pays. Sans compter une prime non négligeable qu'il ne se serait d'ailleurs jamais avouée : passer des heures, des jours même — voire des nuits, qui sait ? — en compagnie de Miss Parker. On pouvait concevoir pire pensum.

Il posa le livre face contre le couvre-lit et continua de réfléchir, les yeux fixés à la fenêtre où glissaient, nonchalants, des nuages de beau temps. L'affaire s'annonçait délicate de bout en bout. D'abord, il faudrait trouver les mots justes quand il expliquerait à Anneke ce qu'on attendait de lui.

À sa grande surprise, Radford et Wayne avaient fait preuve de beaucoup de tact en la matière. Ils percevaient pleinement les écueils de la situation. Il fallait tout expliquer à Anneke, sans rien laisser dans l'ombre, lui avaient-ils dit. C'était une jeune fille charmante, naïve, dénuée d'artifices, en qui l'on pouvait avoir toute confiance. Ils avaient procédé à une enquête fouillée sur elle, bien entendu, mais rien dans son entourage familial ne suscitait la moindre inquiétude. Étant donné les liens d'amitié serrés — telle avait été leur litote — qui s'étaient tissés entre Thomas et elle au fil des dernières semaines, l'honorabilité exigeait qu'il lui dise toute la vérité sur Chersky, Miss Parker et la tâche cruciale qui lui était confiée ; ainsi, elle comprendrait pourquoi, dans un premier temps, il se consacrerait beaucoup à la jeune Américaine. Il ne serait pas facile d'aborder ce sujet, ils s'en rendaient compte, mais ils le conjuraient de répondre à toutes les questions qu'elle lui poserait sans rien lui cacher. En un mot, il devait se conduire en parfait gentleman. Ils lui avaient suggéré d'inviter la jeune fille à dîner pour lui parler, et ils lui avaient réservé une table au Praha, le restaurant du Pavillon tchèque, qui était de l'avis général le meilleur du site, et dont elle s'était dite curieuse.

Dossier Miss Hoskens réglé, donc. Mais Radford et Wayne n'avaient pas manifesté le même tact quant à l'autre question qu'il avait soulevée, celle qui concernait Sylvia. Ils avaient d'ailleurs mal compris. Pas question qu'il avoue à Miss Parker avoir femme et enfant à Londres. Ce serait une grave erreur. Et si elle l'avait appris incidemment par Tony Buttress, il devrait inventer une fable convaincante pour faire passer la chose. « Vous n'aurez qu'à lui dire que vous êtes séparés ; que votre couple s'est défait depuis longtemps déjà, que vous ne la voyez jamais, et qu'il n'y a aucun espoir de réconciliation », lui avaient-ils enjoint. Il avait écouté leur conseil, dit qu'il acceptait de le suivre, mais qu'il avait tout autre chose en tête. Car enfin il était bel et bien marié, et nullement sûr, quelle que soit la mission à accomplir, de vouloir tromper sa femme physiquement avec une autre.

Wayne et Radford avaient échangé des regards embarrassés. La question dépassait leur juridiction.

« Sur ce chapitre, vous êtes seul juge, voyez-vous.

— Nous ne pouvons pas grand-chose pour vous en la matière.

— Là on navigue en eaux profondes...

— En eaux profondes au milieu de courants dangereux...

— Tout ce que nous pouvons vous dire, nous...

— C'est que les plaisirs de la vie conjugale...

— Dont nous n'ignorons pas que vous êtes friand...

— N'ont pas vraiment suffi à vous retenir...

— N'ont pas eu l'air de vous entraver outre mesure...

— Dans vos relations...

— Vos rapports, si l'on ose dire...

— Avec Miss Hoskens.

— Mais ne vous méprenez pas...

— Surtout, ne vous formalisez pas...

— Nous avions seulement l'impression que...

— Vous jouiez sur les limites...

— Que vous aviez une conception passablement souple...

— Des règles et des cadres...

— Par ailleurs...

— Et de surcroît…
— Votre petite femme, à Tooting…
— D'après ce que nous avons compris…
— Sans vouloir médire, loin de nous cette pensée…
— Ni semer le soupçon chez vous, à Dieu ne plaise…
— N'empêche qu'il n'est pas exclu…
— Si nos informations sont exactes…
— Qu'elle et votre voisin…
— Soient en passe de devenir très intimes…
— Au sens le plus large du terme, naturellement…
— Maintenant que vous n'êtes plus là. »

Radford et Wayne lui avaient fait part de ces remarques avec un air de cruel embarras, sur quoi ils l'avaient laissé méditer ce qu'il venait d'entendre quelques minutes — au bout desquelles il n'avait pas résolu son dilemme. Maintenant encore, il ne trouvait pas l'issue du labyrinthe moral où les péripéties singulières de ces derniers jours semblaient l'avoir mené.

Il reprit son livre. Qu'aurait fait James Bond en pareilles circonstances ? À ce stade, le maître espion n'était même pas encore entré en scène. Les chapitres d'ouverture roulaient exclusivement sur le formidable appareil de terreur des Soviets. Mais, d'après ce qu'il croyait savoir, Thomas subodorait qu'il y avait trop de différences entre le héros de Fleming et lui-même pour autoriser la comparaison. Ainsi, il voyait mal Bond s'embourber dans la vie conjugale à Tooting, avec un travail de bureau à heures fixes ; il ne l'imaginait pas davantage englué jusqu'au cou dans les traites à payer, les tâches domestiques, les couches et les sérums contre les coliques…

Il se leva en soupirant. Dans quelques jours, il rentrerait passer le week-end à Londres. Ce serait son premier retour, depuis la Foire. Il pressentait déjà que le séjour ne serait pas facile. Comment s'étonner dès lors qu'il attende avec une impatience mêlée de nervosité le dîner de ce soir en compagnie d'Anneke, puis le rendez-vous du surlendemain avec Emily Parker ?

Ces deux derniers jours avaient été déclarés Journées de la Tchécoslovaquie, à l'Exposition. Films tchèques dans les cinémas, musique tchèque dans les salles de concert. Quant au Praha, déjà très couru en temps normal, les réservations y battaient tous les records. Lorsque le placier fit entrer Anneke et Thomas, ce soir-là, le bourdonnement des conversations atteignait un volume excessif, et il ne semblait pas rester la moindre place aux trente ou quarante tables.

Mais ils n'étaient que dans la moins huppée des deux salles, le Plizen. Un serveur les escorta tambour battant jusqu'à une porte, au fond. À moins qu'on nous ait réservé une table au De Luxe, se demanda Thomas — auquel cas Radford et Wayne s'étaient vraiment mis en quatre. Il était encore au-dessous de la vérité : Anneke et lui furent bientôt introduits avec révérence dans un salon particulier, où ne trônait qu'une seule table, avec un énorme vase d'argent croulant sous les fleurs, et où l'assortiment de couverts laissait augurer un repas très long.

« *Monsieur, Madame** », dit le serveur en leur désignant leurs sièges. Il leur présenta ensuite deux menus, gravés en lettres d'or sur carton blanc rigide, puis il quitta la pièce avec discrétion, leur laissant une intimité qui dépassait de loin leurs espérances respectives.

Anneke lança un regard timide à Thomas, les yeux arrondis par la surprise, et la première chose qu'elle dit fut : « Vous avez fait une folie, non ? »

Le moment était peut-être venu d'expliquer que la note serait en fait payée par un service très discret du gouvernement ; cette information aurait tout naturellement mené au sujet délicat qu'il se devait d'aborder avec elle ce soir-là. Du reste, il faillit en parler. Faillit seulement, car en réalité il eut un sourire d'homme du monde — pour ne pas dire un sourire avantageux — et murmura : « Pensez-vous !… »

Ni l'un ni l'autre n'avait jamais festoyé de cette façon. Incapables de se décider d'après la carte, malgré les traductions en anglais, ils demandèrent au maître d'hôtel de leur établir une sélection. Les plats se succédèrent sans temps mort, spectaculairement copieux. Mais chaque sensation gustative était si insolite, si délicieuse, qu'ils y firent honneur beaucoup mieux qu'ils ne l'auraient cru. Ils eurent du steak tartare *kolkovna*, servi avec du pain frotté à l'ail ; un bouillon de bœuf nommé *hovězí polévka* ; des crêpes merveilleusement savoureuses (*bramboráky*) ; du gigot d'agneau braisé au vin rouge avec des pommes de terre au romarin ; du soufflé au chocolat ; du strudel aux pommes, et puis encore des crêpes pour finir, à la glace au yaourt et aux myrtilles, celles-là. Ils commencèrent le dîner avec les bulles d'un sekt de Bohême, puis on leur servit un gewurztraminer délicieusement fruité, suivi d'un pinot noir de Moravie liquoreux, avec des notes de prune. En digestif, ils burent du cognac dans de grands verres à dégustation, spécialement dessinés pour le centième anniversaire de la célèbre cristallerie Moser. Le créateur, leur expliqua-t-on, avait divisé l'humanité en six types différents, pour lesquels il avait créé six verres. Celui de Thomas s'appelait Triste Mine, celui d'Anneke Fine Demoiselle.

Le cognac les réchauffa tous deux de sa flamme liquide, profonde et bienfaisante.

Quant à la conversation, elle ne languit pas, quoique un peu dissymétrique. Thomas n'avait pas une expérience considérable du commerce des femmes en la matière. Quand il dînait en ville avec Sylvia, par exemple, le repas était ponctué de longs silences embarrassants ; une fois épuisés les sujets habituels, il leur fallait se creuser la tête pour en trouver d'inédits. Et au travail, une loi non écrite voulait qu'il déjeunât avec ses collègues masculins plutôt qu'avec les secrétaires. Cette soirée constituait donc une expérience nouvelle pour lui ; voici qu'Anneke lui parlait, confiante et spontanée ; elle lui racontait des anecdotes sur sa vie de famille, son rebelle de frère aîné, son père poule, elle lui racontait qu'il était apparu très tôt, quand elle était écolière, qu'elle avait un don pour les langues étrangères ; que, toute petite, elle dévorait l'atlas relié de cuir qu'ils avaient chez eux, et qu'elle n'avait jamais cessé d'être fascinée par les pays étrangers, ni d'avoir envie de voyager, même si elle n'était jamais allée plus au sud que Paris, ni plus au nord qu'Amsterdam. Thomas glissait un mot de temps en temps, surtout pour faire des remarques plus générales : n'était-il pas intéressant de noter que malgré l'excellence reconnue des écoles anglaises, tant publiques que privées, on ait du mal à trouver un Anglais qui parle une langue étrangère quand il partait pour les vacances ? Mais force lui fut de constater qu'élargir le contexte n'intéressait pas vraiment Anneke. Elle aimait aborder les sujets d'un point de vue personnel et subjectif, de sorte que, la plupart du temps, c'était lui qui écoutait, distraitement parfois, se demandant quand et comment il allait amener la conversation sur le terrain sensible d'Emily et de la curieuse mission dont il était investi.

Sur la lancée de son goût des voyages, Anneke lui demanda : « Finalement, vous n'avez toujours pas vu le Pavillon du Congo belge ?

— Toujours pas, non. J'avais l'intention d'y aller dans les jours qui viennent.

— Vous ne pourrez pas, ils sont rentrés chez eux.

— Qui, ils ?

— Les indigènes d'Afrique. Vous ne le saviez pas ?

— Qu'est-ce qui s'est passé ?

— Eh bien, j'ai lu dans les journaux qu'ils se plaignaient de la façon dont certains visiteurs les traitaient. Ils passaient la journée dans leurs huttes, à travailler à leur artisanat indigène, et il paraît que certains visiteurs leur criaient des choses insultantes, et même — elle glousssa nerveusement — qu'on leur tendait des bananes à manger, vous voyez. Ils ont dit qu'ils se faisaient l'effet d'être des animaux dans un zoo. Et alors ils sont presque tous rentrés chez eux, et les huttes sont vides. » Anneke fronça les sourcils. « La première fois que j'y suis allée, j'ai tout de suite senti qu'il y avait quelque chose de déplacé. Ce n'était pas très gentil, tout de même, de les obliger à travailler devant les Européens qui restaient plantés là à les regarder.

— Oui, c'est ce que je me suis dit, moi aussi, quand j'en ai entendu parler. D'un autre côté, c'est bien un peu ce que fait Emily au Pavillon américain.

— Peut-être, répondit-elle, dubitative, seulement l'effet n'est pas le même.

— À propos d'Emily, commença Thomas en saisissant le moment de changer de sujet en douceur, il faut que je vous dise quelque chose.

— Ah ?

— Oui. Je vais l'emmener à un concert jeudi soir. Demain, les journées suisses commencent, et leur orchestre va jouer au Grand Auditorium jeudi ; j'ai réussi à avoir deux billets.

— Ah ? » dit Anneke. Elle eut un mouvement de recul, visiblement surprise. « Et vous y emmenez Miss Parker ? »

À présent, il fallait aller jusqu'au bout. Il inspira profondément, et lui expliqua en détail, selon les consignes expresses de Radford et de Wayne, le problème qu'on lui demandait de résoudre. II lui expliqua qu'au cours des semaines à venir il passerait beaucoup de temps en la compagnie de la jeune femme. Il ajouta que, contrairement aux apparences, Emily était naïve, et nullement au fait des subtilités de la politique. Il lui confia que les services secrets américains surveillaient son amitié avec Mr Chersky dans la terreur qu'elle ne succombe à son charme persuasif jusqu'à le suivre en Russie. Ils avaient donc appelé leurs homologues britanniques à la rescousse pour faire échec à leur idylle naissante. Et c'était lui, Thomas, qu'on avait pressenti pour cette entreprise. Il voyait bien qu'il n'avait pas le choix : il devrait tout faire pour les aider.

À quelle réaction s'attendait-il de sa part ? Dans le secret de son cœur, il s'était imaginé les grands yeux admiratifs et confiants que Tatiana Romanova, espionne soviétique aux allures adolescentes, fixait en permanence sur James Bond dans *Bons baisers de Russie*. Il était tranquillement convaincu qu'elle serait impressionnée par son abnégation et son héroïsme exempt de toute gloriole. Or, contre toute attente, il n'en fut rien. Elle lui parut de plus en plus abattue au fil de son explication.

« Ce n'est pas ce que j'aurais voulu, bien sûr », souligna-t-il en se demandant s'il ne ferait pas mieux de traiter la situation à la légère, voire à la blague. « En fait, cette comédie me paraît assez ridicule. Seulement voilà, c'est ainsi qu'ils fonctionnent, je présume. Et, en tout état de cause, j'ai accepté de jouer le jeu.

— Je ne trouve pas que ce soit ridicule, dit Anneke, ça me paraît plutôt dangereux.

— Oh, je ne sais pas. J'ai du mal à prendre l'affaire au sérieux. C'est vrai, vous avez rencontré Radford et Wayne, non ?

— Si.

— Et ils ne vous ont pas paru comiques ? Avec leurs impers et leurs trilbies, ils sont droit sortis d'un roman de gare. Et puis leur façon de s'exprimer.

— Quelle façon ?

— Par exemple, chaque fois qu'ils me chapitrent, vous savez ce qu'ils me disent : “Tout ceci reste entre nous.” Je n'aurais jamais cru qu'on emploie cette formule dans la vie. C'est tellement… théâtral, vous ne trouvez pas ? »

Anneke acquiesça, mais sans grande conviction, et elle demeura très silencieuse pendant les minutes qui suivirent. Bientôt, elle annonça que le foyer qui l'hébergerait ce soir encore fermait à minuit, et qu'il fallait qu'elle se sauve si elle ne voulait pas se retrouver à la porte. Elle remercia chaleureusement Thomas de cette charmante soirée, dont elle se souviendrait longtemps. Elle espérait que le hasard les réunirait sur le site prochainement, et en tout cas avant la fin de l'Exposition.

Là-dessus elle quitta la table et fit un saut aux toilettes. Thomas appela le maître d'hôtel pour s'assurer que la note était bien prise en charge, et lorsque Anneke fut de retour, il la raccompagna à la porte des Attractions. Il faisait moite en ce soir d'été, et il y avait encore foule à la Belgique joyeuse et au parc. Ils se dirent au revoir devant la porte, avec un bref baiser machinal sur la joue.

Il resta à la regarder s'éloigner, sa silhouette disparut dans l'obscurité. Puis il soupira et se gratta la tête. Soirée inconfortable. Décidément inconfortable. Tony avait peut-être raison. Elle était peut-être plus mordue de lui qu'il ne l'aurait cru. Du moins lui restait-il une consolation : il n'y avait pas eu tromperie. Du moins lui avait-il dit la vérité.

L'ENNUI, AVEC LE BONHEUR...

Le soir du jeudi 31 juillet 1958, Thomas attendait Emily devant le Grand Auditorium, à l'extrémité nord-ouest du site. Dans la poche de sa veste, il avait les deux billets — premier balcon, premier rang — fournis par Radford et Wayne.

Emily arriva avec un léger retard, à sept heures quatre. Elle portait une cape gris clair fermée par un bouton unique sous le cou, et une robe du soir en velours noir. Sa grâce étrange et déliée lui coupa le souffle mais il se ressaisit à temps pour lui prendre la main et la porter à ses lèvres en un baiser impalpable.

« Miss Parker.

— Mr Foley ! Je suis ravie de vous voir !

— Tout le plaisir est pour moi. Que diriez-vous d'une coupe de champagne au bar ?

— Je crois que ce serait divin. »

Au bar, comme dans l'Exposition en général, il y avait foule. Mais Thomas eut la chance de mettre la main sur une des dernières tables libres, près d'une vaste baie vitrée qui donnait sur la place de Belgique. Il y laissa Emily quelques minutes avant de revenir avec deux coupes. Elle prit celle qu'il lui tendait, mais avant de boire elle contempla un instant le liquide pâle et effervescent. Ses yeux pétillaient, son sourire creusait une fossette sur ses joues.

« J'adooore le champagne, dit-elle. J'adore voir les bulles danser à la surface du verre.

— C'est pourquoi on prévoit les coupes si larges », lui dit Thomas sur le ton du connaisseur. Aussitôt, il s'aperçut qu'il était allé chercher au fin fond de sa mémoire une information qu'il n'avait en fait jamais bien comprise. « Pour que… pour que… toutes les bulles ne s'échappent pas en même temps.

— Ah oui ? dit Emily. C'est passionnant. »

Thomas leva sa coupe : « À votre santé », dit-il en se jurant d'être un peu plus avisé la prochaine fois qu'il tenterait de l'impressionner.

« À la vôtre », répondit Emily, et ils trinquèrent.

« Comment vous remercier de votre invitation ? Quelle attention délicate !

— À vrai dire, c'est Tony qui se proposait de vous emmener. Mais comme il m'a laissé les deux billets, j'ai pensé que le moins que je puisse faire était de vous inviter à ce concert que vous auriez manqué autrement.

— C'est un geste charmant, absolument charmant. J'avoue que je suis restée sous le choc lorsque j'ai appris son départ subit. C'est sûrement idiot de ma part, mais je m'étonne qu'il ne m'ait pas dit au revoir. On se voyait beaucoup, tous les deux. On s'entendait très bien.

— Il va vous écrire, j'en suis sûr. Il a tout du parfait gentleman.

— C'était bien mon impression, oui. Enfin… » Pour se changer les idées, peut-être, elle se mit à étudier le programme du concert, qu'elle avait pris dans le hall d'entrée. « Qu'est-ce que nous allons entendre ce soir, et par qui ? L'Orchestre de Suisse romande, sous la direction d'Ernest Ansermet. Ça vous dit quelque chose, à vous ?

— Ils ont une grande réputation, je crois. Surtout pour la musique du xxe siècle.

— Vraiment ? Les mots musique du xxe siècle me font froid dans le dos. La plupart des compositeurs contemporains ne savent plus écrire une mélodie, si tant est qu'ils aient su un jour. Voyons à quelle sauce ils vont nous manger. » Elle baissa les yeux sur les commentaires du programme. « Hmm, la *Cinquième* de Beethoven, bon, c'est à la portée de tout le monde. *La Mer*, de Debussy, passe encore, mais j'aurais sans doute dû prendre mes pilules contre le mal de mer, et lui, qui est-ce ? Arthur Honegger ?

— Connais pas, dit Thomas avec un haussement d'épaules.

— "Arthur Honegger, lut Emily, est considéré par tous comme un des compositeurs suisses les plus importants du xxe siècle." À la rubrique les éloges qui tuent ! "Son magnifique cycle de cinq symphonies propose le récit musical des années les plus violentes et les plus barbares de l'histoire récente de l'humanité ; c'est un *de profundis* qui culmine..." Oh, flûte, je vois le genre. Il va fourrer le nez du public dans le malheur, alors qu'il ferait mieux de nous aider à l'oublier.

— N'ayons pas de préjugé.

— Certes non, mais ce genre d'attitude, ça ne vous tape pas sur les nerfs ? À moi, si. À quoi sert l'artiste, tout de même ? À quoi est-il bon s'il ne nous... élève pas d'une façon ou d'une autre ? Je suis peut-être bornée mais, pour moi, l'artiste est celui qui embellit le monde au lieu de l'enlaidir. Quand la musique évoque deux chats en train de s'étriper sur une décharge, quand la sculpture ressemble à un pâté de glaise qui aurait giclé sur un plancher, quand la peinture vous donne la migraine — deux yeux du même côté de la figure, trois nez sur l'autre... » Elle s'interrompit pour boire une gorgée de champagne. « Excusez-moi. Il vous déplaît peut-être qu'une femme ait ses opinions. Moi j'ai l'habitude de dire ce que je pense. C'est l'une des choses que vous découvrirez sur moi si nous... faisons plus ample connaissance. »

Avant que Thomas n'ait le temps de répondre, la sonnerie annonça le début du concert. Ils se hâtèrent de vider leurs coupes et se levèrent.

« Eh bien, à l'attaque ! dit Emily en prenant Thomas par le bras avec une familiarité bon enfant, voyons de quel bois ce Mr Honegger se chauffe. »

Pastorale d'été, poème symphonique de Honegger daté de 1920, était le premier titre au programme. Lorsque le célèbre M. Ansermet leva sa baguette, Emily ouvrit un œil soupçonneux voire réprobateur, mais au bout de quelques mesures sa réticence avait fondu comme neige au soleil.

Tout commençait par un motif au doux balancement, joué, ou plutôt murmuré par les violoncelles. Très vite, au-dessus, la mélodie principale s'élevait du cor anglais. À la flânerie de ses longues phrases lentes répondaient des accords de violons, haut perchés, aux dissonances subtiles. Le hautbois reprenait alors le thème, où la flûte glissait le gazouillis de ses interjections fluides. La trame que tissaient les cordes, le cor et les bois se fondait en un tout complexe et parfaitement lisse qui, même sans le titre, aurait évoqué un après-midi d'été hors du temps, nimbé d'une brume de chaleur. Le thème central revenait, plus insistant, plus charmeur, repris par les premiers violons, mais l'atmosphère langoureuse était bientôt rompue par un intermède turbulent, où un air que l'on retenait instantanément — car emprunté au folklore, sans nul doute — était introduit par une clarinette solo. Pendant quelques minutes, il régnait une gaieté endiablée. À l'issue d'un crescendo délicieux, l'intermède s'évaporait pour céder la place au thème principal, retour d'un vieil ami. De nouveau, il s'élevait puis redescendait, tendre conversation sans fin renouvelée entre les différentes sections de l'orchestre, jusqu'à ce qu'il s'évanouisse lui-même parmi les fioritures des violons à l'archet aérien, les derniers trilles de la flûte et de la clarinette. Quintessence parfaite d'une époque et d'une humeur. Comme Emily le dit elle-même ce soir-là dans le parc d'Osseghem, Thomas tout près d'elle sur la passerelle dominant le lac qui scintillait sous la lune jaune : « C'est une musique qui évoque les étés de notre enfance, vous ne trouvez pas ? Elle m'a ramenée vingt ans en arrière, si ce n'est plus, au temps où nous allions rendre visite à des amis de mes parents sur les rives du lac Tomahawk. On y passait des moments fabuleux... c'est presque surnaturel que sa musique m'évoque aussi vivement cet endroit alors qu'il ne pensait sans doute lui-même qu'à ses propres étés en Suisse. Il en fait un bien joli tableau, je dois dire. Vous y êtes allé, en Suisse ?

— Oui, j'y ai passé tout un été. Il y a quatre ans. Près de Bâle. C'est à quoi je pensais, bien sûr, pendant le morceau.

— Eh bien vraiment, chapeau, Mr Honegger, pour cette composition. Je n'aurais jamais dû parler de lui avec autant d'irrespect. C'est la chose la plus délicieuse que j'aie jamais entendue. Et à présent je n'ai qu'une envie, partir dans la campagne, m'asseoir au soleil, avec une bouteille de bon vin et un panier de bonnes choses, m'allonger sur le dos pour regarder les nuages traverser mollement le ciel, avec à mes côtés quelqu'un qui me soit cher, quelqu'un à qui je parlerais l'après-midi entier de tout et de rien… »

Après avoir médité ces paroles un instant, Thomas n'écouta que son audace : « Comment donc ! Rien de plus facile. »

Elle le regarda, la prunelle allumée.

« Mais encore ?

— La campagne nous entoure, ici. Nous sommes au cœur de l'été. Pourquoi ne pas prendre une voiture pour aller quelque part — dès votre prochain jour de congé —, nous emporterions de quoi boire et de quoi manger et… nous ferions tout dans les règles de l'art. »

Les yeux de la jeune femme brillèrent de ravissement à cette perspective.

« On pourrait, vous croyez ? Ce serait tout simplement merveilleux. Quel plaisir ! Parce que, ici, c'est formidable, bien sûr, mais au bout d'un moment ça porte sur les nerfs. Un jour de sortie ne me ferait pas de mal. Avez-vous une voiture ?

— Non, avoua Thomas. Mais je peux… je peux essayer d'organiser quelque chose. »

Elle battit des mains. « Oh, je suis déjà impatiente ! » Mais comme Thomas savourait tout juste le plaisir d'avoir déchaîné son enthousiasme, ce fut la douche écossaise : « On pourrait inviter toute la bande, ajouta-t-elle, ce serait une vraie fête !

— La bande ?

— De la soirée de ballet. Peut-être que Mr Chersky viendrait volontiers. Et puis cette petite Belge exquise avec laquelle vous êtes ami, son nom m'échappe.

— Anneke ?

— Anneke. Et qui d'autre voudra. Plus on est de fous, plus on rit, vous ne croyez pas ?

— Mais… oui, bien sûr, plus on rit. »

Il avait fait la réponse attendue ; mais il se doutait que son manque de conviction était audible. Emily ne réagit pas sur-le-champ, mais au bout d'un silence inconfortable de quelques secondes elle déclara : « Écoutez, Mr Foley, je sais que ce que je vous propose n'est pas tout à fait le pique-nique à deux mais… je ne voudrais pas que vous vous sentiez des obligations envers moi pour l'unique raison que votre ami Tony m'a laissée en carafe, si j'ose dire. Vous avez déjà fait votre devoir et je vous en suis très très reconnaissante. J'ai passé une soirée merveilleuse, dont je me souviendrai longtemps.

— Je ne considère pas du tout la chose comme un devoir, tant s'en faut…

— Eh bien alors, disons autrement. Vous pouvez considérer votre mission comme accomplie. »

Curieuse formule, se dit Thomas. Trop clinique. Mais il écarta promptement cette idée en mettant l'expression sur le compte de la phraséologie américaine. À bien y réfléchir, les Yanks et les Brits ne parlaient guère la même langue.

« En tout cas, il se fait tard, dit Emily en se levant du banc. Il faut que je dorme si je veux être belle demain. Les *hausfraus* belges vont débarquer en hordes pour s'initier au maniement de l'aspirateur. Je ne peux pas me permettre d'avoir une tête à faire peur. Je risquerais d'être virée.

— Je me demande comment vous supportez ça, dit Thomas, comme ils longeaient la rive du lac en direction de la porte du Parc. Exécuter la même démonstration, jour après jour. S'attirer les mêmes questions du public. Ça ne vous rend pas folle ?

— Oh, ça n'est pas pire que de jouer dans un thriller de Broadway un rôle de bonne qui dit deux lignes. "Le thé va être prêt", et puis : "J'ai trouvé ce paquet sur le perron, madame." Deux lignes à répéter six soirées par semaine plus les matinées du mercredi et du samedi, le tout pendant quatre mois. Et encore, si on me proposait ce genre de rôle, je quitterais la Belgique comme une flèche pour l'accepter…

— C'est dans l'ordre des choses possibles ?

— Bah, qui d'entre nous peut dire avec certitude pour combien de temps il est ici ? Et vous ? Vous êtes à Bruxelles pour la durée de l'Exposition ?

— En principe, oui. Même si Le Britannia m'a l'air de tourner rond, en ce moment. Il se débrouille tout seul, en somme. Je n'ai pas eu grand-chose à faire, ces dernières semaines.

— Eh bien, dit-elle en le regardant droit dans les yeux, il nous faut savourer le temps qui nous est donné. Parce que tout pourrait s'arrêter du jour au lendemain, et que personne ne sait jamais quand ni comment. » Elle se dressa sur la pointe des pieds et l'embrassa sur la joue. « C'est ça l'ennui, avec le bonheur. »

TOOTING COMMON

Dans la salle à manger, debout près de la table en chêne foncé, Thomas regardait le jardin, une tasse de café au lait sucré à la main. Se trouver là lui donnait une impression d'irréalité. Ses souvenirs des derniers jours étaient si vifs qu'ils reléguaient la normalité banlieusarde de Tooting au statut de rêverie éveillée. La nuit d'ivresse au Bolchoï ; la randonnée bucolique yeux bandés dans la voiture de Wilkins ; les incroyables révélations de Radford et de Wayne ; la soirée au Praha avec Anneke puis celle au Grand Auditorium avec Emily : comment ces aventures bizarres pouvaient-elles coexister avec l'univers de ce carré de légumes impeccable, cet abri antiaérien désaffecté, ce bassin à poissons rouges d'un mauvais goût consommé, présentement égayé — grâce aux bons offices de Mr Sparks — d'un chérubin obèse en faux bronze versant l'eau d'une urne ?

Samedi matin, onze heures, et Sparks était déjà venu leur rendre visite, fouiner, voir comment il s'en sortait.

« 'Jour, Foley ! » lui avait-il lancé en entrant dans le séjour où Thomas lisait le journal. Là-dessus il s'était laissé tomber sur le canapé sans y avoir été invité. « Comment ça se passe, en Belgique ?

— Fort bien, merci, avait répondu Thomas sans poser son journal.

— De temps en temps je lis quelque chose sur l'Expo dans les journaux, avait poursuivi Sparks. C'est là que tout se passe, en ce moment. Un jour vous recevez une tête couronnée, le lendemain, une vedette de cinéma. Parfois, je montre les coupures, au bureau, et je dis : "Mon voisin est là-bas, avec le gratin." Je récupère des miettes de votre gloire. Ça n'a jamais fait de mal à personne.

— Sûrement », avait ponctué Thomas sèchement et sans se compromettre tout en continuant de tourner les pages de son journal. Les articles sur l'Angleterre qu'il lisait, politique politicienne, conflits sociaux et délits minables, lui paraissaient triviaux au-delà de toute expression. Il vivait dans ce pays, lui ?

« Évidemment, ici, pendant ce temps-là, c'est tout ce qu'il y a de plus pépère. Vous allez trouver que c'est un trou perdu, maintenant, comparé à Bruxelles. Quand est-ce que vous y retournez ? Demain soir ?

— Lundi matin.

— Ah bon ? Eh bien, je suis sûr que Sylvia va être contente de vous garder un jour de plus.

— Écoutez, Sparks, avait dit Thomas en posant enfin son journal et en se penchant en avant pour donner plus de poids à ses paroles, je vous suis très reconnaissant de l'attention que vous avez portée à ma femme. Et je suis sûr que vous lui avez été d'un grand réconfort. Mais à l'avenir, vous êtes prié de ne plus vous inquiéter pour elle, ni pour moi d'ailleurs. Ce matin encore, elle m'a dit qu'elle s'en sortait très bien. Ayez donc l'obligeance de vous occuper de vos affaires, de votre sœur par exemple, qui a bien davantage besoin de votre compagnie que Sylvia. »

Quand il repensait à cette conversation, à présent, il se demandait ce qui l'avait poussé à se montrer aussi désagréable. Car enfin Sparks n'était pas mauvais bougre et, en outre, trouver à redire à ce que Sylvia pouvait faire en son absence était bien le comble de l'hypocrisie dans la mesure où il ne se gênait pas lui-même pour fréquenter d'autres femmes (fût-ce en tout bien tout honneur). Si seulement il avait pu lui parler de ses aventures belges ; s'il avait pu lui raconter le tour singulier que la situation avait pris récemment, et le rôle délicat qu'on lui demandait de jouer. Seulement toute l'affaire était entourée du plus grand secret. Or, il n'en doutait pas, c'était précisément l'impossibilité de discuter avec Sylvia de ses soucis cruciaux qui avait créé cette maudite distance entre eux, cette froideur et ce manque de communication flagrants sitôt qu'il avait franchi le seuil de chez lui.

« Tu avais des projets, pour aujourd'hui ? » lui demanda-t-elle. Elle venait d'entrer sans bruit dans le salon, et se trouvait à ses côtés.

« Pas vraiment. » Il fit un effort, se fendit d'un sourire. « Tu as peut-être un peu de bricolage, pendant que je suis là ?

— Non, pas la peine. Ton temps t'appartient. »

La journée traîna en longueur, solennelle, insupportable. La mère de Thomas arriva sur les cinq heures. Elle était venue avec un sac contenant le nécessaire pour coucher chez eux et — chose qui l'intrigua bien davantage — une petite serviette de cuir élimée sur les bords, usée par les ans. Il monta le sac au premier puis introduisit sa mère dans la salle à manger. Elle refusa l'apéritif qu'il lui proposait. Ses principes ne lui permettaient pas de boire de l'alcool à cinq heures du soir. Et elle le regarda d'un œil réprobateur descendre son verre en deux lampées.

Incapable de supporter la perspective de dîner en silence, Thomas apporta le poste de TSF de la cuisine pour le poser sur la desserte et prit en route l'émission de variétés qui proposait un concert symphonique. Gill était réveillée, et Sylvia l'avait installée dans sa chaise haute à table, en face de Mrs Foley. Elle servit aux adultes du bifteck et du pâté aux rognons, de la purée et des haricots verts. Thomas se versa un verre de vin rouge, mais les deux femmes ne l'accompagnèrent pas, et burent de l'eau. Pendant qu'ils dînaient en musique, Sylvia faisait manger des cuillerées de purée en sauce à l'enfant.

Ensuite, elle tira les rideaux du salon pour qu'ils ne soient pas gênés par le soleil pendant l'émission de music-hall sur la BBC. Autrefois Thomas se serait mollement laissé dérider par les pitreries de Richard Hearne dans le rôle de Mr Pastry, mais ce soir-là il n'était pas d'humeur débonnaire. Quand il eut regardé quelques minutes Jack Billings (le fantaisiste aux pieds ailés) et Claudio Venturelli (la vedette de la chanson italienne), l'enjouement imbécile de l'émission l'excéda, et il quitta le salon sans mot dire. Il se planta dans le jardin et fuma deux cigarettes dont il tapota par pure vindicte la cendre dans l'urne du chérubin obèse, au bord du bassin des poissons rouges. Puis il rentra dans le vestibule, prit le téléphone, et composa un numéro griffonné sur un bout de papier qui ne l'avait pas quitté.

« Ealing 4993, répondit une voix familière.

— Tony ?

— Oui !

— C'est Thomas, Thomas Foley !

— Thomas ! Fichtre, la ligne passe bien, depuis Bruxelles, si c'est de là que tu m'appelles.

— J'aimerais bien, mon vieux. Mais je suis à Tooting.

— À Tooting, qu'est-ce que tu fiches là-bas ?

— Je suis rentré dans mes foyers pour le week-end. Je suis venu voir comment se portent Sylvia et le bébé.

— Alors l'administration pénitentiaire de Motel Expo t'a accordé une permission compassionnelle ?

— Il y a de ça. Mais, dis donc, qu'est-ce qui t'est arrivé ? Pourquoi es-tu parti de cette façon ?

— J'ai reçu des ordres de mon QG. Tu as entendu parler du fiasco de la ZETA, non ? Ils étaient archipressés de rapatrier la réplique.

— Mais tu ne vas pas revenir ?

— Non. Ils ont mis fin à mon contrat. Deux jours plus tard, j'étais de retour au sein de la Royal Institution, à brasser de la paperasse sur mon bureau. Dis-moi, quand même, Emily tient la forme ? Tu l'as revue ?

— Oui, je l'ai vue hier soir. Je l'ai emmenée à un concert, pour tout te dire.

— Mâtin ! Tu ne perds pas de temps. Tu aurais pu laisser refroidir un peu, quand même.

— Oh, ce n'est pas du tout ce que tu crois. Elle est bien désolée que tu sois parti, si tu veux savoir.

— Ah, c'est une chouette fille, pas de doute. Mais l'histoire n'avait pas d'avenir, de toute façon. Je n'ai aucune intention de prendre mes cliques et mes claques pour m'installer aux États-Unis, moi. Et en plus, pendant mon absence, il est arrivé une nouvelle secrétaire à la Royal

Institution, une bombe atomique, mon cher ! D'ailleurs, je l'emmène au ciné ce soir.

— Ah bon ? Eh bien, tu ne perds pas de temps non plus, toi.

— Tu me connais, les femmes ça va, ça vient.

— Bon, bon. Je voulais te proposer de boire une bière ce soir mais, comme on dit, aux innocents les mains pleines.

— Je compte bien qu'elles le soient d'ici la fin de la soirée. Désolé, ça aurait été chouette, mais en la circonstance, c'est niet.

— Tant pis. Donne de tes nouvelles, d'accord ?

— Bien sûr, mon vieux. Bien sûr. »

Après avoir raccroché, Thomas resta devant la table du téléphone, pensif et silencieux, jusqu'à ce qu'il s'aperçoive d'une présence dans la pénombre du vestibule, derrière lui. Il se retourna, c'était sa mère. Elle serrait la vieille serviette de cuir sous son bras.

« On peut parler quelques minutes ? lui demanda-t-elle.

— Bien sûr. Tu ne suivais pas l'émission ? »

Sans répondre, elle le ramena à la salle à manger. Ils s'assirent face à face.

« Ta femme n'est pas heureuse », lui dit-elle sans ambages.

Désarçonné, il resta coi.

« Elle se sent seule. Tu lui manques et, là, tu rentres en coup de vent et tu te conduis comme un ours. Inutile de le nier. » Il était sur le point de protester. « Qu'est-ce qui se passe ? Pourquoi est-ce que tu la traites comme ça ?

— Je ne sais pas… ce n'est rien. J'ai simplement du mal à m'adapter. À l'Expo, tout est tellement… sur une plus grande échelle qu'ici.

— Tu cours les femmes, à Bruxelles ?

— Non, pas vraiment.

— Pas vraiment ? » Elle tendit la main pour toucher la sienne. « Tommy, tu es un bon garçon. Tu l'as toujours été. Tout le monde t'aime. Ne deviens pas comme ton père.

— Il n'y a pas de danger, maman. C'est pour me dire ça que tu m'as fait venir ici ?

— Non, je t'ai fait venir ici pour te montrer quelque chose. »

Elle ouvrit le cartable sous l'œil curieux de Thomas. Il était en cuir lisse, brun clair, mais très usé par les ans : égratigné, tavelé de taches plus sombres. Comme il semblait très ancien, il s'étonna de ne pas se rappeler l'avoir déjà vu.

« Il est à toi ? lui demanda-t-il.

— Bien sûr qu'il est à moi. C'est le cartable dans lequel je mettais mes livres d'école, quand j'étais enfant. Je ne te l'ai jamais montré. Grand-mère l'a gardé jusqu'à sa mort et depuis il est dans ma chambre. »

Comme elle ouvrait la serviette, il vit qu'elle ne contenait pas grand-chose : une poignée de papiers, de cartes postales et de photos. Il tendit la main pour prendre une carte postale. Elle représentait un édifice imposant aux allures de cathédrale, de style gothique tardif, avec des encorbellements très travaillés et des statues dans des niches coiffées d'un dais. Il s'agissait d'un cliché noir et blanc, colorisé ensuite par un artiste. Le verso de la carte était vierge, avec cette seule légende : Louvain, Stadhuis.

« C'est le fameux hôtel de ville, dit Mrs Foley. Je ne sais pas comment nous avons eu cette carte postale. Ma mère n'a pas réussi à emporter grand-chose de la maison, la nuit où nous nous sommes enfuies. » Elle lui présentait à présent une photo minuscule, en noir et blanc elle aussi, froissée et indistincte. « C'était notre maison. La maison où j'ai grandi. »

Thomas regarda le cliché de près. Il était difficile de distinguer des détails. Il voyait une ferme avec des dépendances nombreuses sagement blotties autour d'une cour centrale. La toiture du bâtiment principal semblait couverte de chaume. Derrière le corps de ferme, on voyait une rangée de hêtres contre un ciel gris vaguement menaçant au-dessus des toits pentus : la photo avait été prise en contre-plongée. À l'extrême gauche, on devinait l'angle d'un champ, avec deux têtes de vaches.

« Je ne la voyais pas comme ça, dit Thomas. Elle paraît propre, bien entretenue, prospère.

— Bien sûr, dit Mrs Foley. Mon père avait réussi dans la vie. Cette ferme lui avait rapporté beaucoup d'argent. Il travaillait dur, il employait beaucoup de monde dans le coin. Tu ne peux pas le voir, poursuivit-elle en montrant la photo du doigt, mais derrière ces arbres coulait la rivière. La Dyle. Elle n'était pas large, à cet endroit-là, elle ressemblait plutôt à un ruisseau ou à un canal, mais c'était là que nous allions jouer quand nous étions enfants. Regarde, je te montre. »

Elle déplia un autre papier. Il s'agissait d'une vieille carte aux couleurs tellement passées, aux pliures si accusées par le temps, qu'elle se lisait à peine. Mrs Foley se mit à tracer un sentier du bout du doigt sur le papier en suivant le ruban bleu clair qui serpentait au centre de la carte.

« Donc, voilà Wijgmaal, dit-elle, qui à l'époque n'était qu'un petit village. Il s'est peut-être agrandi, aujourd'hui, je ne sais pas. C'est dans ce village que j'allais à l'école. Il y a un pont… ici, et depuis ce pont on descendait sur le chemin des bords de l'eau. Je le prenais tous les jours, matin et soir, pour aller et venir. Au retour, on le suivait une dizaine de minutes, même pas un kilomètre, et on voyait ces arbres, ceux de la photo, les grands sycomores, tu les vois ? À ta droite. Immédiatement après ces arbres, il y avait un beau champ, qui se couvrait de boutons-d'or en été, de grands boutons-d'or des prairies. Tout un champ d'un jaune éclatant. Et une fois qu'on avait traversé le champ, on arrivait tout de suite à la ferme par les arrières. » Son index se posa sur un point de la carte où on avait tracé une croix au crayon. « Là. C'est là que nous habitions.

« Je suis arrivée à Londres en 1914 avec grand-mère ; fin septembre, je crois, et nous avons commencé à nous sentir en sécurité de nouveau. Mais nous avions laissé mon père et mes deux frères à la ferme de Wijgmaal. Pendant plusieurs mois, je n'ai pas su ce qui leur était arrivé. Tous les jours, grand-mère me disait que papa allait bientôt nous rejoindre, et que Marc et Stefan seraient avec lui, que nous serions tous réunis. Mais j'avais beau attendre, il ne se passait rien. C'est Paul, le frère de papa, qui est venu nous dire la vérité, à la fin, et maman m'a envoyée jouer dans la rue. Nous vivions dans l'East End, à Shawell. L'oncle Paul lui a tout raconté, cet après-midi-là, mais elle ne m'a pas tout répété. C'était trop tôt. Je n'avais que dix ans. J'ai tout de même appris que je ne reverrais jamais ni mon père ni mes frères. Apparemment, les Allemands étaient plus près que nous ne le pensions quand nous nous étions enfuies, maman et moi. Si nous avions attendu quelques heures encore, il aurait été trop tard. Ils ont tué papa et ils ont tué Stefan. Marc a réussi à s'échapper, mais il est mort plus tard, à la guerre. Ils ont pillé la ferme, ils ont raflé tout ce qui avait de la valeur, tout ce qu'ils pouvaient manger ou boire, et ensuite ils ont brûlé la ferme de fond en comble. L'oncle Paul a dit qu'il n'en restait plus rien de rien. Pas une poutre, pas une brique. »

Mrs Foley se tut. Thomas médita ce qu'elle venait de lui raconter, mais sans parvenir à s'en faire une image mentale. Il essayait de se représenter son grand-père et ses oncles fusillés par les soldats allemands, le toit de chaume en flammes à l'arrière-plan, mais les mots tombaient à plat, ils ne trouvaient pas d'écho en lui. Il lui revint à la place un souvenir personnel, un souvenir d'enfance, sorti de sa tête depuis des années. Le petit appartement de l'est de Londres, deux ou trois étages au-dessus d'une boucherie, où habitait sa grand-mère, et où il allait la voir, parfois avec sa mère, lorsqu'il avait cinq ou six ans. Ensuite il se rappela une visite, une seule, dans une sorte d'hôpital, ou de maison de repos, où résidait sa grand-mère, qui lui paraissait beaucoup plus jeune que les autres pensionnaires. Elle sentait très fort la violette, et quand elle s'était penchée pour l'embrasser, il avait eu un léger mouvement de recul pour éviter le contact de l'énorme nævus proéminent sur sa joue gauche...

La porte de la salle à manger s'ouvrit et Sylvia entra.

« Vous ne voulez pas un peu de lumière ? dit-elle en allumant le plafonnier. On n'y voit rien, ici... » Elle s'avança, jetant un œil intéressé vers la carte dépliée sur la table. « Qu'est-ce que c'est ? Vous cherchez un trésor enfoui ?

— Maman me montrait la ferme où elle habitait avec ses parents. Regarde à quoi elle ressemblait, dit-il en passant à sa femme la minuscule photo carrée en noir et blanc.

— Je veux que Tommy y aille pendant qu'il est en Belgique, annonça aussitôt Mrs Foley, brusque et péremptoire comme elle savait l'être.

— Ah bon ? Mais je croyais que tu m'avais dit expressément…

— Je sais, mais j'ai réfléchi, et j'ai changé d'avis. »

Thomas acquiesça lentement. « Très bien, mais pourquoi est-ce que tu ne viens pas avec moi ?

— Non, je ne veux pas venir. Mais ce serait important pour moi de savoir que tu y es allé, sur le terrain même où était la ferme. J'aimerais une photo de toi là-bas. Prise dans le champ jaune, s'il y a toujours un champ jaune. » Il passait une expression implorante dans son regard, qu'il n'y avait jamais vue. « Tu veux bien faire ça pour moi ?

— Bien sûr, maman, je vais le faire.

— Je trouve que c'est une jolie idée, dit Sylvia. Et maintenant, est-ce que quelqu'un veut du café ? »

Tandis qu'elle mettait la bouilloire en route à la cuisine, Mrs Foley rangea la carte et les papiers dans son vieux cartable tout en disant à son fils : « Pense à ce que je t'ai dit.

— J'y penserai. Tu l'auras, ta photo.

— Je ne te parle pas de ça. N'oublie pas : grand-mère et moi n'avons jamais revu mon père. J'ai grandi sans lui, elle a vieilli sans lui. La vie a été plus difficile pour elle comme pour moi. N'inflige pas ça à ta femme et ta fille. »

Sur ces paroles, elle acheva de fermer les boucles du cartable et le lui tendit dans un geste quasi sacramentel.

Le matin du 3 août 1958 se leva dans un éblouissement. À Londres, c'était la première vraie journée d'été. Thomas et Sylvia décidèrent qu'il faisait trop chaud pour cuisiner une viande, si bien qu'ils mirent le gigot d'agneau de côté pour le soir et préparèrent une salade verte avec du jambon et des cornichons. Ils la mangèrent au jardin avec Mrs Foley tandis que la petite Gill jouait, toute contente, dans le bac à sable que Mr Sparks avait fini d'aménager une semaine plus tôt seulement. Lui et sa sœur Judith se trouvaient aussi dans leur jardin, où leur déjeuner consistait en simples sandwiches à la viande froide. Il était rare de voir Judith dehors, encore cachait-elle ses jambes sous une couverture de laine un jour pareil. Dans l'euphorie de cette météo, Thomas avait oublié son accès d'animosité de la veille envers son voisin, et ils bavardèrent quelques minutes sur un mode détendu et amical, tandis que Sylvia prenait des nouvelles de la santé de Judith avec beaucoup de sollicitude. Ensuite, il fut l'heure de raccompagner Mrs Foley à l'arrêt de son autobus.

Quand ils l'eurent vue monter dedans pour rentrer à Leatherhead, ils continuèrent vers Tooting Common, Thomas poussant le landau et Sylvia, au bout d'un moment, le prenant par le bras. Le soleil de l'après-midi était très chaud et elle craignait que, malgré la capote, la petite devienne grognon ; mais on aurait dit que rien ne pouvait gâcher la belle humeur de cette journée. L'enfant fut impeccable. Ils achetèrent des glaces à la camionnette du marchand, stationnée dans le Common, et ils s'assirent sur l'herbe pour les manger tout en regardant des hordes de jeunes gens passer, leurs maillots et leurs serviettes sous le bras : ils se dirigeaient vers le Lido, couples d'amoureux absorbés l'un par l'autre, bandes en proie au fou rire.

Si seulement tous les dimanches, si seulement tous les jours à Londres étaient comme celui-ci, se disait Thomas. Sylvia et lui allèrent s'allonger sur l'herbe une bonne demi-heure, main dans la main, les yeux clos pour ne pas être éblouis par le soleil qui brillait sur eux avec une bienveillance ininterrompue dans un ciel bleu clair. Bruxelles lui paraissait plus loin que jamais, et il s'aperçut avec stupéfaction qu'il n'avait aucune envie d'y retourner le lendemain. Tout à coup, c'était l'Expo et tout ce qui s'y était passé qui lui paraissaient lointains et irréels; alors que sa vie chez lui, sa vie avec Sylvia et Gill, constituait son ancrage.

Cette nuit-là, allongé sans dormir auprès de Sylvia, il posa une main timide sur sa hanche, puis, dans un mouvement lent et implorant, il fit remonter sa chemise de nuit pour dénuder le bas de son corps. Lorsqu'il avait risqué cette manœuvre, la veille, elle lui avait tourné le dos en le repoussant avec froideur. Ce soir, bien qu'elle n'ait fait aucun geste de consentement, elle ne résista pas non plus. Lorsque sa chemise de nuit fut enroulée autour de sa taille, Thomas glissa doucement sa main entre ses cuisses et y sentit la chaleur et l'humidité qui l'attendaient. Elle se tourna vers lui et l'embrassa. Avec élan, mais sans vouloir la rebuter par une hâte malséante, il retira son pyjama en se tortillant. Ayant fait tomber sa veste et son pantalon de son côté du lit, il alluma la lampe de chevet et s'approcha de Sylvia pour l'embrasser à son tour, mais elle recula.

« Qu'est-ce que tu fais ?

— Tu ne veux pas qu'on laisse la lumière ? J'aimerais te voir ?

— S'il te plaît. Je n'y tiens pas… »

Thomas sourit et l'embrassa sur le front.

« Tu es si pudique, dit-il, si bien élevée. »

Il éteignit la lumière, et Sylvia, comme enflammée d'une passion inattendue par sa taquinerie, fit passer impatiemment sa chemise de nuit par-dessus sa tête, et s'enroula autour de lui des jambes et des bras, avec l'énergie du désespoir. Il la pénétra rapidement et leur rapport, accompagné de baisers affamés, profonds et furieux, fut de courte durée. Thomas atteignit l'orgasme en moins d'une minute,

Sylvia peu après. Mais elle resta accrochée à lui et ils demeurèrent emmêlés le temps qu'elle sombre dans le sommeil. Lorsque son souffle se fit plus lent et plus régulier jusqu'à devenir un infime ronflotement familier très apaisant, Thomas osa enfin libérer son bras coincé sous la nuque de sa femme, et soulever délicatement la tête qu'elle avait posée sur son épaule.

Légèrement dérangée par le mouvement, elle murmura quelque chose d'inintelligible, puis sombra de nouveau bien vite dans un sommeil plus profond et plus béat encore. Mais Thomas n'eut pas cette chance. Il demeura éveillé quelques minutes, et comprit bientôt, avec une lassitude résignée, qu'il risquait de le rester encore des heures. Toutes les positions qu'il prenait lui étaient inconfortables. Toutes sortes d'impressions fugaces lui traversaient l'esprit, liées aux expériences singulières de ces derniers jours. À l'idée de repartir pour Bruxelles le lendemain, l'anxiété le plombait. Il roula sur lui-même et se retrouva sur le ventre, mais il ne tenait pas en place. Pour ajouter à son mal-être, il y avait quelque chose qui le gênait au fond du lit. Il sentait quelque chose, du bout du gros orteil, un petit objet impossible à identifier, comme une boulette molle et spongieuse. Sous la torture, il n'aurait pas pu dire ce que c'était. Après l'avoir fait rouler dans un sens puis dans l'autre du bout de l'orteil une ou deux minutes, il finit par plonger la main au fond des draps et s'en emparer. Mais l'explorer du bout des doigts ne l'avança à rien. Qu'est-ce que ça pouvait bien être, bon sang ?

Bien réveillé, à présent, et aiguillonné par la curiosité, il sortit les jambes du lit, enfila son pyjama et ses pantoufles, et emporta le corps étranger à la salle de bains. Arrivé là, il bâilla, alluma le plafonnier, et l'examina avec horreur.

TROP DE STATISTIQUES

« Ça va, Mr Foley ? demanda Jamie. On dirait que vous avez vu un fantôme. »

Elle posa une pinte de Britannia sur la table et Thomas, qui regardait par la fenêtre d'un air absent, se retourna pour la remercier d'un signe de tête.

« Vous avez l'air tout drôle, depuis que vous êtes rentré de Londres, ajouta-t-elle.

— Ah bon ? Oh, ce n'est rien. Je me dis que j'ai dû ramasser un microbe dans l'avion.

— Alors faites attention, les rhumes d'été, c'est les pires. »

Il but sa première gorgée de bière pendant qu'elle retournait au bar, et il se dit que son expression, pour courante qu'elle fût, contenait peut-être un germe de vérité. Avait-il vu des fantômes ? Était-il bien réel, l'environnement où il se trouvait, au fait ? Le Britannia était factice : faux pub, projetant une image fausse de l'Angleterre, transporté dans un décor factice où tous les autres pays projetaient de même des images fausses de leur identité nationale. La Belgique joyeuse, tu parles ! Factice ! Tout comme l'Oberbayern ! Il habitait un monde construit sur de purs simulacres. Et plus il y réfléchissait, plus tout ce qui l'entourait lui faisait l'effet d'être fantomatique et instable. Les gens qui attendaient qu'on les serve, au bar, aux tables : réels ou factices ? Fallait-il se fier à leur apparence ? Quelques jours plus tôt à peine, il avait vu en Mr Chersky — qu'il attendait en ce moment — un jeune Moscovite sympathique, écrivain et journaliste, avide de ses conseils éditoriaux ; et voilà qu'on le lui présentait comme un officier haut gradé du KGB. Où était la vérité, où était le mensonge ? Peut-être que Jamie n'était qu'un fantôme, en effet. Emily elle-même jouait un rôle, à bien y réfléchir. Ce n'était jamais qu'une actrice singeant les ménagères de banlieue à l'intention des visiteurs, au Pavillon américain. Peut-être que toutes les personnes ici présentes sans exception en ce mardi midi jouaient la comédie, engagées qu'elles étaient par Radford et Wayne dans une mise en scène abracadabrante destinée à le déboussoler.

Il ne lui restait plus qu'une certitude, désormais : au fond du lit conjugal, dimanche soir, il avait trouvé un coussinet coricide usagé. Un coussinet Calloway, s'il vous plaît. Ce qui voulait dire que Norman Sparks avait couché dans ce même lit un ou deux jours plus tôt. Telle était pour l'instant la seule réalité de son existence. À sa connaissance, tout le reste pouvait parfaitement être le fruit de son imagination, ou de celle des Services secrets britanniques, voire de celle du baron Moens de Fernig, qui l'avait fertile. Pas étonnant que Jamie lui trouve une drôle de tête. Il avait l'impression de perdre les pédales. L'impression qu'il allait faire une dépression nerveuse.

Il regarda Jamie du coin de l'œil. Encore en train de parler à Ed Longman, l'Américain ! Ils s'entendaient comme larrons en foire, ces deux-là. Au moins une histoire d'amour relativement épanouie et paisible : ça faisait plaisir. Il se demanda combien de ces liaisons nouées à la Foire résisteraient à l'épreuve du temps. Combien de ces couples, nés dans une atmosphère entêtante et artificielle, déboucheraient sur quelque chose de concret, mariage, enfants. En tout état de cause, Jamie et Longman semblaient très liés. Il lui glissait quelque chose dans la main, les yeux au fond des yeux. Elle vit Thomas les observer et lui adressa un clin d'œil.

Il soupira, consulta sa montre. Chersky était en retard. Il n'appréciait guère d'être contraint à l'attendre, seul avec ses pensées. Plus il considérait la trahison de sa femme, plus il était déprimé, et moins il parvenait à en tirer les conséquences. Il avait promis de la réveiller avant de quitter la maison, le lundi matin, mais au vu des circonstances il en avait été incapable : incapable de lui parler, de la regarder et même de rester auprès d'elle plus longtemps, il avait fini la nuit dans la chambre d'amis, et puis quitté la maison sur la pointe des pieds à six heures du matin, après avoir jeté un coup d'œil à la petite Gill endormie. Depuis qu'il était revenu à Bruxelles, il ne lui avait pas téléphoné, et il avait moins encore entamé la lettre dont il savait pourtant qu'il faudrait bien l'écrire. De fait, à part une visite à Emily au Pavillon américain en début de matinée, il n'avait rien fait d'autre que rester assis, dans sa chambre du motel, puis dans divers bars et cafés du site ; il était sonné, dans un état d'indécision et d'inertie.

« Foley, mon cher, toutes mes excuses ! » lança une voix familière.

C'était Chersky, en grand émoi, tout essoufflé. Il portait sa serviette, bourrée comme toujours de liasses de papiers. Thomas avait déjà déplié le dernier numéro de *Spoutnik* sur la table. Il se leva et lui serra la main en espérant que son regard ne trahirait pas la méfiance toute neuve qu'il nourrissait à son endroit.

« Asseyez-vous, asseyez-vous, lui dit-il. Qu'est-ce que vous prenez ?

— Miss Delavey m'a vu arriver, je crois. Je suis sûr qu'elle va me servir sans rien me demander. C'est la marque même du bon pub anglais, non, qu'on y connaisse ses "habitués", comme on dit ?

— Quand vous rentrerez à Moscou, les mœurs anglaises n'auront plus de secrets pour vous, dit Thomas platement.

— Je l'espère. J'y compte bien. Alors, vous avez eu le temps de lire notre dernier numéro ? Vos commentaires seront les bienvenus.

— Oui, je l'ai lu, en effet, dit Thomas en considérant la grande feuille de papier bon marché pliée en deux pour constituer un numéro de quatre pages. Je n'ai pas trouvé que vous aviez fait beaucoup de progrès, je dois dire. Il présente les mêmes défauts que les précédents.

— À savoir ?

— Mais je vous ai déjà dit tout ça. D'abord, les statistiques. Il y en a trop ! » Il se mit à lire à haute voix un article sur les triomphes du système de prise en charge de la petite enfance. « Écoutez : "En Union soviétique, il y a 106 000 places dans les sanatoriums réservés aux enfants ; 965 000 dans des structures permanentes et plus de 2 millions dans des crèches saisonnières, avec 2,5 millions de places dans les jardins d'enfants et les centres aérés."

— Eh bien ? Vous n'êtes pas impressionné par ces chiffres ?

— Bien sûr que si. Mais, pour vos lecteurs, ce n'est pas ce qui va…

— Pardon de vous interrompre, messieurs... » C'était Jamie qui apportait une bière et un paquet de chips. « Et voilà, Mr Chersky, je n'ai plus besoin de vous demander ce que vous prenez, hein ?

— En effet, Miss Delavey.

— Je vais acheter des actions dans les chips Smith, moi, quand je rentrerai en Angleterre, dit-elle en posant la pinte de bière avec soin sur la table, parce que d'ici un an la moitié de la Russie en mangera, si ça ne tient qu'à vous.

— Vous n'avez peut-être pas tort », dit-il. Et comme elle s'éloignait, il l'interpella en riant. « Mais sans sel. Le sel, c'est très mauvais pour la santé. »

Jamie rit avec lui : « Oh, Mr Chersky, vous êtes un sacré phénomène ! »

Andrey en riait encore en buvant sa première gorgée de bière. « Ah ! le sens de l'humour britannique, dit-il. Je crois que j'en maîtrise enfin les ressorts. Et, j'espère que vous l'avez remarqué, on fait la part plus belle à l'humour, dans le journal aujourd'hui. Grâce à vous, Mr Foley.

— J'allais vous en parler. Ce recueil de mots d'enfants russes...

— C'est charmant, non ?

— Déconcertant, je dirais. Celui-ci, par exemple : "Le couteau, est-ce que c'est le mari de la fourchette ?" »

Andrey s'esclaffa longuement. Thomas le regarda, les yeux ronds.

« Comprends pas », dit-il, si bien qu'Andrey réfréna son rire aussitôt.

« Moi non plus, avoua-t-il. J'espérais que vous m'expliqueriez. Et celui-ci : "Qu'est-ce qui se passe si un coq oublie qu'il est un coq et qu'il pond un œuf?" Tordant, non ?

— Pas spécialement.

— Hmm, éructa Andrey, contrarié. L'auteur m'a assuré que c'était hilarant. J'en ai conclu que je n'étais pas assez fin pour les comprendre.

— Je crois que vous devriez oublier l'humour pour l'instant.

— Très bien. C'est sûrement une bonne idée. Surtout que notre prochain numéro sera entièrement consacré à la science. Et que l'article de fond est magistral. Même vous, Mr Foley — vous qui êtes si difficile à impressionner —, vous allez l'apprécier.

— Pourquoi ? Quel est le sujet ? »

Chersky ouvrit son paquet de chips et les croqua comme d'habitude avec la délectation manifeste du gourmet dégustant de la grande cuisine.

« C'est sur l'homme du futur, dit-il entre deux bouchées. Un très éminent savant soviétique a écrit un article sur l'évolution du genre humain d'ici cent ans.

— Et alors ?

— Ah mais, il faut que vous le lisiez, bien sûr. Et ce ne sera qu'un des éléments susceptibles de vous intéresser dans ce numéro, je pense. Nous avons aussi un bon article sur les avancées russes en matière de fusion de l'atome. Bien entendu, au nom du devoir de vérité et d'impartialité du journaliste, il nous faut rapporter, avec la plus grande tristesse, ça va de soi, que les savants anglais qui travaillent dans ce domaine ont considérablement surestimé leurs résultats. Ce qui me rappelle… il y avait un fait que je voulais vérifier avec vous. Est-il vrai, comme je me le suis laissé dire, que la réplique de la ZETA a été retirée du Pavillon britannique pour ne mettre personne dans l'embarras ? »

La question s'accompagnait d'un sourire, mais aussi d'un regard insolent, provocateur. Quant au sourire de

Thomas, il cacha mal son désagrément. Cependant, l'honnêteté l'obligeait à confirmer : « Oui, c'est vrai.

— Bien ! Nous le préciserons dans notre article. Mais il vaut toujours mieux vérifier ses informations, vous n'êtes pas d'accord ? » Il liquida ses dernières chips, plia le sachet avec soin, et le glissa dans la poche de sa veste. « Et dans deux numéros, vous serez heureux d'apprendre que nous parlerons de mode, en comparant la femme russe et son homologue américaine. Miss Parker nous a beaucoup aidés en nous fournissant des dessins. Et, au fait, à propos d'Emily », son sourire se fit plus charmeur encore, et du même coup plus fourbe, pensa Thomas, « j'ai cru comprendre que vous projetez une excursion avec elle ces jours-ci, je me trompe ?

— Vous ne vous trompez pas », dit Thomas avec circonspection ; il se demandait comment Andrey en avait entendu parler, et s'apercevait qu'il y avait cent façons possibles.

« Quelle idée délicieuse ! Un pique-nique d'été, dans la campagne belge ! Ce samedi, si j'ai bien compris.

— C'est exact.

— Elle m'a dit que vous connaissez un endroit des plus charmants. Un champ de boutons-d'or, sur les berges d'une rivière, dans les environs de Louvain.

— Quelque chose comme ça, confirma Thomas, qui avait brossé à Emily ce tableau imaginaire quelques heures plus tôt à peine.

— Alors il ne reste plus qu'une question… » Andrey ramassa ses papiers et en fit une pile bien nette. « À quelle heure est-ce que je passe vous prendre, elle et vous ? »

PASTORALE D'ÉTÉ*

Le samedi 9 août 1958, en début d'après-midi, Andrey et Emily vinrent chercher Thomas à la porte du Motel Expo Wemmel. Comme il aurait pu s'y attendre, leur moyen de transport ne manquait pas de classe. Andrey avait pris le volant d'un cabriolet ZiS de 1956, bleu clair, le nec plus ultra de la production soviétique en matière de voitures. Le temps était au beau fixe, si bien qu'il avait décapoté complètement pour profiter au maximum du soleil. Il s'abritait derrière des lunettes miroirs bleu cobalt et portait un blazer crème, avec un foulard de soie glissé dans l'encolure de sa chemise blanche. Quant à Emily, elle arborait un chemisier de lin blanc, un pantalon bleu marine et un foulard imprimé cachemire assorti drapé en turban, avec des lunettes de soleil-papillon. On aurait dit deux vedettes de cinéma. En grimpant sur la banquette arrière qui lui était dévolue, Thomas se sentit négligé et emprunté à côté d'eux.

Ils ne mirent guère plus d'une demi-heure pour parcourir les trente-cinq kilomètres qui les séparaient de Wijgmaal, où l'arrivée de la voiture russe fit sensation. C'était une banlieue somnolente, coupée en deux par un fin ruban bleu-vert qui n'était autre que la Dyle. Une demi-douzaine d'enfants jouaient sur le terrain herbu qui leur était réservé, près du pont, mais ils abandonnèrent leur partie dès que les visiteurs apparurent. « *Kom kijken! Kom kijken!* » criaient-ils à tous leurs camarades en trottant à la hauteur de la voiture pour effleurer sa carrosserie comme on le ferait d'un chat rebelle aux caresses. Andrey leur répondit d'un signe de la main en affichant le sourire figé dents éclatantes que Thomas trouvait pour sa part de plus en plus calculé et de plus en plus louche. Regardez-le, se disait-il. Il adore attirer l'attention de cette façon, alors même qu'il écraserait ces gosses sans états d'âme si la chose devait servir ses fins.

« Belle voiture ! se borna-t-il à remarquer pendant qu'ils sortaient du coffre les affaires de pique-nique.

— Pas mal, hein ? répondit Andrey. Vous voyez que, nous autres Russes, nous nous y connaissons aussi en design.

— Et en même temps... j'aurais cru, dit Thomas en soulevant l'un des deux lourds paniers d'osier, que l'usage d'une voiture pareille était limité. Réservé à des gens haut placés au Parti, je veux dire. »

Était-ce un effet de son imagination ? Andrey sembla tiquer un instant, avant de reprendre son expression habituelle où la menace couvait sous la *bonhomie**.

« Vous avez une idée très inexacte de la façon dont les choses se passent dans mon pays. Cette voiture appartient à l'ambassade soviétique à Bruxelles. Il me suffit de la demander.

— Je ne me serais pas douté que les rédacteurs en chef des magazines avaient de pareils privilèges.

— Nous sommes une nation éprise de littérature.

— C'est la raison pour laquelle on vous laisse une telle liberté de mouvement ?

— Une telle liberté de mouvement ?

— Je me suis laissé dire que la plupart des personnels employés au Pavillon soviétique sont assignés à résidence dans leur hôtel en dehors de leurs heures de travail. On vient les chercher en bus tous les jours et on les raccompagne de même. Ils n'ont rigoureusement rien vu de Bruxelles. Alors que vous, apparemment, vous avez les coudées franches.

— Vous vous êtes laissé dire des choses fantaisistes, répliqua Andrey sèchement. Bon, et maintenant, de quel côté allons-nous ? Il me semble que, dans cette direction, nous sommes sûrs de trouver un coin agréable. »

Il désignait l'amont de la Dyle, au sud, du côté de Louvain. Mais Thomas secoua la tête.

« Non, il faut qu'on aille par ici, dit-il en montrant le pont et la direction du nord. Ça n'a pas le même charme mais, une fois que nous aurons suivi le cours de la rivière quelques minutes, vous verrez que ça deviendra beaucoup plus joli. »

Emily sentait la tension entre les deux hommes, et elle fit de son mieux pour la désamorcer en disant : « Thomas a des idées bien arrêtées sur notre lieu de pique-nique. Il semble connaître cette région de la Belgique en expert.

— Fort bien, dit Andrey sombrement. Suivons l'expert. »

Comme la mère de Thomas le lui avait dit, la rivière n'était pas très profonde à cet endroit-là, et le pont sur lequel ils se trouvaient n'était guère plus qu'une simple planche. Bien qu'il n'y eût pas de sentier visible, il était assez facile de crapahuter jusqu'au bord de l'eau et, une fois là, ils s'avancèrent avec précaution dans l'herbe haute,

Thomas et Andrey portant un panier chacun, et Emily une couverture de pique-nique roulée sous chaque bras.

Le ciel était d'un bleu profond, d'un bleu azur ou presque. Ils avançaient dans un silence et une immobilité extraordinaires. À leur gauche, la rivière serpentait, d'un vert pâle, mystérieux, trouble et laiteux sous le soleil de l'après-midi. À leur droite, au bout de deux minutes, une vaste prairie s'ouvrit, parsemée de chardons, son herbe gris-brun décolorée par des semaines de temps sec. Thomas avait apporté la carte de sa mère, et il marchait devant, se retournant de temps en temps vers Emily et Andrey, lesquels cheminaient beaucoup trop près l'un de l'autre pour son goût, et se parlaient à voix basse sur un mode beaucoup trop intime.

Bientôt, ils arrivèrent dans un endroit où la rivière décrivait une molle courbe vers l'ouest. Au niveau de ce coude s'étendait un grand pré d'herbe haute, en partie ombragé par un bouquet de sycomores invitant le promeneur à jeter sa couverture de pique-nique et s'arrêter un moment. Ce qu'ils firent donc. Quelques minutes plus tard, ils entendaient des voix, et le bruit de bicyclettes qui approchaient. Thomas se retourna vers le pont : les autres étaient arrivés. Puisque Andrey avait récupéré à son profit son projet de tête-à-tête avec Emily, il s'était avoué vaincu et avait accepté la proposition de la jeune femme, lui donnant carte blanche pour inviter autant de gens qu'elle voudrait. Moyennant quoi Anneke était venue avec son amie Clara, ainsi qu'un jeune homme brun que Thomas ne reconnaissait pas. Tous trois mirent pied à terre et poussèrent leurs vélos le long de la rive jusqu'au lieu du pique-nique. Thomas et Emily s'avancèrent à leur rencontre tandis qu'Andrey restait sur place.

« Fichtre ! dit Emily à Anneke sur un ton admiratif, voilà un moyen de transport intelligent ! Vous êtes venus en vélo depuis Bruxelles ?

— Ce n'est pas bien loin, expliqua Anneke. Une heure et demie, environ. Et puis, vous savez, il n'y a pas de côtes en Belgique. »

Elle respirait la santé ; l'exercice physique du matin lui faisait les joues roses ; une vitalité accrue illuminait son bronzage, déjà uni depuis quelques semaines, et ses yeux brillaient. Clara transpirait, et dégageait une légère odeur animale, nullement déplaisante. Mais Thomas s'intéressait davantage au troisième membre de leur groupe. Grand et costaud, il avait de la prestance. Il paraissait dans les vingt-cinq ans, moustache noire taillée avec soin, yeux sombres et interrogateurs, qui lui rendirent son regard avec curiosité et une pointe de défi sans hostilité.

« Oh, je vous présente mon ami, expliqua Anneke. Il s'appelle Federico. J'espère que ça ne vous ennuie pas que je l'aie amené.

— Mais pensez-vous, chère amie, répondit Emily. Un Italien, que c'est donc exotique ! Nous pourrions difficilement constituer un petit groupe plus cosmopolite ! »

Federico acquiesça avec un sourire.

« Il est serveur au Pavillon italien, poursuivit Anneke. Nous nous sommes rencontrés il y a quelques jours. Malheureusement, il ne parle pas très bien anglais.

— Aucune importance, chère amie, il est très décoratif, déjà. Et maintenant, venez vous poser. Nous allions nous jeter sur les victuailles. La route nous a donné une faim de loup et nous l'avons faite en voiture, alors vous… »

Andrey se leva à l'approche des dames, baisa la main en homme du monde à Anneke et Clara et serra brièvement celle de Federico, puis il servit du vin à tous. Lorsqu'ils furent assis, leurs verres à la main, il déclara : « Si vous le permettez, je vais vous proposer un bref toast. Nous vivons dans un monde qui ne cesse de dresser des barrières politiques entre les peuples. Pour moi, nombre de ces barrières sont absurdes. Le fait que nous puissions nous asseoir tous les six, comme nous le faisons en ce moment, alors que nous sommes de cinq nationalités différentes, le prouve bien. L'Expo 58 le prouve bien. Alors levons nos verres à nos hôtes généreux qui savent se tourner vers l'avenir. Au peuple belge, et à l'Expo 58 !

— À l'Expo 58, répétèrent-ils tous.

— J'aimerais aussi remercier Mr Foley, poursuivit Andrey, qui nous a conduits dans ce lieu idyllique. Dites-moi, Thomas, qui vous en a parlé ? Comment l'avez-vous découvert ?

— C'est une idée de ma mère, répondit Thomas.

— De votre mère ?

— Oui. Ma mère est belge.

— C'est vrai ? Voilà un secret que vous vous êtes bien gardé de nous révéler.

— Chacun les siens, Mr Chersky », répliqua Thomas. Andrey lui rendit son regard, fraîchement. « Quant à ma mère, elle habitait tout près d'ici. Tout près de l'endroit où nous sommes en ce moment. » C'est alors qu'il s'aperçut qu'il préférerait garder le reste de l'histoire de sa mère pour lui. Il y avait au moins deux personnes qu'il ne souhaitait pas mettre dans la confidence. « Elle m'a parlé de la rivière, elle y venait elle-même, je crois, quand elle était enfant. Peut-être même par des journées comme celle-ci. »

Rompant le silence méditatif qui avait suivi, Emily s'écria : « Qui pourrait l'en blâmer ? C'est paradisiaque, ici. » Elle posa délicatement son verre dans l'herbe et s'allongea en appui sur les coudes, visage levé vers le soleil. « Regardez ce ciel, écoutez ce silence. Dans un endroit comme celui-ci, un jour comme celui-ci, on voudrait que le temps s'arrête, vous ne trouvez pas ?

— Aujourd'hui, dit Andrey, nous pourrions sans doute nous offrir le luxe de le penser, même si ce point de vue me paraît quelque peu décadent. Nous ne sommes pas des individus représentatifs, il est vrai, et la situation qui est la nôtre, cet après-midi, ne l'est pas davantage. Le fait même de nous trouver installés où nous sommes nous désigne comme des privilégiés. Aucun d'entre nous ne connaît la pauvreté extrême ou le besoin. Par contre, il y a dans le monde entier des travailleurs dont l'existence n'est qu'une lutte quotidienne pour survivre. Ceux-là n'ont aucune envie que le temps s'arrête, même un jour comme aujourd'hui. Ils ont soif de progrès. Tiens, à propos... » Il plongea la main dans la poche de sa veste et en tira le dernier numéro de *Spoutnik*, soigneusement plié. « Vous l'avez vu, Thomas ? C'est celui qui contient l'article de fond dont je vous parlais.

— Ah, dit Thomas en lui prenant le journal, le fameux essai...

— Merci pour le topo sur les conditions de vie des travailleurs, dit Emily en gratifiant Andrey d'un sourire où l'affection le disputait à l'insolence, et qu'est-ce que c'est que cet essai ?

— J'ai demandé à l'un de nos savants les plus éminents de lire dans une boule de cristal, pour ainsi dire, et de nous raconter quelle vie nous mènerons d'ici une centaine d'années. Je suis persuadé que le résultat va vous impressionner. »

Thomas avait trouvé la page en question et parcourait les premiers paragraphes de l'article avec intérêt.

« Allez, lisez-le-nous à haute voix, puisque c'est comme ça, réclama Emily. Je suis sûre que nous sommes tous curieux de savoir ce qui est dit.

— Très bien », dit Thomas, qui plia le journal en deux pour s'en faciliter la lecture, s'éclaircit la voix et annonça : « L'homme du XXIe siècle ».

« "La science qui s'intéresse à la vie de l'homme, à son développement et à sa nutrition, progresse d'année en année. Que sera l'homme d'ici cent ans ?

« "Telle est la question posée par notre correspondant — qui n'est autre que Mr Chersky — à notre distingué travailleur scientifique — quel titre ! —, le professeur Youri Frolov. Et voici sa réponse en substance :

« "Imaginons-nous vivant en 2058. Les frontières entre travail manuel et travail intellectuel se sont émoussées au fil du siècle. Les conditions sont désormais réunies pour que le développement physique et psychique de l'homme se fasse dans un équilibre harmonieux. L'énergie atomique est déjà employée dans toutes les sphères de l'économie nationale, les forces de la nature sont domestiquées, mais l'homme ne s'est pas affaibli pour autant, il paraît au contraire plus fort que cent ans plus tôt. Il est toujours de bonne humeur, il se sent à l'aise partout, et — au risque de vous déconcerter — il mange et boit relativement peu."

— Cela ne me déconcerte pas du tout, glissa Emily, mais continuez, je vous en prie.

— "Les biochimistes du XXIe siècle ont réussi la synthèse des hydrates de carbone et même des protéines, ce qui veut dire qu'on produit de nouveaux aliments. Leur intérêt nutritionnel et leur goût valent ceux du pain et de la viande, par exemple, mais ils sont plus digestes. Les organes internes s'acquittent de fonctions toutes nouvelles grâce au deutérium absorbé en quantités spécifiques. Consommé à doses infinitésimales à la place de l'eau ordinaire, cet isotope de l'hydrogène assure une fonction inconnue avant lui : il inhibe le processus de dissimilation, c'est-à-dire la décomposition des substances dans l'organisme."

— Hmm. Qu'est-ce qu'il faut comprendre au juste ? Que, d'ici cent ans, on nous épargnera le désagrément de faire la queue aux toilettes ?

— Peut-être, mais il y a plus important — écoutez : "C'est pourquoi la taille des hommes du XXIe siècle est bien supérieure à la moyenne actuelle. Ils sont en bonne santé à tout âge, sachant que certains ont dépassé cent ans. En plus de jus de fruits, ils boivent de l'eau lourde dans les quantités qui leur sont prescrites.

« "Jeunes et vieux pratiquent la culture physique et le sport. Toutes les villes sont des cités-jardins, chacune dotée de stades, piscines, et autres équipements sportifs. Mieux encore, l'on ne rencontre plus de vieillards chenus ou gâteux dans ces villes. Tous marchent très droit, d'un pas élastique, le teint frais, et les yeux brillant de vigueur et de joie de vivre."

— Formidable, dit Anneke, dommage qu'aucun d'entre nous ne puisse espérer vivre jusque-là.

— Mais, répondit Emily, si nous parvenons à nous accrocher jusqu'à l'âge de… cent trente, cent quarante ans, disons, tout n'est pas perdu.

— "Ce rajeunissement ne s'opérera pas en un jour, poursuivit Thomas. C'est un processus continu, qui résultera de mesures prises par l'État — ah, nous y voilà, je me disais aussi ! — pour optimiser la santé de l'homme, avec un accent spécifique sur le dépistage et l'éradication des causes du vieillissement.

« "Plus stupéfiant encore que l'apparence physique, les nouveaux traits de la vie et du travail liés au développement phénoménal des organes des sens. Ainsi la vue sera devenue beaucoup plus performante et complexe. À la fin du XXe siècle les scientifiques étaient en train d'étendre le spectre des vibrations électromagnétiques détectées par l'œil, et ils ont augmenté son potentiel grâce à des appareils — électroniques notamment.

« "Avec l'aide de ces appareils, l'œil humain verra désormais non seulement dans le noir le plus total, mais aussi dans l'infrarouge et les ultraviolets les plus courts. Tous les mystères s'éclairciront. L'homme saura alors percer à jour les obstacles, sa vision pénétrera jusqu'à la structure interne de la matière, comme le font les rayons X, par exemple."

— En voilà une perspective abominable, s'écria Emily. Je n'ai aucune envie qu'un homme se serve de sa vision électromagnétique pour reluquer sous mes vêtements — merci bien — et encore moins pour lorgner mes organes, grands dieux !…

— "Grâce à la réduction électromagnétique des fréquences de la vibration sonore, l'homme du XXIe siècle entendra sans peine ce qu'il ne verra pas : il entendra l'herbe pousser, le liquide se déplacer dans le verre, les os fracturés se ressouder, et bien davantage."

— Hmm, c'est déjà mieux, concéda Emily en buvant quelques gorgées de vin, le regard perdu dans le lointain pour considérer cette promesse. J'aime bien l'idée d'entendre l'herbe pousser. Vous ne m'en voudrez pas,

Andrey, je sais bien qu'il s'agit d'une recherche scientifique sérieuse, mais ce type de résultat touche davantage ma fibre poétique. »

Andrey lui sourit et lui prit la main. « Ne vous excusez pas. Il y a une place pour la science, et une place pour la poésie. Votre réaction est… d'une féminité exquise. »

Thomas lui décocha un regard incrédule et poursuivit. « "Il sera désormais possible de suivre par l'ouïe le travail des nerfs et des centres nerveux dont la santé et la vie dépendent. Une connaissance plus poussée de la nature aura permis de développer l'odorat. L'homme sera désormais capable de reconnaître des milliers d'odeurs, mais aussi de déterminer la dimension et la forme d'un objet par son odorat amplifié grâce à de nouvelles techniques.

« "La découverte des ondes ultracourtes des odeurs aura permis de les transmettre à distance par une nouvelle unité de téléodorat. L'air dans les théâtres, les usines, les foyers et les laboratoires sera pur et frais, empli de parfums dotés d'un effet apaisant sur le système nerveux.

« "Il y aurait encore beaucoup à dire sur l'homme de 2058, sa vie et son travail. Et il ne faut rien y voir d'extravagant. Ces rêves font déjà largement partie de notre quotidien." »

Thomas posa le journal et observa le cercle des visages, chacun manifestement préoccupé par un aspect particulier de ces prédictions ébouriffantes.

« C'est bien intéressant, je trouve, conclut Clara.

— Je trouve aussi, dit Anneke. J'adore l'idée que nous puissions expédier des odeurs à distance.

— C'est vrai, dit Emily. Si cela devient possible, je dis "Merci, l'État." Dès que l'on trouvera moyen d'exporter l'air de l'endroit où nous sommes directement à New York, je ferai partie des premiers abonnés, croyez-moi. Il suffit d'en prendre une bouffée ! Sentez comme il est pur ! Si pur, si embaumé ! »

Elle inspira profondément, et les autres l'imitèrent. Il se fit un silence éloquent.

« Cigarette ? » lança Thomas.

Il offrit le paquet à la ronde, et tous se servirent.

À présent, Emily et Thomas étaient seuls.

Elle était allongée sur le flanc dans l'herbe, tournée vers lui, l'oreille collée au sol, paupières closes, derrière lesquelles il détectait cependant de furtifs mouvements vitaux.

Il avait pris la carte de sa mère et l'examinait de près, regardant autour de lui pour faire coïncider les détails du paysage avec les approximations du cartographe, vieilles de plus de cinquante ans. Comme il s'intéressait à un endroit précis, il tenta de replier la carte pour la manipuler plus facilement. Au froissement, Emily ouvrit les yeux.

« Chut !

— Pourquoi ? Qu'est-ce qui se passe ?

— J'ai failli l'entendre. Je vous le jure !

— Failli entendre quoi ?

— L'herbe pousser. »

Thomas sourit et posa la carte pour s'allonger auprès d'elle. Ils étaient face à face, tout proches. Subitement, l'intimité de cette posture leur devint évidente.

« Vous entendez ? demanda-t-elle.

— Je n'en suis pas sûr. »

Il colla son oreille au sol et fit un effort de concentration. Mais il se découvrit distrait, dangereusement distrait, par la proximité d'Emily. Le visage de la jeune femme n'était plus qu'à quelques centimètres du sien. Il voyait des taches de rousseur, des pores et des ridules qu'il n'avait jamais remarqués. Les taches de rousseur, surtout, étaient adorables, réparties en deux constellations minuscules sur les ailes du nez. Les yeux gris perle de la jeune femme lui rendirent son regard avec une franchise intimidante.

« J'entends quelque chose, dit-il. Comme un chuintement.

— C'est peut-être ça.

— Alors, comment l'expliquez-vous ? L'homme qui a écrit l'article...

— Le distingué travailleur scientifique, vous voulez dire ?

— Oui. Il dit qu'il faudra attendre encore cent ans pour y arriver.

— Ma foi, je ne sais pas vraiment l'expliquer. Peut-être que cet endroit a des... propriétés particulières.

— Des propriétés particulières ?

— Peut-être contient-il une forte concentration de ces vibrations électromagnétiques dont on nous a parlé.

— Ça se pourrait.

— Vous croyez ?

— Je pense que vous tenez la réponse. »

Était-il victime de son imagination, ou bien s'étaient-ils encore rapprochés au cours de cet étrange et affectueux chuchotis sans conséquences ?

« Mr Foley ? demanda-t-elle.

— Oui, Miss Parker ?

— Vous permettez que je vous pose une question délicate ?

— Sans doute, répondit-il, paré à toute éventualité. De quoi s'agit-il ?

— Eh bien voilà… Sincèrement, quelle impression vous fait Mr Chersky ? »

Thomas n'aurait pas su dire à quelle question il s'attendait au juste, mais il ne s'attendait pas à celle-ci.

« Eh bien, hasarda-t-il, il faudrait que j'y réfléchisse.

— Ne vous précipitez pas, prenez votre temps.

— Il me semble… enfin, si je peux me placer d'un point de vue particulier plutôt que général.

— Je vous en prie.

— Il ne m'a pas paru ravi, tout à l'heure, quand vous avez décidé de rester ici avec moi au lieu de rentrer avec lui à Bruxelles.

— Ah, vous l'avez remarqué, vous aussi ?

— Il aurait été difficile de l'ignorer. »

Quelques minutes plus tôt, Andrey avait annoncé qu'il rentrait. Il fallait rendre la voiture à l'ambassade avant quatre heures de l'après-midi ; il semblait tenir pour acquis que Thomas et Emily repartiraient comme ils étaient venus, avec lui. Mais Emily avait fait de la résistance. Elle vivait des moments formidables, avait-elle dit, ils n'étaient là que depuis deux heures ; c'était son jour de congé, et elle ne voyait aucune raison de retourner à Bruxelles tout de suite. Andrey avait été incapable de cacher sa contrariété. Mais, n'étant pas en situation de s'opposer à ses désirs, il s'était borné à soulever la question qui s'imposait : Comment Thomas et elle envisageaient-ils de rentrer ? À quoi on finit par trouver réponse : Chersky ramènerait Clara et Federico (qui devaient reprendre leur service à l'Expo le soir même), qui laisseraient ainsi leurs bicyclettes à Thomas et Emily, lesquels repartiraient avec Anneke quand la fantaisie les en prendrait. Dire que l'idée avait déplu à Andrey relèverait de la litote caractérisée mais, pressé par Emily, il avait accepté en serrant les dents. C'est ainsi que Federico et Clara avaient repris le chemin avec lui en direction du pont, accompagnés par Anneke le temps de dire un au revoir tendre et provisoire à son nouvel ami. Mais, au moment du départ, Clara s'était penchée vers Thomas pour lui chuchoter en confidence : « Elle ne tient pas à lui, vous savez. C'est vous qui comptez pour elle. » Sur quoi elle avait pressé le pas pour rattraper les autres en laissant Thomas méditer ses paroles les yeux sur leurs quatre silhouettes qui s'éloignaient dans la brume de chaleur.

« J'irais même jusqu'à dire, poursuivit Thomas, conscient qu'il allait faire une déclaration audacieuse, que Mr Chersky a un faible pour vous.

— Ah oui ? C'est votre impression ?

— Oui.

— Tout à fait surprenant, je dois dire. Que me conseillez-vous, alors ?

— Rien. Pour être tout à fait franc, il ne m'inspire pas confiance, cet homme. Vous n'allez pas faire de bêtises, Emily, vous n'allez pas vous jeter à sa tête ? »

Les mots étaient sortis de sa bouche sans qu'il ait le temps de les réprimer. Mais, à son grand soulagement, Emily n'eut pas l'air de s'en formaliser.

« Bien sûr que non. » Elle se dressa sur un coude et lui dit avec sérieux : « Vous savez, malgré les apparences, je n'ai pas besoin qu'on me protège. Ne l'oubliez jamais, Thomas. Je suis une grande fille. Je me défends très bien toute seule. Vous n'avez pas mission de me protéger, et pour tout vous dire je ne vous en saurais aucun gré. »

Thomas acquiesça. Il y avait quelque chose dans ses

paroles et dans son ton qu'il trouvait blessant. Mais pour autant il ne douta pas de sa sincérité.

« Et de fait, ajouta-t-elle, je suis d'accord avec vous sur ce point. Je ne lui fais pas entièrement confiance. »

Chapitre clos, donc, apparemment. Car, une fois de plus, elle s'allongea de tout son long dans l'herbe et ferma les yeux, éblouie par le soleil. Au bout d'un moment, Thomas s'allongea de même, et ils demeurèrent ainsi quelque temps sans rien dire.

« Avez-vous déjà songé à vous marier ? » lui demanda-t-elle sans préambule.

Il se dressa sur son séant, et la regarda avec étonnement.

« Oui, répondit-il. J'ai même été marié. Du reste, je le suis toujours — sur le papier.

— Sur le papier ? Curieuse formule.

— À Londres, j'ai une épouse et une fille. Mais mon couple est défait. » C'était étrange, de prononcer ces mots. S'il les lui avait dits au Grand Auditorium, comme il en avait eu plus ou moins l'intention, il aurait menti. Mais neuf jours plus tard, il pouvait énoncer ce constat en toute sincérité. Pour autant, il y avait quelque chose de définitif et d'irrévocable à l'exprimer à haute voix. « Ça s'est défait il y a longtemps. Ça ne s'est pas détérioré en un jour (faux mais mensonge nécessaire) et pourtant la plaie est encore ouverte (vrai).

— Qu'est-ce qui s'est passé… s'il est permis de vous le demander ?

— Ma femme me trompait.

— Oh, pardon. Je n'avais pas l'intention de faire resurgir quelque chose d'aussi douloureux.

— Ça n'est pas grave. Je n'en ai jamais parlé à personne. Je suis content, enfin, je veux dire, ça ne me gêne pas d'en parler avec vous. Je sens… comme une sympathie croissante entre nous.

— Ne vous laissez pas emporter par ces vibrations électromagnétiques. Vous connaissiez le type en question ?

— Oui. C'était notre voisin. Peut-être que je suis fautif. Je l'avais négligée, ma femme.

— Pour moi, ça n'excuse tout de même pas…

— Non bien sûr, vous avez raison. Mais elle ne devait pas être très heureuse. Si vous aviez vu cet homme, vous comprendriez… ce ne pouvait être qu'un acte de désespoir.

— Comment avez-vous réagi ? Qu'est-ce que vous avez fait ?

— Rien, que faire dans une situation pareille ?

— Bah, lui casser la figure, pour commencer. Au type, j'entends. »

Thomas eut un rire amer : « Ça m'aurait avancé à quoi ?

— Ça vous aurait peut-être soulagé. En plus, votre femme aurait peut-être mieux compris combien vous teniez à elle. Quant à lui, ça lui aurait peut-être fait passer l'envie de se conduire comme un salopard en jetant son dévolu sur les femmes mariées du voisinage. Je doute fort qu'un tribunal vous aurait condamné. Dans l'État du Wisconsin, aucun risque, en tout cas. »

Thomas secoua la tête.

« Ce n'est guère mon… genre.

— Alors il faut peut-être changer de genre. » Elle s'était rassise, enserrant ses genoux de ses bras. La réflexion plissa son front une ou deux secondes, et elle choisit ses mots avec soin : « En outre, nous ne comprenons pas vraiment notre propre nature. Nous ne savons pas vraiment qui nous sommes tant qu'une circonstance inhabituelle ne nous l'a pas fait découvrir.

« Prenez mon père, par exemple. C'est l'homme le plus doux, le plus pacifique, le plus gentil qui soit. C'est un savant. Sa passion, il la réserve à son laboratoire. Or, il y a bien des années, je devais avoir dix ou onze ans, il nous a emmenées marcher dans les bois, ma petite sœur Joanna et moi. C'était un endroit abrupt et rocheux, pittoresque, certes, mais d'un accès difficile pour deux gamines comme nous. En début d'après-midi, nous avons fait halte pour manger les provisions qu'il avait apportées. Moi je me suis installée sur un rocher, et j'étais en train d'attaquer un sandwich au jambon, probablement, et Joanna, qui n'avait que huit ans, s'est assise par terre à côté d'un tronc d'arbre tombé : un tronc creux. Nous étions là, à dévorer d'un bel appétit, lorsque mon père s'est approché de ma sœur au ralenti. Il avait ramassé une grosse branche bien lourde, à peu près de la taille d'une batte de base-ball. Et il avait une expression que je ne lui avais jamais vue. Il regardait le bout du tronc d'arbre à côté duquel Joanna était assise. Et tout d'un coup, le voilà qui lève la branche et l'abat sur le sol à côté d'elle. On entend un son abominable, un son qu'on n'imagine pas avant de l'entendre, mais qu'on n'oublie jamais après. Une sorte de hurlement reptilien, si l'expression peut avoir un sens. Mais mon père ne s'arrête pas pour autant. Il lève son arme et il l'abat à tour de bras, il réduit en bouillie la chose qui se trouve à côté de Joanna. Ma sœur a poussé des cris, elle s'est précipitée dans ma direction et elle s'accroche à moi comme si sa vie en dépendait. Nous regardons toutes deux mon père, et je vous garantis que nous ne le reconnaissons ni l'une ni l'autre. C'est un homme que nous n'avons jamais vu, littéralement. Il a le visage déformé, méconnaissable ; on n'aurait jamais cru qu'il puisse respirer aussi vite et aussi fort, mais en même temps il a un regard, vous allez trouver le mot bizarre ici, un regard… extatique. Vous comprenez ce que je veux dire ? Il avait l'air transporté, à un autre niveau, dans un lieu où je crois qu'il se trouvait pour la première fois. Et il s'est acharné jusqu'à être sûr que la créature était morte. »

Il y eut un long silence.

« Qu'est-ce que c'était ? demanda Thomas d'une voix enrouée.

— Un crotale arboricole. L'une des deux espèces mortelles. Un gros, par-dessus le marché, plus d'un mètre cinquante.

— Il allait mordre votre sœur ?

— Comment savoir ? Ce risque-là, mon père ne pouvait pas le prendre. Si le serpent l'avait mordue, elle serait morte, alors il a fait ce que n'importe qui aurait fait en pareille situation, il a tué pour protéger ce qu'il aimait. Il… » Elle hésita, cherchant l'expression juste, et, l'ayant trouvée, articula avec une inflexion mélancolique : « Il a fait le nécessaire. » Puis elle réfléchit et ajouta : « Je ne pense pas qu'il s'en serait cru capable. En tout cas, à partir de ce jour-là, il a changé. Il a changé du tout au tout. Il avait appris la vérité sur lui-même, voyez-vous. Et ma sœur et moi avions appris quelque chose, nous aussi. Nous savions désormais de quoi il était capable. »

Elle soutint le regard de Thomas, qui lut une question dans ses yeux et dut détourner les siens.

« Depuis, j'ai la conviction que quand ce que nous avons de plus précieux est en jeu : nos enfants, notre famille, notre patrie, pourquoi pas, il ne faut reculer devant rien. » Elle sourit à Thomas, d'un sourire un peu inquiétant à son goût, et conclut : « Vous auriez bel et bien dû lui casser la figure. »

Immédiatement après ces arbres, il y avait un beau champ, qui se couvrait de boutons-d'or en été, de grands boutons-d'or des prairies. Tout un champ d'un jaune éclatant.

Enfoncé dans les boutons-d'or jusqu'à la taille ou presque, Thomas traversait le champ tout seul, ayant laissé derrière lui Emily et la rivière. Carte en main, il se dirigeait vers le point où une main, plus d'un demi-siècle plus tôt, avait tracé une grosse croix au crayon.

Au bout de la prairie, il trouva une clôture réduite à un simple fil de fer tendu entre des poteaux, baissa la tête pour passer dessous et poursuivit sa marche. Sous ses pas, le sol était ridé, comme sillonné par d'anciens labours. Sur la carte, il s'agissait d'un vaste espace dégagé. Mais à présent, les bois alentour semblaient gagner du terrain. Il savait qu'il se trouvait tout près du lieu où se dressait jadis la ferme de son grand-père.

Il entendit des pas derrière lui et se retourna. C'était Anneke.

« Hello, lui lança-t-il.

— Hello. Ça ne vous ennuie pas que je vous accompagne ?

— Bien sûr que non. »

Il aurait préféré être seul, pourtant. Trop d'impressions se bousculaient dans sa tête, cet après-midi. L'histoire d'Emily l'avait pris par surprise. S'il s'attendait à ça ! Et elle l'avait profondément ébranlé. Il lui faudrait du temps pour la digérer, mais il ne pouvait plus remettre la mission qui était la sienne — explorer les environs, les ratisser pour trouver des traces de l'histoire de sa famille forcément enfouies dans le coin. Et maintenant, pour couronner le tout… Anneke. Elle portait la robe bleu clair qu'il lui avait vue le soir du parc d'attractions et de l'Oberbayern, et elle se tenait près (très près) de lui, comme si elle attendait quelque chose de sa part. Quelque chose qu'il n'était pas sûr de pouvoir lui donner en cet instant. Même si Clara ne lui avait rien dit en partant, il se serait douté que l'apparition soudaine de Federico au pique-nique ne servait qu'à donner le change. Le désir qu'elle éprouvait pour lui n'avait jamais été aussi manifeste, et tout en elle — sa beauté, sa jeunesse, son ardeur — aurait dû lui souffler qu'on lui offrait là un cadeau inestimable. Mais quelque chose le retenait encore.

« En nous amenant ici, finit-elle par lui demander, vous aviez une raison, n'est-ce pas ? Qui est en rapport avec votre famille ?

— Oui, c'est là qu'elle vivait. Ma mère.

— Ici même ?

— Je pense que nous sommes sur les lieux exacts. » Il regarda autour de lui. « Il aurait pu y avoir une ferme, ici, vous pensez ? Même s'il n'en reste rien ?

— Je ne sais pas. Je suppose. Qu'est-ce qui lui est arrivé ?

— Elle a été brûlée par les Allemands. » Il s'avança vers le bosquet le plus proche, les yeux rivés au sol, en quête d'indices. Anneke le suivait. « Ils sont venus ici en 1914, en août 1914. Il y a deux bourgs qu'ils ont détruits en quasi-totalité, près d'ici. Aarschot et Louvain. À Aarschot ils ont assassiné des tas de gens, dont le bourgmestre, son fils et d'autres membres de sa famille. À Louvain…

— Je sais, ils ont détruit la bibliothèque, des centaines de milliers de volumes. L'histoire est connue, en Belgique.

— Un jour, au cours de la première série de raids, ils

ont encerclé les habitants d'Aarschot et décidé de les faire marcher sous escorte jusqu'à Louvain. Ça n'avait aucun sens, et je suppose que leur seul but était de les terroriser. Ils ont dû passer très près d'ici. La famille de ma mère savait qu'ils arrivaient. On savait à quoi s'attendre. Les soldats allemands étaient sans foi ni loi. Ils fusillaient les jeunes Belges au moindre soupçon de résistance. Les femmes, ils les... agressaient aussi. Des horreurs, des horreurs caractérisées, tout ça. Il a donc été décidé que ma mère et ma grand-mère essayeraient de s'enfuir, même si elles étaient déchirées à l'idée d'abandonner les autres. On pensait que l'Angleterre représentait leur meilleure chance de salut. Elles sont parties à bicyclette, croyez-moi ou pas, en pleine nuit. Je ne sais rien de leur voyage, ma mère ne m'en a jamais fait le récit. Je sais qu'elles sont arrivées à Londres quelques semaines plus tard.

— Et votre grand-père, il en a réchappé ?

— Non, elles ne l'ont jamais revu, ni les frères de ma mère non plus. »

Thomas soupira et regarda autour de lui, désemparé. Qu'y avait-il à voir ici ? Quelles traces demeuraient ?

« Votre mère vous a parlé de ces années, du temps où elle vivait ici ?

— Pas vraiment. Elle était petite fille. Je sais qu'elle était très heureuse. Son père était riche, il avait réussi. Elle allait à l'école à Wijgmaal en suivant la rivière. Elle se souvient d'être allée à Louvain, les jours de marché. Quelque part par ici — il désignait le champ —, il y avait une grange où on entreposait le foin, et elle allait y jouer avec un camarade du village, un petit garçon qui s'appelait Lucas. Elle ne sait pas ce qu'il est devenu, lui non plus.

— Peut-être qu'on trouverait quelque chose, enfoui ici,

dit Anneke, qui s'agenouilla et écarta les brins d'herbe haute. Il doit bien y rester quelque chose, des briques, des fondations…

— Non », dit Thomas en secouant la tête. Il lui tendit la main pour la relever en douceur. Le contact de sa peau nue et tiède sous ses doigts lui communiqua un frisson immédiat — sensation fugace et déplacée qu'il faudrait surmonter. « Il n'y a rien à voir. Venez, allons-nous-en. Cet endroit est triste, à présent. »

En regagnant la rivière, ils firent halte dans le pré aux boutons-d'or. Il lui tendit son appareil pour qu'elle le prenne en photo comme sa mère le lui avait demandé. Dans le contre-jour, les cheveux d'Anneke lui faisaient une auréole. La sérénité de la scène fut cependant rompue un instant par un avion qui passait en rase-motte à l'approche de la piste d'atterrissage de Melsbroek. Thomas s'efforça de sourire à l'objectif.

Des années qu'il n'était pas monté à bicyclette ! Depuis le temps, le bon vieux temps d'avant-guerre où il parcourait en vélo tout seul (n'ayant ni frère ni sœur, il avait connu une enfance solitaire) les chemins de campagne autour de Leatherhead. Au début, il avait donc appréhendé de manquer d'entraînement, et que ses deux compagnes le laissent sur place avec un écart humiliant. Craintes infondées. On roulait sans effort sur ces routes planes, et comme ils approchaient des faubourgs de Bruxelles par le nord, sur le coup de sept heures du soir, il sentit qu'il lui restait des réserves d'énergie.

Et puis il y avait autre chose qu'il avait oublié, quand on allait à bicyclette : l'exercice était très propice à la réflexion. Il ne voyait quasiment plus la campagne se dérouler; elle était d'ailleurs anodine et sans relief particulier. En revanche, les événements complexes des heures qu'il venait de vivre, les bribes de conversation, les expressions des visages, les gestes, les relations fluctuantes lui apparaissaient avec une netteté croissante. Il pensa au constat simple qu'il avait confié à Emily : « Mon mariage s'est défait »; cette vérité aride et incontournable, il ne pouvait plus l'ignorer. Mais en même temps, il s'était passé une chose surprenante, cet après-midi; la dépression qui l'avait accablé toute la semaine semblait céder. Malgré la peine et le désarroi que lui causait la trahison de Sylvia, elle avait cessé de l'anéantir. Au contraire, curieusement — c'en était même choquant — il se sentait... libéré. N'était-il pas possible de voir cette péripétie comme une chance plutôt que comme un revers? Depuis des mois, en son for intérieur, il regimbait amèrement contre les entraves de la vie conjugale. Il se sentait prisonnier de la cellule banlieusarde qu'il avait lui-même construite. Or voici que s'offrait la chance de s'enfuir, de repartir de zéro ailleurs. Oui, ce serait douloureux. Il avait des liens affectifs — des liens affectifs forts — avec Sylvia et avec sa fille, naturellement. Et le divorce laissait d'abominables stigmates; il devrait en porter la honte et l'embarras partout où il irait pendant quelque temps. Et pourtant, il était impossible de revenir à un état antérieur des choses. La visite qu'il avait faite aujourd'hui sur le site de la ferme de son grand-père le lui avait du moins appris; il est vain de vouloir reprendre possession du passé, de revenir sur les lieux d'un bonheur enfui depuis des lustres pour y trouver des reliques, des souvenirs qui consolent. Sa mère le lui avait bien dit : « Le passé, c'est le passé. »

C'est alors qu'au détour d'un virage, entre les silhouettes d'Emily et d'Anneke qui pédalaient côte à côte une vingtaine de mètres devant lui, il vit s'encadrer l'Atomium. La structure surréaliste d'André Waterkeyn redressait sa tête orgueilleuse par-dessus la cime des arbres de l'Expo. Le soleil du soir ricochait en splendeur sur ses globes d'aluminium, ses courbes et ses ellipses nettes et imposantes. Thomas cessa de pédaler et poursuivit en roue libre, bouche bée. Le monument l'attirait, il lui faisait signe, inimaginable hier dans ses formes et ses lignes, illuminé de toutes parts par des rayons puissants qui annonçaient le futur, fondamentalement moderne, d'une modernité conquérante dont rien n'approchait. Thomas ne douta plus qu'il représentât son propre avenir. Et cet avenir, il avait aujourd'hui la possibilité de le partager ici en Europe avec Anneke, ou bien là-bas, dans la lointaine Amérique, en la compagnie plus débridée et plus volatile d'Emily.

La cause était entendue. Il ne lui restait plus qu'à faire un choix simple.

EXCELLENT TRAVAIL, FOLEY

Lundi après-midi : Thomas travaillait dans le bureau situé à l'arrière du Pavillon britannique. Plus d'une semaine auparavant, le gros ordinateur à transistors de l'université de Manchester était arrivé pour remplacer l'infortunée réplique de la ZETA comme pièce d'exposition vedette. Il était accompagné d'un volumineux livret rédigé dans un jargon scientifique impénétrable et Thomas avait pour mission d'en réduire le contenu à quatre ou cinq cents mots d'anglais courant, qu'on pourrait imprimer sur un grand cartouche afin d'éclairer le public. Il lui revenait aussi de faire traduire la notice en trois ou quatre langues.

Le téléphone sonna. Thomas soupira, plus ou moins décidé à l'ignorer. Le bureau qu'il occupait n'étant pas le sien, l'appel ne lui était sûrement pas destiné, et s'il répondait, il risquait fort de devoir courir dans tout le Pavillon pendant cinq bonnes minutes pour transmettre le message. Il avait horreur qu'on le déconcentre de cette façon. Mais au bout d'une dizaine de sonneries, sa résolution céda.

« Allô, ici le Pavillon britannique à Bruxelles.

— Bonjour, pourrais-je parler à Mr Foley, je vous prie ? Mr Thomas Foley. »

Thomas ne reconnut pas la voix d'emblée mais, sensible à la nuance d'autorité qu'il y entendit, il se redressa involontairement et resserra son nœud de cravate avant de répondre.

« Euh… oui, c'est lui-même.

— Ah, magnifique ! Mr Cooke, à l'appareil.

— Mr Cooke ! Bonjour, monsieur. Quelle surprise ! Quel, euh quel temps fait-il à Londres ?

— À Londres, je ne sais pas, Foley, je suis à Bruxelles.

— À Bruxelles ?

— Parfaitement. Et Mr Swaine aussi. À vrai dire nous partageons l'hospitalité du Britannia en ce moment même. Vous êtes dans les parages ? Il faudrait que nous parlions… »

Abandonnant son travail séance tenante, Thomas prit le raccourci désormais familier par les rives du lac pour se rendre au pub. Sans qu'il sache pourquoi, son cœur battait la chamade. Peut-être n'avait-il pas bien réalisé jusque-là que, parmi les choses qui lui plaisaient dans l'Expo 58, il y avait les centaines de kilomètres entre lui et ses supérieurs du BCI. Qu'est-ce qu'ils étaient venus faire, au juste ? Inspection de routine, sans doute. Il priait le bon Dieu que Rossiter soit encore à peu près à jeun cet après-midi, et que Jamie, femme de confiance, fasse tourner la boutique en souplesse.

Cooke et Swaine étaient assis à une table pour deux, visiblement en plein déjeuner malgré l'heure tardive. Cooke attaquait son steak frites avec appétit, tandis que Swaine chipotait sans conviction sa morue panée. Thomas vit perler de la sueur à son front.

« Ah, Foley, s'écria Cooke, venez vous joindre à nous.

Prenez une chaise. Peut-être que notre accorte barmaid vous servirait quelque chose.

— Je vous en prie, monsieur, j'ai pour règle de ne jamais boire l'après-midi.

— Voilà qui est sage et je m'en réjouis, Foley. Vous savez que c'est palpitant de voir tout ça en vrai, depuis le temps... Il n'y a pas à dire, Le Britannia fait recette.

— Oui, monsieur, les affaires sont exceptionnelles ces dernières semaines. Quand êtes-vous arrivés à Bruxelles, tous les deux ?

— Nous avons atterri hier. Mrs Cooke est là aussi. Ainsi que Mrs Swaine, bien sûr. Je crois qu'elles sont en train de s'offrir un assortiment des plaisirs de la Belgique joyeuse au moment où je vous parle. L'utile et l'agréable, n'est-ce pas ?

— À la bonne heure !

— Oui, nous sommes montés dans un téléphérique tous les quatre, il y a un petit moment. La vue est superbe. Ça vous explique pourquoi Mr Swaine est un peu verdâtre aux ouïes. Il est sujet au vertige, apparemment. Du coup, on va éviter le sommet de l'Atomium, je crois. Vous y êtes monté, vous ?

— J'y suis monté, oui. Plusieurs fois.

— Drôle de structure, si vous voulez mon avis. Mais il y a des gens à qui ça plaît. Les goûts et les couleurs, n'est-ce pas...

— Certes.

— En tout cas, nous avons fait le tour du propriétaire, ce matin. Tout paraît bien fonctionner au Pavillon britannique. Ce Mr Gardner est un drôle d'oiseau, mais il a le coup d'œil, je le lui accorde. L'édifice prend toute sa valeur, et les pièces d'exposition sont réglées comme des horloges. Dommage pour la ZETA, mais je crois que nous nous en sommes sortis en évitant à peu près le ridicule. Il semblerait qu'on ait tout de même eu des allusions assassines dans le torchon soviétique, la semaine dernière ?

— Je le crois, oui.

— Bah, on n'y peut rien, sans doute. Du moins notre pavillon a eu bonne presse. C'est le grand succès de la Foire, pour certains. Vous savez ce qui leur plaît chez nous ? Ils disent que nous ne nous prenons pas au sérieux. Que nous savons nous moquer de nous-mêmes, que nous comprenons la plaisanterie. Curieux tout de même, non ? Toute cette science, cette culture, cette histoire, et finalement, c'est notre bon vieux sens de l'humour britannique qui emporte l'adhésion. Il y a une leçon à en tirer, mon jeune ami.

— Comme vous avez raison, monsieur.

— Vous n'êtes pas d'accord, Swaine ? Oh ! misère, excusez mon collègue, on voit à sa mine qu'il a besoin d'un bon bol d'air et d'une bonne tasse de thé bien fort. Allons, Ernest, ne vous acharnez pas sur ce poisson, nom d'un petit bonhomme ! »

Swaine posa ses couverts et s'essuya le front avec l'une des serviettes en papier du Britannia.

« Désolé, vraiment. C'est cette chaleur, cette foule, et puis ce maudit téléphérique.

— Pour en revenir au pub, poursuivit Cooke avec un regard réprobateur en direction de Swaine, je viens de lire les commentaires des consommateurs dans le livre d'or, très impressionnant. Dix sur dix pour le service et l'atmosphère. L'endroit est propre, il est beau, l'assiette... correspond à l'attente, et le personnel connaît manifestement son affaire. Et puisque c'est vous qui avez supervisé les opérations, il est légitime que vous en retiriez le crédit. Vous avez fait un excellent travail, Foley.

— Merci, monsieur, dit Thomas, rouge de plaisir.

— Forts de quoi, Mr Swaine et moi-même sommes tout à fait convaincus d'avoir pris la bonne décision. »

Après un instant de suspens, Thomas répéta : « La bonne décision, monsieur ?

— Exactement. Il vient d'y avoir quelques départs dans nos services, à Londres. La semaine dernière, nous nous sommes fait souffler Tracepurcel par le Foreign Office. Du coup nous sommes à court de personnel et, en la circonstance, nous pensons que vous nous serez plus précieux Baker Street qu'ici. »

Le regard de Thomas passa de Cooke à Swaine, et la panique s'empara de lui. Ce que venait de dire Cooke était sans ambiguïté, et pourtant son cerveau refusait de traiter l'information.

« Nous vous renvoyons chez vous, Foley, précisa Cooke en mettant les points sur les i. À la fin de la semaine. En Angleterre, dans vos foyers, avec les vôtres. »

UNE VIE DE PRINCESSE

Chère Miss Hoskens, écrivit Thomas.

Après avoir considéré la formule quelques instants, il la barra et écrivit à la place : *Chère Anneke.* Oui. Mieux. Beaucoup plus approprié. Éviter de donner une impression de froideur. C'était une erreur qu'il commettait fréquemment, il le savait.

Chère Anneke, Lorsque vous lirez cette lettre, je serai sans doute déjà rentré à Londres. Mes supérieurs du Bureau central d'Information considèrent que mes services ne sont plus requis au Britannia ni à l'Expo 58.

J'aimerais profiter de cette occasion pour vous remercier de tout.

De tout quoi, au fait ? Il posa son bloc-notes et regarda autour de lui en quête d'inspiration. Il était assis sur l'un des deux lits ; on était vendredi soir et il avait rendez-vous avec Emily au Britannia dans à peine plus d'une heure. Sa place était réservée sur le vol de neuf heures, le lendemain matin. C'était donc sa dernière soirée. Y avait-il de la lâcheté à faire ses adieux par lettre plutôt que de vive voix ? Il n'en croyait rien. Il avait la conscience tranquille de ce côté-là. Il leur épargnait ainsi une scène pénible à tous les deux.

J'aimerais en profiter pour vous remercier de toutes les heures heureuses passées en votre compagnie.

Pas mal. Mais heures heureuses ? À mieux dire…

Heures merveilleuses

Heures mémorables

Heures dont je conserverai le souvenir ému pendant de longues années.

Navrant. Et dire qu'il vivait de sa plume !

J'espère de tout cœur que si vous avez l'occasion de venir à Londres…

Non. Surtout pas. Aucune raison de faire durer cette torture. D'autant moins qu'il venait d'avoir le coup de foudre pour l'Amérique dans tous ses états et n'envisageait guère de vivre à Londres encore très longtemps. De nouveaux horizons lui souriaient.

Le mieux était de faire simple, et concis. Mais affectueux tout de même. Car enfin, il ne s'était pas passé grand-chose entre eux. Ce qu'il en avait dit à Tony des mois plus tôt, « une franche amitié », décrivait assez bien leurs rapports. À coup sûr, elle voyait les choses du même œil. Cet instant fugace chargé d'intimité, le samedi précédent, au milieu du champ de boutons-d'or, n'était sans doute rien d'autre que le fruit de son imagination à lui.

Il glissa un doigt entre sa nuque et son col de chemise. Il commençait à faire diablement chaud. Toute la semaine, l'atmosphère s'était chargée d'humidité, et il n'aurait pas été surpris que l'orage éclate. Ce soir même, qui sait. En attendant, pour avoir un peu de fraîcheur, il saisit la perche de bois dans un coin de sa chambre et ouvrit la fenêtre complètement — ce qui ne fit guère baisser la température.

Il reprit son bloc-notes et se mit à écrire. Inutile de se torturer davantage les méninges sur cette lettre. Il n'avait qu'à la traiter comme un courrier ordinaire, rédigé à la dernière minute avec un public spécifique pour cible. Il avait l'expérience de ces choses. Et puis il était plus important de phosphorer sur ce qu'il allait dire à Emily.

En entrant au Britannia, ce soir-là, il s'aperçut que c'était la dernière fois qu'il y mettait les pieds. Dans deux mois, à l'issue de l'Exposition, l'établissement disparaîtrait selon toute vraisemblance. S'il existait un projet pour le conserver ou le reconstruire ailleurs, personne ne lui en avait touché mot. Il regarda intensément la grande salle, mais elle était bondée et bruyante, comme d'habitude, et si la plupart des conversations se déroulaient en anglais, il distinguait au moins trois autres langues aux diverses tables. Rossiter était derrière le grand comptoir, à compter de la monnaie dans la caisse ; il s'envoyait une gorgée de whisky de temps en temps sans trop se cacher, aux côtés de Jamie qui se démultipliait pour servir les clients tout en rendant ses attentions à Ed Longman lequel, manifestement, ne la lâchait plus d'une semelle. Le modèle réduit d'aéroplane était toujours pendu au plafond où il menaçait d'entrer en collision avec tout front dépassant la hauteur d'un mètre quatre-vingt-dix. Ces quatre derniers mois, Thomas avait élu domicile au Britannia, mais ce soir il était plus que jamais conscient de l'évanescence, de l'étrange précarité de l'établissement. Comment sa vie à lui avait-elle pu changer aussi profondément au fil d'expériences survenues dans un lieu-mirage, destiné à être prochainement fermé, démonté, et enfin démasqué comme la chimère qu'il était sans conteste ?

De nouveau en proie au sentiment singulier qu'il était le seul être de chair à traverser cette salle peuplée de fantômes, il se dirigea tout droit vers le bar, demanda deux Martini dry à Jamie et réussit à dénicher une table commodément à l'écart, dans un coin, près de l'entrée principale. Au bout de quelques minutes, il vit paraître Emily sur le seuil ; elle le cherchait des yeux. Il lui fit signe, et elle le rejoignit, le visage aussitôt éclairé par son sourire inaltérable. C'est bien une femme de chair, se dit-il — mais il lui revint aussitôt que ce sourire, elle l'allumait et l'éteignait *ad lib*, jour après jour, à l'intention des spectateurs de ses pseudo-tâches domestiques au Pavillon américain.

« Vous voilà, mon chou, lui dit-elle en l'embrassant sur la joue et en approchant une chaise de la sienne. Vous n'auriez pas eu la bonne idée de me commander à boire, par hasard ?

— Mais si, répondit Thomas. Jamie nous apporte un verre tout de suite.

— Quel ange vous êtes ! Je suis littéralement assoiffée. » Elle se carra dans sa chaise, et se lança aussitôt dans une longue histoire. Un groupe de savants ouest-allemands venus visiter le Pavillon le jour même lui avaient posé une série de questions de plus en plus techniques et complexes sur le moteur de son aspirateur, et ils étaient repartis ulcérés parce qu'elle leur affirmait n'en rien savoir. « Ils ont fini par se plaindre auprès de mon responsable. Honnêtement, des jours comme aujourd'hui, je préférerais être de retour à Manhattan. Même au chômage, conclut-elle.

— Prenez une cigarette, offrit Thomas. Ça va vous détendre.

— Merci, vous êtes un ange. Je vous l'ai déjà dit?

— Certes, mais ces remarques supportent la redite. »

Comme ils allumaient leurs cigarettes, Jamie arriva avec les cocktails sur un plateau.

« Et voilà, dit-elle. C'est la maison qui vous les offre, bien entendu, Mr Foley. Ce soir, vous avez un crédit illimité.

— Merci, Jamie, c'est très gentil.

— Je n'en suis pas revenue quand Mr Rossiter m'a dit que vous nous quittiez. Le Britannia ne sera plus jamais le même, sans vous.

— Qu'est-ce que c'est que cette histoire? demanda Emily en se tournant vivement vers lui. Vous partez?

— Hélas, oui, soupira Thomas. Les pontes du BCI m'ont donné ma feuille de route.

— Et c'est pour quand?

— Demain matin. »

Il fut quelque peu déçu par l'absence d'impact de cette annonce sur Emily. Elle semblait l'écouter d'une oreille distraite. Pour une raison ou pour une autre, elle suivait des yeux Jamie qui retournait au bar avec le plateau d'argent.

« Vous comprenez donc pourquoi j'étais si désireux de boire un verre avec vous ici ce soir.

— Hmm? Oui, bien sûr. Mais je suis sous le choc, Thomas, sous le choc. Nous qui commencions à si bien nous connaître!

— Je sais, ça tombe très mal, à cet égard.

— Vous allez me manquer cruellement, mon chou.

C'est vrai, il n'y a pas tant de visages amis, par ici, Dieu sait… »

Thomas but une gorgée de son Martini, qu'il remua pensivement du bout du bâtonnet à cocktail. Il savait qu'il allait devoir peser les mots qu'il emploierait dans un instant, car ils figureraient parmi les plus lourds de conséquences qu'il prononcerait jamais. Ce n'était pas seulement son bonheur à lui qui était en jeu — même s'il y pensait au tout premier chef. Il y avait aussi la question nullement négligeable de la tâche que lui avaient confiée Radford et Wayne. Il ouvrait la bouche pour parler lorsqu'il s'aperçut qu'une fois de plus Emily avait les yeux ailleurs. À présent, elle regardait Longman quitter Le Britannia à grandes enjambées et se diriger vers le lac d'agrément.

« Miss Parker, poursuivit-il néanmoins, Emily… je me demande si notre amitié est aujourd'hui assez solide pour que je vous pose une question qui en d'autres circonstances pourrait vous paraître présomptueuse.

— Je vous demande pardon ? lui dit-elle en le gratifiant de son sourire le plus lumineux et le plus désarmant. C'est-à-dire, je vous ai bien entendu, mais je ne suis pas certaine de vous comprendre. Vous parlez comme dans un roman d'Henry James.

— Oui, je pourrais peut-être m'exprimer de manière plus directe. Eh bien, soit. Samedi dernier, lors de notre petite excursion…

— Qui m'a enchantée.

— Je vous ai fait part de certains menus détails de ma vie privée. Et je me demandais si, aujourd'hui, vous me rendriez la pareille.

— La pareille ?

— Oui. Je me demandais si vous… Bon, je crois que je

vais dire les choses sans détour, cette fois, Miss Parker, au diable les conséquences. En un mot comme en cent, Miss Parker : êtes-vous à votre compte, ou bien avez-vous un homme dans votre vie ? »

Or, même en cet instant, il ne réussit pas à capter toute l'attention d'Emily. Elle venait de repérer une silhouette familière, qui s'apprêtait à s'asseoir à une table et qui n'était autre que celle de Chersky.

« Oh, regardez, Thomas, c'est Andrey ! »

Elle lui fit signe et lui lança : « Coucou, Mr Chersky ! » Il leva les yeux, et leur sourit, une interrogation polie dans le regard. Emily y répondit en lui faisant signe de les rejoindre, après quoi seulement elle s'avisa de demander à Thomas : « Ça ne vous ennuie pas qu'il se joigne à nous, n'est-ce pas, mon chou ? »

Il n'eut pas le temps de répondre ; déjà Chersky s'approchait de leur table, enchanté de cette rencontre fortuite.

« Eh bien, eh bien, dit-il en tirant une chaise, voilà la parfaite démonstration de l'excellence des mœurs britanniques. On n'est pas plus tôt entré dans un pub qu'on y trouve une paire de vieux amis. C'est exactement ce qu'on attend, non ? Vous me permettrez bien de partager votre table quelques minutes, j'espère ?

— Comment donc ! dit Thomas, des glaçons dans la voix. Vous prenez quelque chose ?

— Des Martini ! observa Andrey. Que vous êtes donc urbains et raffinés, vous autres. Moi qui suis un homme du peuple, j'ai des goûts plus prolétaires. Je suis sûr que Jamie va m'apporter ce que je prends d'habitude dès qu'elle s'apercevra de ma présence. »

Il se tourna vers le bar et croisa le regard de Jamie, qui lui fit un signe de tête.

« Dites-moi, Thomas, qu'est-ce que j'apprends ? Vous nous abandonnez ?

— Vous êtes déjà au courant ! s'exclama Emily, mais comment est-ce possible, il vient juste de me le dire ?

— Les nouvelles vont vite, à l'Expo 58, répliqua Andrey, surtout les nouvelles capitales, comme celle-ci. Vous partez demain, c'est bien ça ?

— Tout à fait.

— Eh bien, laissez-moi vous dire que nous allons vous regretter. Vous nous avez donné de précieux avis, ces dernières semaines. Précieux. Je disais pas plus tard qu'hier… »

Il s'interrompit car Jamie revenait à leur table avec une pinte de Britannia accompagnée de l'inévitable paquet de chips *Salt'n'Shake* de chez Smith.

« Miss Delavey, vous êtes la grande dispensatrice des agréments de mon existence, lui dit-il en lui passant un bras autour de la taille. Promettez-moi qu'à la fin de l'Expo vous voudrez bien m'accompagner à Moscou pour y être ma femme attentionnée qui m'apportera ces gâteries anglaises sur un plateau d'argent chaque fois que je le lui demanderai…

— Oh, Mr Chersky, vous me tuerez, c'est sûr !

— Au fait, s'enquit-il en prenant les chips, est-ce je me fais des idées, on dirait que le sachet a grossi ?

— Non, vous avez tout à fait raison, répondit Jamie. Nous venons de recevoir une livraison spéciale. Voici les nouveaux sachets grand format.

— Grand format ! répéta Mr Chersky, émerveillé. Stupéfiant. Et moi qui croyais avoir atteint le summum du plaisir ! Comment dit le proverbe, déjà : il faut abuser des meilleures choses ?

— Il ne faut *pas* en abuser, rectifia Thomas.

— Ah, merci.

— Bon, appelez-moi si vous voulez reprendre un verre, conclut Jamie, comme je vous l'ai dit, ce soir, c'est la maison qui offre. »

Thomas la regarda s'éloigner et but une gorgée de son Martini, dépité. Déjà agacé qu'Andrey ait rompu l'intimité naissante entre Emily et lui, il l'était encore davantage de constater que la jeune femme n'en semblait pas affectée — avait-elle seulement ressenti ladite intimité naissante ? Et il n'était pas au bout de ses déconvenues. Discrètement mais sans que le doute fût permis, elle éloignait son siège pour se rapprocher du beau Russe. Penchée vers lui, tout sourire, menton dans les mains, plongeant son regard dans le sien, elle avait fini par tourner le dos à Thomas qui n'en croyait pas ses yeux ni ses oreilles.

« Andrey, susurra-t-elle avec une moue enfantine qui ne lui ressemblait pas, j'avais toujours cru que c'était moi que vous emmèneriez à Moscou.

— Bien sûr, répondit-il. Vous ne m'avez pas pris au sérieux, j'espère, à l'instant. Vous me connaissez, maintenant, avec ma propension invétérée au flirt.

— Oui, mais parfois vous pensez ce que vous dites, et d'autres fois non, comment voulez-vous qu'on sache à quoi s'en tenir, nous autres femmes ?

— C'est très simple, je pense ce que je dis quand c'est à vous que je le dis. »

Emily rougit et gloussa.

« Mais d'ailleurs, reprit-il, en réalité, c'est vous qui me faites marcher. Jamais vous ne viendriez avec moi, je le sais. Quand vous rentrerez chez vous, à l'issue de l'Expo, vous m'oublierez complètement. L'attrait de votre pays, de votre culture, est bien trop fort.

— Pas vrai. » Emily prit une chips et la grignota d'un air rêveur et préoccupé, les yeux toujours dans ceux d'Andrey. Thomas observait la scène, incrédule. C'était la première fois qu'il voyait une frite servir d'accessoire de séduction. « Je meurs d'envie de voir votre pays, tous ces édifices magnifiques, la place Rouge, le Bolchoï, le palais d'Hiver à Saint-Pétersbourg…

— Leningrad, je vous prie, rectifia Andrey.

— Bien sûr, je sais que tout le pays n'est pas à cette image. Je sais que je m'en fais probablement une idée romantique.

— La plupart des gens du bloc occidental s'en font une idée qui manque de romantisme, selon moi. Nous ne vivons pas tous dans des conditions sordides.

— Vraiment ? Votre appartement, par exemple, il est confortable ?

— Je vis très modestement, comme il convient à mon statut d'humble travailleur dans l'industrie de la presse. »

Thomas eut un hoquet de dérision. Emily et Andrey se retournèrent vers lui un instant pour reprendre aussitôt leur conversation.

« Un train de vie modeste a ses vertus, certes, dit Emily, mais personnellement, je trouve qu'un peu de luxe de temps en temps ne fait de mal à personne, vous n'êtes pas d'accord ?

— Jusqu'à un certain point, j'en suis d'accord, oui.

— Par exemple… », commença Emily, qui regarda par-dessus son épaule pour voir si Thomas les écoutait, puis, constatant que cela ne faisait aucun doute, se rapprocha encore d'Andrey comme pour l'exclure de cet échange,

« on m'a attribué un logement absolument minable, ici. Alors, savez-vous ce que je fais parfois, quand ça commence à m'abattre le moral ?

— Non, dit Andrey de plus en plus fasciné par elle, qu'est-ce que vous faites ? »

Emily prit une poignée de chips et les fourra dans sa bouche. Surpris, Andrey en fit autant.

« Eh bien, je contacte mon père, et il me vire de l'argent, que j'emploie à me… dorloter.

— À vous dorloter ?

— Oui. Je réserve une chambre à l'Astoria — pour tout vous dire je prends une suite nuptiale —, je me fais couler un bain chaud, et puis je commande du caviar et du champagne au service d'étage, si bien que pendant quelques heures je mène une vie de princesse.

— Une vie de princesse… superbe ! » Chersky prit une nouvelle poignée de chips. « Et… vous faites ça en solo ?

— En solo, tout à fait, répondit-elle en plongeant de nouveau les doigts dans le sachet.

— Et la prochaine fois que vous comptez vous rouler dans le luxe », Andrey finit les chips qui restaient, plia le sachet selon sa singulière habitude, et le glissa dans sa contre-poche, « c'est pour quand ?

— Pour ce soir ! D'ailleurs, j'ai déjà la clef de la suite nuptiale sur moi. »

Elle sortit de son sac une clef accrochée à une lourde plaque de cuivre aux armes du palace et la fit danser sous le nez d'Andrey. Scandalisé par cet invraisemblable manège, Thomas était sur le point de faire un esclandre lorsqu'il fut arrêté par une voix anglaise joviale et pas tout à fait inconnue.

« Bonsoir, Foley ! J'espérais bien vous trouver ici. »

Thomas se retourna : c'était Carter, du British Council.

« Vous voulez bien venir boire un verre avec nous au bar ? Nous sommes quelques collègues. On aimerait vous faire nos adieux cordiaux, vous souhaiter *bon voyage**, et tout et tout.

— Eh bien… »

Thomas lança un regard désarmé à Emily et Andrey. Il était clair qu'aucun des deux ne se formaliserait de sa défection.

« Très bien, oui. C'est rudement chic de votre part. Mais en quatrième vitesse, alors.

— Ça va de soi, mon cher. »

Carter lui mit une tape dans le dos et le cornaqua jusqu'au bar où, pendant les dix minutes qui suivirent, il dut participer à une conversation sans le moindre intérêt, en compagnie d'un groupe de fonctionnaires du British Council avec lesquels il n'avait pas le moindre atome crochu, tout en buvant une bière dont il n'avait pas la moindre envie. Au bout de ces dix minutes, il jeta un coup d'œil en direction de la table proche de l'entrée, en laquelle il voyait naguère le décor de son tendre tête-à-tête avec Emily. Il constata avec effarement mais désormais sans surprise que la jeune femme était en train de quitter Le Britannia en compagnie d'Andrey.

« Oh ! bon Dieu de merde », grommela-t-il à haute et intelligible voix. Il reposa sur le bar son verre à moitié vide et, sans même s'excuser auprès de son interlocuteur du moment, se laissa glisser de son tabouret. Il s'apprêtait à suivre le couple lorsque Carter posa sur son épaule une main de fer dans un gant de velours.

« Allons, allons, Foley, pas si vite, vous n'avez même pas fini votre verre.

— Peu importe. Vous ne voyez pas ce qui se passe ? Vous n'avez pas vu Miss Parker partir avec Mr Chersky ? »

Mr Carter hocha la tête : « Écoutez, je suis vraiment navré, c'est un camouflet pour vous, on dirait.

— Certes, mais ce n'est pas le fond du problème. On ne peut pas le laisser, je veux dire, il ne faut pas… » C'était trop compliqué à expliquer. « Voyez-vous, Mr Carter, c'est plus grave qu'il n'y paraît… »

Mais Carter demeura imperturbable, comme à son habitude. Il avait toujours l'air d'en savoir plus long que Thomas ne l'en créditait.

« Bah, ne vous en faites pas pour si peu. Laissez-moi gérer la chose, je vais prendre des dispositions pour que l'information remonte à qui de droit. »

Thomas tergiversa. Un quatuor de touristes portugais exubérants le bouscula pour accéder au bar. Carter s'effaça pour les laisser passer, puis il lui donna cet ultime conseil bienveillant :

« Si j'étais vous, je rentrerais faire ma valise. Sinon, restez avec nous, et achevez de vous torcher. À vous de voir, mais moi je sais bien ce que je ferais à votre place. »

RIEN DE PLUS FACILE

C'est ainsi que Thomas s'aperçut qu'il avait assez bu pour son goût. Pendant une heure ou deux, il se promena en solitaire dans le parc des Expositions, prenant congé de quelques lieux familiers au passage. Et puis il se souvint qu'il n'avait toujours pas remis sa lettre à Anneke.

Comme il remontait l'avenue de Belgique vers le Grand Palais, des grondements de tonnerre se firent entendre, encore lointains : la pluie tarderait à venir. Pour la dernière fois (se dit-il sombrement), il traversa la place de Belgique en direction du hall d'accueil.

Celui-ci était encore ouvert; les plafonniers éclairaient le vaste vestibule d'une lumière crue et, derrière les portes vitrées, on voyait passer et repasser toute une foule. L'Expo était bel et bien devenue la ville qui ne dormait jamais. À l'entrée du hall, il fit une pause et se retourna pour considérer l'Atomium, au bout de l'avenue de Belgique. Avec ses neuf sphères qui resplendissaient comme autant de promesses d'un avenir meilleur, c'était le symbole de tout ce qu'il avait espéré trouver à l'Expo 58. Il n'arrivait pas à croire que l'aventure soit terminée, ni qu'elle s'achève sur une note aussi amère et imprévisible : Emily et Andrey…

ensemble envers et contre tout. Et, au bout du compte, Andrey n'avait rien eu à faire, pas même claquer dans ses doigts. Elle était accourue, elle s'était littéralement jetée à sa tête. Incroyable. Sous les yeux de Thomas, en l'espace de quelques minutes, la jeune femme intelligente et indépendante s'était métamorphosée en espèce de bimbo (très bien, bimbo, mot américain tout à fait approprié) minaudante qui avait exhibé sans vergogne une clef de chambre d'hôtel et l'avait quasiment laissée tomber dans le giron de son cher et tendre.

L'estomac noué, il envisageait les conséquences possibles du choix d'Emily, les implications du désastre. Il s'était efforcé de la tenir à distance du Russe : fiasco. Il avait déçu les attentes de sa patrie. Il avait déçu de même leurs alliés américains. Quelles en seraient les suites, cela passait son entendement. Pour l'instant il constatait avec horreur qu'il s'était montré piètre juge de la psychologie humaine. Pour preuve, tous les fantasmes ridicules qu'il avait entretenus au cours des derniers jours sur son échappée avec cette femme. Il se voyait vivre avec elle dans un loft new-yorkais, quelques bûches brûlant dans l'âtre, de blancs flocons de neige accrochés aux carreaux tandis que le blizzard soufflait sur Manhattan… Il s'était vu passer avec elle de longs étés dans une cabane en rondins, sur les rives du lac Tomahawk, à regarder le soleil se coucher pendant qu'ils faisaient griller la pêche du jour, des rayons ambrés dansant sur les eaux du lac… Tous ces clichés et bien d'autres avaient traversé son imagination enfiévrée cette semaine, surtout aux petites heures, passé minuit, entre veille et sommeil, pendant que la trahison de Sylvia heurtait toujours à la porte de sa conscience encore sourde pour y avoir droit de cité.

« Thomas ? »

Il se retourna : « Anneke ? »

Sans doute était-elle passée au hall d'accueil se mettre en tenue de ville. Elle descendait les marches et se dirigeait vers la porte des Attractions, comme il le ferait bientôt lui-même. Elle portait une fois de plus sa robe d'été bleu clair (il devenait évident qu'elle n'en possédait pas d'autre) et elle avait un imperméable gris sur le bras. Elle lui sourit et lui tendit la joue, sur laquelle il mit un baiser sans réfléchir.

« Qu'est-ce que vous faites là ? lui demanda-t-elle.

— Euh, à vrai dire, je venais déposer une lettre pour vous.

— Ah oui ? Vous m'avez écrit ?

— Oui. »

Il sortit la missive de sa veste ; elle était passablement froissée, à présent.

« Qu'est-ce qu'elle dit, votre lettre ? »

Il était sur le point de la lui tendre, puis il se ravisa et remit l'enveloppe dans sa poche.

« Il vaut mieux que je vous l'explique de vive voix. » Lui prenant le bras, il entreprit de descendre lentement l'avenue des Attractions, laissant à leur gauche la masse sombre du stade du Heysel.

« Ce que je voulais vous dire, c'est que je rentre dans mon pays.

— Vous rentrez à Londres, et quand ?

— Demain matin. »

Anneke s'arrêta net et s'écarta de lui. Elle était sous le choc.

« Je sais, c'est très subit, hein ? »

Mais ce n'était pas ce qui la choquait. « Et vous alliez me le dire par lettre ?»

Thomas acquiesça.

« Je n'aurais pas eu plaisir à l'apprendre de cette façon, constata-t-elle en maniant la litote.

— Je sais, je m'en rends compte, à présent. Une chance que je vous ai croisée ici. »

Il reprit sa marche et elle le suivit, mais sans passer son bras sous le sien, cette fois.

« Est-ce que je peux vous faire une confidence ? Je crois que je ne sais plus du tout où j'en suis.

— Je le crois aussi. J'ai souvent pensé… » Là, elle hésita. Elle s'apprêtait à dire quelque chose d'audacieux, ce qui ne lui était pas naturel. « J'ai souvent eu beaucoup de mal à comprendre votre attitude envers moi. D'ailleurs, je commençais même à vous en vouloir.

— À m'en vouloir ?

— Oui, j'étais fâchée contre vous. Vous n'annoncez jamais vos intentions clairement. Vous m'invitez à la fête du Britannia, vous sortez avec mon amie et moi. Nous passons une excellente soirée, nous passons des tas de bonnes soirées tous les deux, mais je ne sais jamais ce que vous allez dire ou faire. Et puis voilà que vous vous intéressez à Emily — je peux le comprendre, c'est une très belle femme — mais vous êtes incapable de l'assumer, il faut que vous m'invitiez dans ce restaurant fastueux et que vous me racontiez cette histoire à dormir debout avec Mr Chersky dans le rôle de l'espion et les deux drôles de types en imperméables qui vous auraient demandé de veiller sur elle et de la protéger de lui. Ce n'est pas Federico qui me raconterait un bobard pareil. Lui, au moins, il déclare ses intentions. Je l'ai rencontré il y a deux semaines, et il m'a déjà demandée en mariage deux fois.

— C'est vrai ? »

Thomas ne put s'empêcher de sourire. Ils se regardèrent et se mirent à rire. La tension entre eux se dissipa instantanément, mais Thomas sentit bientôt qu'elle se rétablissait.

« Écoutez, dit-il, il y a pourtant beaucoup de vrai. Je vous dois des excuses. Mais dès mon retour à Londres, je vais tâcher d'y voir plus clair. Beaucoup de choses vont changer dans ma vie. Il se peut même que je quitte mon emploi, que je déménage, voire que je m'installe dans un autre pays… »

Ils firent une halte, étant arrivés à la porte des Attractions.

« Pourquoi est-ce que vous parlez toujours de l'avenir, demanda Anneke ? Et maintenant ? »

Il ne répondit rien.

« Je ne suis pas une gamine effarouchée, poursuivit-elle, et je vous serais reconnaissante de ne pas me traiter comme telle. » Ils se regardèrent longuement, puis Anneke prit le visage de Thomas dans ses mains, et elle l'embrassa à pleine bouche. Ce fut un long baiser tendre et fondant, et lorsqu'il s'acheva au bout de quelques instants, ils restèrent serrés l'un contre l'autre tandis que les derniers visiteurs de l'Expo 58 les dépassaient pour gagner le monde extérieur. Anneke caressa les cheveux de Thomas et lui sourit de son grand sourire confiant, adorable : « Vous voyez, ça n'est pas si compliqué. Rien de plus simple, en fait. »

Thomas avait peur que, depuis sa guérite, le sosie de Joseph Staline les arrête au passage, mais Anneke connaissait la parade : les hôtesses étaient nombreuses à savoir qu'il y avait un trou dans le grillage qui entourait le Motel Expo. Ils le trouvèrent sans trop de difficultés et se glissèrent au travers sans se faire voir.

Une fois dans le bungalow, pendant que Thomas tirait les rideaux, Anneke alluma la lampe de chevet. Voyant qu'elle dispensait une lumière de commissariat, la jeune femme retira sa robe par-dessus sa tête et la jeta sur l'abat-jour, ce qui baigna aussitôt la pièce d'une lueur bleuâtre, fraîche à l'œil.

Alors Thomas resta debout à la regarder, assise sur son lit, demi-nue dans l'atmosphère turquoise, attendant qu'il vienne vers elle. Ils se regardèrent ainsi longuement, savourant l'instant, la joie électrique de l'anticipation.

La tempête se rapprochait. Ils entendaient le tonnerre et apercevaient des éclairs, mais il ne pleuvait toujours pas sur le Motel Expo. La chaleur, cependant, était étouffante. La couette avait depuis longtemps roulé par terre. Thomas et Anneke étaient allongés sur le lit, découverts, dans une étreinte brûlante.

Comme d'habitude, il n'arrivait pas à s'endormir. Elle respirait doucement, régulièrement auprès de lui. Il s'était souvent imaginé allongé auprès de Sylvia de cette façon. C'est-à-dire non pas dans une chambre chastement enténébrée, non pas leur nudité cachée aux yeux réprobateurs de spectateurs imaginaires par un mille-feuille de draps et de couvertures, mais en gloire, sans honte ni fausse pudeur, dans l'évidence de leur intimité. Et voilà qu'il le vivait, mais avec une tout autre femme ; une femme qui n'était pas la sienne. Choquant, certes, mais quel glorieux passage à l'acte ! Franchement, il ne s'en serait jamais cru capable. Il se tourna de nouveau vers Anneke. Il se sentait soulevé par une vague de tendresse pour cette femme qui avait rendu la chose si facile, qui s'était donnée à lui cette nuit avec une telle liberté, une telle générosité. Ses lèvres effleurèrent sa chevelure. Ce ne fut qu'un mouvement ténu, mais la chaleur de son souffle dut la réveiller, car elle leva les yeux en battant des paupières ; elle sourit d'un sourire somnolent et se pelotonna contre lui.

« Toujours pas sommeil ?

— Toujours pas, mais je suis très heureux.

— Moi aussi », dit-elle en lui plantant un tout petit baiser sur la bouche.

Quelques instants plus tard, elle s'était rendormie. Il la garda dans ses bras un moment encore, tout au plaisir de sentir sa poitrine qui se soulevait, la douce pression de ses seins contre ses côtes à lui. Puis, il se libéra avec précaution et se leva. Il alla à la salle de bains, se lava les dents, et s'assit sur les toilettes quelques minutes. Plus que jamais, c'était bizarre — et libérateur — de faire tous ces gestes dans la nudité la plus totale.

Tout à coup on entendit comme une détonation. Un coup de tonnerre, peut-être. Un petit cri, mais un cri quand même, sans aucun doute, retentit dans la chambre à côté. Thomas se précipita et trouva Anneke assise sur le lit. Elle serrait sa robe contre elle, de sorte qu'elle lui couvrait presque tout le corps et que l'éclat de la lampe de chevet était redevenu aveuglant.

« Qu'est-ce qui se passe ?

— J'ai vu une lumière, là-haut, dit-elle en désignant la vitre.

— Un éclair ?

— Je ne sais pas. Peut-être. Mais il y a eu un bruit, aussi. Comme quelque chose qui tomberait du toit. »

Thomas enfila son pantalon, ouvrit la porte de la chambre et, planté torse nu sur le seuil, regarda des deux côtés de l'allée entre les rangées de bâtiments. Pendant un instant, il crut qu'Anneke avait raison, et qu'il entendait un vague bruit, comme des pas au loin. Mais le son se perdit bientôt, et il n'y avait pas assez de lumière pour y voir clair.

Il resta là encore quelques minutes, le souffle laborieux, jusqu'à ce qu'il sente les premières gouttes de pluie sur la paume de sa main tendue.

Il verrouilla la porte et se recoucha. Sous le duvet, Anneke et lui finirent par trouver un sommeil troublé vers quatre heures du matin, c'est-à-dire trois heures avant que le réveil ne sonne. La lourde pluie d'été crépitait sans relâche sur le carreau de la lucarne, et dans son sommeil il croyait entendre le public du Grand Auditorium applaudir longuement Ernest Ansermet, qui s'inclinait à la proue de l'Orchestre de Suisse romande pour un dernier rappel triomphal.

LA FÊTE EST FINIE

Grâce au décalage horaire entre la Belgique et l'Angleterre, l'avion de neuf heures atterrit promptement à huit heures quarante-cinq, soit un quart d'heure avant d'avoir décollé.

Il était un peu plus de onze heures lorsque Thomas arriva chez lui, lesté par ses deux valises bourrées. Il frappa à la porte et, n'obtenant pas de réponse, s'introduisit dans la maison.

À l'intérieur, tout était silencieux. Il laissa ses valises dans le vestibule et s'assit à la table de cuisine quelques minutes en écoutant les tuyaux gargouiller et le nouveau réfrigérateur ronronner par intermittences.

Bientôt, il ne tint plus en place. La besogne qui l'attendait chez les voisins n'avait rien d'agréable et il voulait en finir au plus vite. Il ne gagnerait rien à attendre.

Il sortit de chez lui et s'avança d'un pas martial jusqu'à la porte des Sparks. Pour une fois, peut-être parce que la tête lui tournait un peu faute de sommeil ou parce qu'il était encore dans l'ivresse de la nuit passée avec Anneke, il n'entretenait pas le moindre doute sur ce qu'il s'apprêtait à accomplir. Il avait le sang en ébullition, et il allait faire exactement ce qu'Emily l'avait pressé de faire : casser la figure à Norman Sparks. Il ne l'aurait pas volé, ce cochon.

Il sonna et dut attendre un long moment avant qu'on réponde. Enfin, par le verre dépoli de la porte d'entrée, il vit une silhouette arriver péniblement vers lui. C'était Judith, la sœur de Sparks, cette éternelle malade. Elle était drapée dans une mince chemise de nuit en coton fleuri, et son visage bouffi offrait sa pâleur coutumière. Elle le regarda en clignant des yeux comme surprise par la lumière du jour.

« Bonjour, Miss Sparks, je me demandais si votre frère aurait une minute, il faut que je lui parle ?

— Je suis désolée, Mr Foley. Il est au garage pour la révision de la voiture. Il va revenir dans pas longtemps, j'en suis sûre. Vous voulez l'attendre ?

— Non, merci. Je rentre tout juste de Bruxelles et je n'ai même pas eu le temps d'échanger deux mots avec ma femme.

— Eh bien alors, je lui dis de passer vous voir ?

— C'est ça, oui, s'il vous plaît. »

Brisé dans son élan, Thomas rentra chez lui, avec un dernier regard de frustration vers la porte des Sparks, et il alla mettre la bouilloire en route à la cuisine. Il n'y était que depuis quelques minutes quand il entendit la clef tourner dans la porte, qui s'ouvrit. C'était Sylvia ; lestée d'un lourd panier à provisions, elle bataillait pour hisser la poussette de Gill du perron au couloir ; les deux valises qui lui rétrécissaient le passage ne lui facilitaient pas la tâche.

Thomas sortit de la cuisine ; leurs regards se croisèrent pour la première fois, dans le silence et la circonspection. Cela faisait presque deux semaines qu'il avait découvert l'infidélité de sa femme, et depuis ils n'avaient échangé que quelques mots au téléphone le mercredi soir où il lui avait annoncé avec une courtoisie laconique qu'il rentrait ce week-end. Elle était sûrement blessée par ce qu'elle percevait comme une distance inexplicable de sa part. Mais lui était bien pire que blessé, et à bien plus juste titre.

« Bonjour, chéri, dit-elle, tu es déjà là ?

— Oui. Tu étais si pressée de sortir ?

— Je ne t'attendais pas avant une bonne demi-heure. »

Elle détacha Gill de la poussette et la posa par terre. La petite fille s'avança d'un pas mal assuré vers son père sans que son visage manifeste qu'elle le reconnaissait. Il la souleva dans ses bras et lui donna un baiser.

« Bonjour, ma puce. Alors, qu'est-ce que tu racontes ? »

Sylvia se coula devant son mari qui, l'enfant au bras, lui bloquait la porte de la cuisine, et elle posa le panier sur la table avec un effort ostensible.

« Où étais-tu ? lui demanda Thomas.

— Aux commissions.

— Ça, je vois.

— Si tu fais du thé, j'en prendrai bien une tasse. »

Sans le regarder, elle se mit à vider le panier : légumes et soupes en conserve, tranches de jambon achetées au rayon charcuterie du supermarché, paquets de saucisses. L'idée de se remettre au régime britannique démoralisa Thomas. Sans compter la froideur de l'accueil ! Il n'allait pas supporter cette ambiance un instant de plus. Il était temps d'engager le long processus douloureux qui permettrait de crever l'abcès.

« Sylvia, dit-il en reposant doucement l'enfant sur le sol, il faut qu'on parle, tous les deux. C'est très important.

— Ah bon », dit Sylvia, toujours absorbée par les provisions qu'elle tirait du panier. Apparemment, elle était aussi passée chez le pharmacien, car elle était en train de sortir du talc pour bébé, des comprimés contre la migraine et du lait de magnésie.

« Ce que j'ai à dire n'est pas commode à formuler, commença-t-il. Alors je vais aller droit au but en toute honnêteté. Je sais que pendant mon absence tu ne dois pas avoir eu la vie facile tous les jours. J'ai peut-être fait preuve d'égoïsme en décidant de… »

Il s'interrompit brusquement et, s'approchant de la table de cuisine, il s'empara d'une petite boîte dans le panier, qu'il foudroya du regard, la tenant à bout de bras comme s'il s'agissait d'un objet non identifié.

« Bon Dieu de bon Dieu, femme, qu'est-ce que je vois ? Tu fais les courses de Sparks, à présent ? »

Elle ne parut pas comprendre de quoi il parlait. Il lui brandit le corps du délit sous le nez — c'était une boîte de coussinets coricides de la marque Calloway.

« Qu'est-ce que tu racontes ? Ça n'est pas pour Norman, c'est pour moi. »

Il en resta sans voix, et il lui fallut presque trente secondes pour recouvrer l'usage de la parole.

« Pour toi ? Depuis quand tu as des cors ?

— Ce doit faire deux mois, à peu près. Je te l'ai dit, c'est de famille, j'en suis sûre. Norman m'a recommandé ces coussinets parce qu'il a le même problème. Mais au fait… tu étais là, non, le matin où on en a parlé ? »

Thomas s'assit à table, le regard vide.

« Oui, admit-il, j'étais là.

— J'en prends depuis… mai ou juin, je pense. »

On frappa à la porte.

« Ce n'est pas fermé », lança Sylvia. Et quelques secondes

plus tard, comme de juste, la mine aimable et engageante, leur voisin s'encadra dans la porte de la cuisine.

« Bon-jour ! chantonna-t-il, et bienvenue chez vous, Thomas ! Sylvia m'a dit que vous aviez reçu votre feuille de route. Allons bon ! Adieu Bruxelles, bonjour Tooting ! Fini de faire le galant avec *les belles dames de Belgique**. Il va falloir vous réhabituer, je me dis. Vous vouliez me voir ? »

Thomas leva lentement les yeux et considéra son voisin, sans malveillance, sans colère, sans jalousie, sans irritation, sans rien d'autre qu'une sensation d'engourdissement mortel. Certes la figure de Sparks lui paraissait toujours appeler le coup de poing. Mais l'homme n'y était pour rien.

« Imaginez-vous que j'ai complètement oublié pourquoi je voulais vous voir, dit-il en s'efforçant de parler sur un ton mesuré, posé. Ça m'est sorti de la tête. J'ai comme un coup de fatigue, subitement...

— Ah ah ! s'exclama Sparks avec cet exaspérant rire de connivence qui lui était propre, ça ne m'étonne pas ! C'est la gueule de bois, hein ? Eh, c'est qu'il faut revenir à la réalité, mon vieux. À la routine de la vie conjugale. Métro-boulot-dodo. Misère, pas étonnant que vous fassiez cette tête-là ! La fête est finie, et bien finie ! »

L'été avait été de courte durée, en Angleterre. Assis sur un banc de Box Hill, non loin du belvédère de Salomon's Memorial, Thomas et sa mère frissonnaient dans l'après-midi humide. C'était un dimanche gris et brumeux, la vue sur les bois était voilée.

Ils n'en gardaient pas moins les yeux sur l'horizon. Depuis que Thomas avait passé des aveux complets en demandant conseil à sa mère, ils ne s'étaient pas regardés en face.

Enfin, Martha parla. Sa voix, plate et monocorde en temps ordinaire, était plus sèche et plus froidement péremptoire que jamais.

« Excuse-moi, lui dit-elle, mais pour moi, la question ne se pose pas. Tu as une femme. Tu as un enfant. Ce qui veut dire que tu as des devoirs et des responsabilités. Tu as fait une grosse bêtise en Belgique. Une grosse bêtise pour bien des raisons. D'une part, il ne viendrait à l'idée de personne que Sylvia puisse te tromper. Elle t'est totalement dévouée. Va savoir pourquoi, mais c'est comme ça. Tu as eu beau l'abandonner six mois au moment précis où elle avait le plus besoin de toi, elle ne t'aurait jamais été infidèle. Ta première bêtise a donc été de te le figurer. Et puis quant à cette fille de Bruxelles, où veux-tu en venir? Tu as pensé tout laisser tomber pour aller vivre avec elle? En Belgique? Tu es idiot ou quoi? Qu'est-ce qui te dit qu'elle en a envie, d'abord? Bien sûr, avec tous ces inconnus qui se retrouvent ensemble, dans cette drôle d'atmosphère, on fait des bêtises, forcément. Elle regrette probablement déjà ce qui s'est passé entre vous, à l'heure qu'il est. Elle se dit sans doute qu'elle a fait une bêtise, et qu'il n'est pas question que ça se reproduise. Et elle a raison. Alors écoute-moi bien : oublie-la. Elle ne compte pas. C'est ta femme qui compte. Ta fille. Ton foyer. Là maintenant, tu es malheureux, naturellement. C'est parce que tu as fait une bêtise. Mais ça ne va pas durer, ça passera. »

Thomas baissa la tête, un couple avec deux enfants arrivait; les petits zigzaguaient et se lançaient une balle en plastique rouge en se piaillant des consignes, surexcités.

Le discours de sa mère l'avait mis au supplice. Il avait

l'impression de recevoir un coup sur la tête chaque fois qu'elle prononçait le mot « bêtise ». Il se tut, digérant ces paroles, les laissant s'imprimer en lui et y faire leur chemin. Lorsqu'il releva la tête, la famille avait presque disparu ; il entendait encore les cris des enfants, qui lui rappelaient de vagues souvenirs : il était venu là, petit, avec son père et sa mère. En pique-nique ? Oui, ils avaient dû apporter un pique-nique. Il constatait avec désarroi que cette excursion, à laquelle il n'avait pas repensé depuis vingt ou vingt-cinq ans, lui paraissait aujourd'hui plus réelle et plus récente que le pique-nique à Wijgmaal, qui datait d'à peine plus d'une semaine.

Comme si elle lisait dans les pensées de son fils, Martha Foley regarda le cliché qu'il lui avait rapporté, et qu'elle tenait sur ses genoux.

« Elle est jolie, cette photo, lui dit-elle ; c'est gentil d'avoir fait ce que je te demandais. Je vais l'encadrer et je la mettrai au mur du salon. Mais dans mon souvenir, le champ de boutons-d'or ne ressemblait pas du tout à ça. Tu es sûr que tu es allé où je t'ai dit ? »

Il ne pouvait pas écrire à Anneke de chez lui. Il aurait trouvé déplacé de se mettre au bureau de la salle à manger longtemps après que Sylvia s'était couchée, et de regarder fixement la feuille de papier Basildon Bond, sur laquelle les mots refuseraient de se former, l'ombre de son stylo-plume s'allongeant sous la lumière ambrée de la lampe de lecture. Il préféra lui écrire depuis les bureaux de Baker Street, le lendemain de son retour. La commande qu'il avait reçue à son arrivée n'était pas folichonne : il devrait rédiger le texte en voix off d'un film sur les dangers de l'alcoolisme chez les mineurs. Il savait qu'il ne pourrait pas s'y mettre sérieusement tant qu'il ne se serait pas débarrassé de la lettre.

Lorsqu'elle fut enfin finie, il ne fut pas satisfait du résultat. Comment l'aurait-il été ? Mais il l'envoya tout de même, le mercredi matin, depuis la poste de Marylebone High Street.

Un mois passa sans qu'il reçoive de réponse, et il comptait bien n'en jamais recevoir. Et puis, l'enveloppe vint, libellée à son adresse professionnelle, enluminée de timbres belges exotiques, et portant le cachet officiel de l'Expo 58.

Cher Mr Foley,

Merci de votre lettre. Vous avez pris la peine de m'expliquer votre position, je vous sais gré de votre courtoisie, on n'en attend pas moins d'un gentleman anglais.

Puisque tel est votre sentiment, je ne doute pas qu'il vaille mieux oublier tout ce qui s'est passé pendant votre séjour à Bruxelles. Je ne voudrais pas vous faire de la peine ou vous mettre dans l'embarras, ce qui revient au même pour vous, me semble-t-il.

Croyez bien que je n'ai aucune intention de vous importuner ou de faire intrusion dans votre vie à l'avenir.

D'ailleurs, en l'occurrence, vous me permettrez de citer vos deux amis — les mystérieux messieurs en impers et chapeaux — car leur formule paraît bien s'appliquer à ce qui nous concerne : « Ceci reste entre nous. »

Avec mes salutations distinguées,

Anneke Hoskens

INQUIÉTUDE

À genoux devant la cuvette des toilettes, Sylvia restituait la tartine de son petit déjeuner, désagrément qui lui arrivait pour le troisième jour de suite. Elle suffoqua, déchira des feuilles de papier toilette pour s'essuyer les lèvres ; le goût rance et acide qu'elle avait dans la bouche lui levait le cœur.

Thomas était à son bureau de Baker Street, profondément déprimé. Deux nouvelles venaient de lui parvenir. La première, c'était que sa prochaine commande consisterait à rédiger une brochure sur les dangers de la conduite en état d'ébriété. Apparemment, c'était lui qu'on sollicitait désormais dès qu'il s'agissait d'un sujet en rapport avec les pubs, leurs heures d'ouverture, ou la consommation d'alcool en général. La seconde, c'était qu'il venait de se faire doubler par son collègue et ami Carlton-Browne : à lui la tâche infiniment plus prestigieuse de rédiger le scénario d'un film à gros budget pour une campagne publique sur les mesures à prendre en cas d'attaque nucléaire.

« Je crois que nous allons avoir un autre enfant, lui annonça Sylvia ce soir-là, au dîner.

— Je crois qu'il est temps que je change de boulot, lui

dit Thomas cette nuit-là une fois au lit tous deux, main dans la main sous les draps.

— Je crois qu'on devrait déménager, lui dit-elle le lendemain au petit déjeuner. Je ne me plais pas à Londres, je ne m'y suis jamais plu. Je voudrais me rapprocher de mes parents. »

Tout alla très vite. Il fit part de ses projets à un autre collègue, Stanley Windrush. On se passa le mot, et quelques jours plus tard, à la cantine, Carlton-Browne l'aborda pour lui faire part d'une information utile.

« Je connais un type qui connaît un type qui pense connaître une société des Midlands qui cherche quelqu'un pour diriger son service des Relations publiques. Ça pourrait être dans tes cordes. »

Il s'agissait d'une grosse société qui fabriquait des pièces détachées d'automobile, à la fois pour le marché intérieur et pour l'exportation. Ils étaient basés à Solihull, non loin du centre de Birmingham, et à quelques kilomètres seulement de King's Heath, où habitaient les parents de Sylvia. Il prit le train à Euston Station et arriva sans retard pour son entretien à onze heures. À onze heures quinze, on lui avait fait clairement comprendre qu'il n'avait qu'un mot à dire pour prendre le poste. On ne lui demandait pas de références, on ne lui avait pas posé de questions trop précises sur son adéquation au profil. Le directeur du personnel s'était contenté de lui dire qu'il était « exactement le genre de personne qu'ils cherchaient ».

Il passa les quelques heures qui suivirent assez agréablement, à faire la tournée des agences immobilières et explorer les environs à pied. En réalité, Birmingham était loin d'être aussi triste qu'il se le figurait jusque-là.

Comparées à Tooting, ces banlieues sud-est lui parurent vertes, calmes et aérées. Dans ces larges rues bordées d'arbres autour de l'usine Cadbury, de Bournville, enchanté par les couleurs d'un automne imminent, il s'imaginait sans peine la vie qu'il mènerait là : il se voyait accompagner Gill à l'arrêt du bus scolaire les matins de printemps, sa petite main confiante serrant fort la sienne ; les dimanches après-midi, il jouerait au football sur le terrain le plus proche avec son fils — car Sylvia et lui étaient convaincus qu'elle attendait un garçon, et ils avaient déjà décidé de l'appeler David, comme le père de Thomas. Bonne surprise, ils pourraient s'offrir une maison nettement plus vaste ici, et il leur resterait vraisemblablement de l'argent sur la vente de la leur à Tooting, de sorte qu'il pourrait sans difficulté acheter une voiture familiale.

Il revint à la gare de New Street largement à temps pour avoir son train de retour. Il s'acheta le *Times* au kiosque et s'installa dans un compartiment vide, en seconde. Il n'ouvrit pas le journal, préférant regarder le paysage par la fenêtre, perdu dans de vagues scénarios autour des plaisirs de la vie de famille et des satisfactions que goûte le citoyen des classes moyennes, bien établi et respectable. Il entretint ces rêveries sans lassitude jusqu'à ce que le train arrive à Rugby, où la porte de son compartiment s'ouvrit brusquement. Un jeune steward en uniforme de la British Railways le regarda en lui demandant :

« Mr Foley ?

— Oui ?

— Un message pour vous. »

Il tendit à Thomas un simple bout de papier à lignes et sortit sans attendre de réponse. Thomas déplia le billet et lut : « Vous buvez quelque chose ? »

Sur la défensive, il se leva et, muni de son *Times*, emprunta le couloir pour se diriger vers le wagon-restaurant. Il était désert, lui aussi, désert à l'exception d'une table, sur laquelle étaient posés trois verres de whisky. Trois verres de whisky, et un sachet solitaire de chips *Salt'n'Shake* de chez Smith. Assis côte à côte, passablement serrés sur la banquette : Radford et Wayne.

Ils levèrent les yeux en l'apercevant, avec tous les dehors de la surprise charmée.

« Ça par exemple !

— Mais c'est Mr Foley !

— Vous ici !

— Dans ce train même !

— Allez, soyez gentil, asseyez-vous.

— Prenez un siège, mettez-vous à l'aise.

— Whisky ? Nous avons pris la liberté de vous en commander un.

— Allez savoir pourquoi, quelque chose me disait qu'on pourrait bien vous croiser.

— Une intuition, comme ça... »

Thomas se laissa tomber sur le siège en face d'eux, désarçonné de découvrir qu'ils le suivaient toujours, mais surtout agacé. Il considérait que ces deux bouffons appartenaient à une période de sa vie révolue depuis longtemps.

« Bonjour, messieurs », se borna-t-il à dire, tâchant d'exprimer à travers ces deux mots toute l'antipathie possible. Il regarda le whisky mais décida de ne pas y toucher.

« Nous ne cherchons pas à vous empoisonner, vous savez », dit Wayne, un peu pincé.

Thomas n'en repoussa pas moins le verre.

« Cigarette ? proposa Radford.

— Non, merci », répondit Thomas. Il avait cessé de

fumer et s'efforçait de persuader Sylvia d'en faire autant (avec cette concession qu'elle attende d'avoir accouché pour arrêter; car la grossesse était une période stressante pour une femme, et il était incontestable que fumer la détendait).

« Alors? demanda Radford en allumant sa propre cigarette avec un briquet en plaqué or, qu'il prêta ensuite à son camarade. Si j'ai bien compris, ça s'est passé pour le mieux, cet entretien d'embauche, ce matin?

— Je vois que je suis toujours sur écoutes. »

Wayne eut une mine plus offusquée encore.

« Allons, allons, mon cher, nous ne donnons pas dans ces pratiques.

— Vous n'êtes plus chez les Soviets, vous savez.

— Vous m'avez tout de même l'air très renseignés sur mes faits et gestes.

— Par pure amitié, c'est tout.

— On aime bien savoir ce que vous devenez.

— Parce que s'il faut compter sur vous pour donner signe de vie…

— Même pas une carte postale.

— Pourquoi voulez-vous que je donne signe de vie?

— Mais je ne sais pas, traitez-moi de vieux sentimental tant que vous voudrez, je me figurais que nous avions établi un rapport de complicité, là-bas, à Bruxelles.

— Tiens donc!

— Ah, l'eau a coulé sous les ponts depuis, de toute façon, reprit Wayne. L'Exposition touche à sa fin. Ce week-end, tout le monde va faire ses valises et rentrer.

— Je suppose qu'on en parlera dans le journal, lundi. »

Thomas ne répondit pas.

« Étant bien entendu, poursuivit Radford, que tout ce

qui s'est passé à l'Expo 58 n'a pas été rapporté dans les journaux.

— Loin de là », compléta Wayne.

Radford secoua la tête. « Cette triste affaire concernant Mr Chersky, par exemple, Dieu merci, les journaux n'en ont rien dit.

— Sombre histoire », appuya Wayne.

Décidément, il y avait du louche. Thomas décida de mordre à l'hameçon.

« Mr Chersky ?

— Oui. Vous êtes au courant de ce qui lui est arrivé, bien sûr ?

— Non.

— Non ? C'est extraordinaire.

— Eh bien, dit Thomas, qui s'impatientait à présent, qu'est-ce qui lui est arrivé ?

— Mais il est mort, bien sûr.

— Il est mort ?

— Eh oui, crise cardiaque, pauvre bougre.

— On l'a découvert dans la suite nuptiale de l'Astoria », acheva Radford.

Pour lui laisser le temps de digérer l'information, les deux hommes se mirent à boire leur whisky sans se presser, puis ils se calèrent sur leur banquette, avec un petit air de satisfaction amusée, en attendant sa réaction.

« Mais, dit-il enfin, en articulant avec soin, c'est là qu'Emily l'a emmené.

— C'est vrai ?

— Vous en avez la certitude ?

— Vous en savez plus long que nous, en fait. »

Thomas se pencha en avant ; il ne pouvait plus contenir

la colère dans sa voix. « Allons, dites-moi ce que vous avez à me dire, racontez-moi ce qui s'est passé.

— C'est que je ne suis pas sûr que nous puissions être trop bavards sur ce chapitre, objecta Wayne. Qu'en pensez-vous, Radford ? »

Radford secoua la tête.

« On avance en terrain miné, là.

— La couche de glace est mince.

— En même temps…

— D'un autre côté…

— Nous avons déjà mis Mr Foley dans la confidence, jusqu'à un certain point.

— C'est vrai, c'est vrai.

— Il a déjà connaissance de certains faits.

— Oui, c'est un argument.

— Oh, ça suffit, votre petit numéro, explosa Thomas. Est-ce qu'Emily a trempé dans tout ça, est-ce qu'elle y a été impliquée ?

— Si elle a trempé dans tout ça ? répéta Radford.

— Si elle y a été impliquée ? reprit Wayne.

— Mais bien sûr qu'elle y a trempé.

— Naturellement qu'elle y était impliquée.

— Vous le savez mieux que personne.

— Vous aussi, après tout, vous y avez trempé.

— Et vous y êtes impliqué, s'il faut tout dire.

— Vous avez joué votre rôle, dans notre stratagème.

— Et même fort bien joué.

— Au fond, sans exagérer, on n'aurait pas pu réussir sans vous.

— Quel stratagème ? Réussir quoi, sans moi ? »

Radford et Wayne échangèrent des regards interrogateurs, comme pour chercher confirmation mutuelle qu'ils pouvaient mettre Thomas dans le secret ; puis, s'étant apparemment accordés sur ce point, ils se penchèrent imperceptiblement vers lui, et Radford entama son récit à voix basse.

« Eh bien voilà, tout a commencé au début de la Foire. Dès les premiers jours, il est apparu qu'il y avait des... fuites au Pavillon américain. Quelqu'un faisait passer des données confidentielles aux Soviets. Alors les Américains sont arrivés, ils ont établi leur QG dans la charmante chaumière que vous avez visitée, et ils ont fait leur enquête.

— C'est là que Miss Parker est entrée en scène.

— Miss Parker n'est qu'un pseudo, vous vous en doutez.

— C'était un agent américain, bien entendu.

— Mais vous le saviez déjà.

— Non ? J'aurais cru que ça allait de soi.

— Mais comment est-ce que ce serait allé de soi, s'écria Thomas, excédé. Vous m'avez dit qu'elle était actrice, et qu'elle venait du Wisconsin !

— Si vous prenez tout ce que nous disons pour argent comptant...

— Il fallait bien qu'elle ait une couverture. Nous tenions pour acquis que vous comprendriez tout seul.

— Bref, assez vite, sans deviner d'où provenait la fuite, elle a vu du moins où aboutissait l'information.

— Chez Chersky.

— Et elle a également découvert où on la lui remettait.

— Au Britannia.

— Au Britannia ?

— Mais oui. C'est votre précieux pub qui constituait le point de livraison. C'était là que tout se passait. »

Thomas ne put plus se retenir. Le whisky était trop tentant. Il s'empara du verre et en descendit la moitié d'un trait. Il sentait déjà basculer toutes les certitudes qu'il avait entretenues pendant l'Expo 58 ; elles se retournaient lentement ; il était en plein revirement.

« Mais comment ? Comment est-ce qu'on les livrait ?

— Ah, ça, c'est le clou, voyez-vous.

— C'est tout le génie de l'opération.

— Ils avaient un complice, bien entendu.

— Quelqu'un pour faire leur sale boulot.

— Vous savez qui, je présume ?

— Ou en tout cas vous devinez ? »

Mais Thomas ne devinait pas.

« La barmaid, voyons ! »

Il les regarda, bouche bée. « La barmaid ? Jamais de la vie !

— Eh oui, Jamie Delavey, précisément.

— Vous savez tout, mon cher.

— Vous commencez à comprendre, enfin. »

Thomas s'adossa à son siège et but une gorgée de whisky. Muni de cette pièce capitale du puzzle, il commençait à voir le tableau se dessiner.

« Alors l'homme qui lui transmettait l'info, dit-il, ce devait être Longman, cet Américain qui passait sa vie au pub.

— Tout juste. Ils étaient de mèche.

— Dans le même camp.

— Mouillés jusqu'au cou.

— Tous deux membres du parti communiste, on le sait depuis.

— Et, bien sûr, vous avez compris comment ils s'y prenaient ?

— C'est tout le… sel de la chose.

— L'ingéniosité diabolique de la chose.

— Miss Parker n'a compris qu'in extremis.

— Ils se servaient de ça. »

Radford prit le paquet de chips et le leva bien haut.

« Regardez, dit-il en le déchirant, à l'intérieur de chaque paquet, il y a un petit sachet en papier bleu qui contient le sel. Au poste où il était, Longman avait accès aux documents des bureaux du Pavillon américain. Il les mettait sur microfilms, puis il les glissait dans ces petits sachets, et il les faisait passer à la serveuse.

— Laquelle les logeait dans les paquets de chips pour les faire passer à Chersky. »

Les deux hommes hochaient la tête, sincèrement admiratifs.

« C'est brillant.

— La grande classe.

— On ne peut pas le leur enlever.

— Et puis, dit Radford en versant un peu de sel sur ses chips avant de faire tourner le paquet, les choses ont trouvé leur dénouement. Ça s'est passé un vendredi après-midi, qui a dû être votre dernier jour à l'Expo, d'ailleurs. Miss Parker a appris qu'un nouveau document avait disparu. Un document volumineux, cette fois.

— Le plus important du lot.

— C'était un annuaire.

— Une liste.

— Un index…

— De tous les agents américains travaillant à l'heure actuelle sur le sol russe.

— Il y avait une cinquantaine de noms.

— Avec les adresses…

— Les détails personnels.

— De sorte que si le répertoire tombait entre de mauvaises mains…

— Ces gens-là étaient morts, tous tant qu'ils étaient.

— Or, à la faveur d'un hasard extraordinaire…

— Hasard, pas tout à fait quand même, Miss Parker a été fichtrement rusée de percer le système à jour.

— Objection retenue, mon cher. Ce soir-là, voyez-vous, Miss Parker prenait un verre avec vous au Britannia, et tout d'un coup, elle a compris leur manège.

— La barmaid a tendu un paquet à Chersky, pour accompagner sa bière, et elle lui a dit quelque chose qui a fait dresser l'oreille à Miss Parker.

— Elle lui a parlé d'une livraison spéciale.

— D'un paquet grand format.

— Et c'est là que Miss Parker a compris.

— Dans un instant d'inspiration.

— Un éclair de génie. »

Thomas se remémora cette soirée. C'était pourtant vrai : Emily prenait des chips par poignées entières, avec une avidité incroyable. Il en avait été stupéfait, sur le moment. Et Andrey faisait de même. Ils tapaient dans le paquet à tout-va, l'un comme l'autre, chacun voulant arriver au fond le premier.

« Alors… » Radford finit son whisky et fit signe au maître d'hôtel d'en verser trois autres… « Alors vous imaginez bien que Miss Parker était dos au mur.

— Chersky tenait le sachet.

— Il tenait le sachet et le paquet.

— Il tenait le sachet et le paquet dans sa poche.

— Il tenait le sachet et le paquet dans sa poche et il allait les mettre dans sa sacoche.

— Elle ne pouvait pas courir le risque de le perdre de

vue. Un seul instant. Il fallait absolument qu'elle récupère la liste avant qu'il ait pu la transmettre à quelqu'un d'autre.

— Et c'est là qu'elle a montré sa trempe.

— Qu'elle a fait voir son étoffe.

— Parce qu'elle l'a emmené à l'Astoria, et là...

— Vous devinez le reste.

— Elle a fait ce qu'il fallait. »

Comme le maître d'hôtel leur versait une nouvelle tournée, Thomas tâcha de se rappeler où il avait entendu cette formule, et il s'aperçut avec un frisson dans le dos qu'il la tenait d'Emily, le jour du pique-nique. Elle l'avait prononcée en lui racontant cette histoire épouvantable sur son père, savant calme et policé qui avait mis un crotale en bouillie dans un déchaînement de violence réflexe pour protéger sa petite fille. Est-ce que ça s'était passé un peu de cette façon-là ? Avait-elle tué Chersky de vive force ? Ou bien lui avait-elle logé une balle dans la poitrine, l'avait-elle poignardé en plein cœur ? Étranglé avec sa propre cravate ? « Quand il s'agit de sauver ce qu'on a de plus précieux, lui avait-elle dit, il ne faut reculer devant rien. »

« Tout s'est passé sans accroc, lui expliqua Mr Wayne sur un ton presque gentil et rassurant. Elle avait une capsule de cyanure.

— On leur en donne, vous comprenez, à toutes fins utiles.

— Elle l'a glissée dans sa coupe de champagne.

— Délicate attention, quand on y réfléchit. »

Thomas y réfléchit en effet. Et à présent, au lieu de se figurer Emily le visage déformé par la fureur et le dégoût, en train de faire pleuvoir des coups mortels sur la tête d'Andrey, il fut en proie à une vision tout autre : le souvenir de la jeune femme lui revint, elle était assise en face de lui au bar du Grand Auditorium, les yeux baissés sur sa coupe de clair liquide effervescent, et disait : « J'adôoore le champagne… j'adore regarder les bulles danser dans la coupe », les yeux pétillants, les joues creusées par deux fossettes. Pas étonnant qu'Andrey se soit laissé distraire. Pas étonnant qu'il n'ait rien vu venir.

« Mais je ne comprends toujours pas, dit-il en déglutissant avec effort, comment j'intervenais là-dedans. Vous m'avez raconté toutes sortes de craques, dans cette maison, et moi, sur la foi de ces informations, de ces informations bidons, je me suis conduit comme un imbécile… je ne vois vraiment pas en quoi j'ai pu vous être utile.

— Cher ami, dit Wayne, vous vous sous-estimez.

— Votre rôle a été tout à fait crucial.

— En quoi ?

— Eh bien, parce qu'il est venu un moment, au cours de cette opération, où nous avons cru aller dans le mur. Les Russes avaient de sérieux doutes quant à la couverture de Miss Parker ; Chersky commençait à la connaître un peu trop bien, et à se demander si elle était vraiment la jeune actrice naïve qu'on voulait lui faire croire, ou d'ailleurs la fille du célèbre professeur Parker, du Wisconsin. Ces gens-là ne croient jamais ce qu'on leur dit, ça tient à leur caractère.

— Ils n'ont pas forcément tort, quand on y réfléchit.

— Si bien que les Américains ont compris qu'ils devaient faire quelque chose pour le convaincre, pour le reconvaincre, en somme.

— Et c'est alors que nous leur avons proposé de vous faire entrer dans la danse.

— De me faire entrer dans la danse, moi ?

— Oui, pour emmener Miss Hoskens dîner, au restaurant du Pavillon tchèque, et pour lui dire très précisément ce que nous voulions que vous lui disiez.

— Et précisément ce que nous voulions que Chersky entende.

— À savoir qu'Emily Parker était en train de tomber amoureuse de lui. »

Le regard de Thomas passa de Radford à Wayne, et de Wayne à Radford, et le déclic se fit enfin.

« Au restaurant, ce salon particulier... il était sur écoutes ?

— Naturellement.

— Et vous le saviez ?

— Naturellement.

— Donc vous saviez que tout ce que j'y dirais...

— Reviendrait aussitôt aux oreilles des Russes.

— Et à celles de Chersky en particulier.

— Qui en était le vrai destinataire, dans notre esprit.

— Simple, dit Radford, mains écartées.

— Simple comme bonjour, conclut Wayne dans un haussement d'épaules.

— Et c'était tout ? C'était tout ce que vous attendiez de moi ? »

Ils eurent la même mimique d'acquiescement. Et, pour la dernière fois, une autre phrase énigmatique d'Emily lui revint. Elle l'avait prononcée quand ils s'étaient dit au revoir, après le concert, sur les rives du lac, dans le parc d'Osseghem : « Vous avez déjà fait votre devoir », puis, comme le mot le faisait tiquer : « Vous pouvez considérer votre mission comme accomplie. »

Son regard se perdit longuement par la fenêtre. Ils traversaient le Buckinghamshire, province anodine entre toutes, mais pour banal qu'il était, ce paysage lui-même lui plaisait à l'œil, en cette période de l'année, sous un soleil de fin d'après-midi. Il aurait voulu courir ces champs, sentir sous ses pas l'élasticité humide du sol, respirer l'air pur, au lieu de cette infecte fumée de cigarette. Il aurait donné n'importe quoi pour s'éclaircir les idées, pour se donner le temps, se ménager la place de réfléchir à tout ce qui venait de lui être dit.

« Quoi qu'il en soit, reprit Radford en rompant enfin ce silence lourd, nous vous serons éternellement reconnaissants de votre aide.

— Comme je vous l'ai dit, nous n'aurions pas réussi sans vous.

— C'est pourquoi nous avons décidé de vous rendre un petit service en retour.

— Quel petit service ? » demanda Thomas, dont le regard quitta la fenêtre, les prunelles rétrécies par la suspicion.

Wayne toussota : « Disons que vous n'avez pas eu grand mal à obtenir votre nouveau poste, n'est-ce pas ?

— Il vous a suffi de pousser la porte, si j'ai bien compris. »

Thomas ne répondit pas. Son silence parut les désarçonner.

« C'était la moindre des choses, vraiment, ajouta Wayne.

— Simple petit gage d'estime », dit Radford.

Thomas regarda au loin de nouveau. « Je vois, dit-il, la voix blanche d'ironie. Et bien sûr vous n'attendez rien en retour, c'est là l'effet de votre pure bonté d'âme.

— Hmm, toussota de nouveau Wayne, l'effet de notre bonté d'âme peut-être, mais pas tout à fait pure.

— Tout a un prix, de nos jours, vous savez.

— On n'a rien pour rien.

— Alors qu'est-ce que vous cherchez ? leur lança-t-il sur un ton accusateur.

— Allons, allons, pas de panique.

— Aucune raison de vous mettre sens dessus dessous.

— Nous sommes des hommes raisonnables, tout de même.

— Vous n'avez pas affaire à des monstres, que diable !

— En fait, c'est très simple. La société qui vous engage travaille beaucoup avec l'étranger. Parfois avec le bloc soviétique. La Pologne, la Hongrie, la Tchécoslovaquie en particulier. Parfois des membres de la direction s'y rendent.

— En délégation commerciale.

— Et nous pensons qu'il y a des chances que vous soyez de la partie.

— Si bien qu'une fois sur place…

— Vous pourrez peut-être nous rendre de menus services.

— Nous assurer un peu de transmission.

— Des boulots de routine, qui requièrent des types fiables, comme vous.

— Voyez-vous, Mr Foley, vous avez du style, et il nous plaît.

— Nous apprécions votre manière.

— Nous avons le sentiment que nous pouvons vous faire confiance.

— Et c'est assez rare, dans notre métier, permettez-moi de vous le dire. »

Thomas leur opposa une résistance souriante et fit non de la tête. « Eh bien, pardonnez-moi de vous décevoir, messieurs, mais la "transmission", c'est fini, et les boulots de routine aussi. Une fois m'a largement suffi. Si vous avez contribué à ce que j'obtienne ce poste, je vous en remercie du fond du cœur, mais je vais vous prier de me ficher la paix, et de me laisser vivre ma vie. » Il finit son whisky, posa le verre sur la table et fit mine de se lever. « Je pense avoir été assez clair. »

Pour la troisième fois en quelques minutes, Wayne toussota et tendit la main vers une serviette placée sous la table. Pendant ce temps, Radford avait posé la sienne sur le bras de Thomas pour le retenir.

« Minute, cher ami, avant de faire un geste inconsidéré. »

À regret, Thomas se rassit. Il essayait de voir ce que Wayne tirait de sa serviette, apparemment il s'agissait d'une série de clichés en noir et blanc, une douzaine à peu près, mais c'était difficile à dire parce que, au lieu de les étaler sur la table, il les déploya en éventail, dos à Thomas, puis les serra jalousement contre sa poitrine comme le bridgeur qui vient de toucher une main en or.

« Voyez-vous, Foley, il nous déplaît d'en arriver là.

— Mais, hélas, vous ne nous donnez pas le choix.

— La nuit où Miss Parker a servi sa patrie en éliminant la menace que représentait Chersky…

— Vous aviez apparemment des préoccupations d'une tout autre nature.

— Un rendez-vous galant avec Miss Hoskens, je crois…

— Que vous avez ramenée au Motel Expo.

— Où, par une coïncidence extraordinaire, notre collègue Wilkins…

— Vous vous en souvenez, de Wilkins ?

— … rôdait avec son appareil photo.

— Il a un côté électron libre, ce Wilkins…

— C'est le genre loup solitaire…

— N'empêche qu'il fait de bonnes photos.

— Fichtre, Radford, regardez-moi un peu celle-ci.
— Bon Dieu, elle est sacrément explicite.
— Celle-ci aussi. »

Ils eurent un petit rire.

« Je dois dire que vous êtes un garçon inventif, dans ce domaine, Foley.
— Avec une partenaire virtuose, j'ajouterais.
— Faites quand même attention, avec ces acrobaties.
— Vous risquez de vous bloquer le dos…
— Seigneur, qu'est-ce que c'est que ça ?
— Quoi, ça ?
— Là. »

Wayne désignait un détail, sur la photo, que Radford scruta, paupières plissées.

« C'est Wilkins, je pense. Il a laissé son pouce sur l'objectif.
— Aaah, bon ! » Wayne reposa le cliché face contre la table et conclut : « Bon, enfin, ça vous donne une idée. Ce serait un drame si votre femme venait à voir ces photos. Un drame terrible. Votre couple risquerait fort de ne pas y résister.
— Certes, un puritain pourrait faire valoir qu'il fallait y penser avant de se lancer dans ces… frasques. »

Wayne remit toutes les photos dans sa sacoche à l'exception d'une seule, et ils se calèrent dans leur siège l'un comme l'autre, bras croisés, sourire aux lèvres, un sourire d'une bonhomie exaspérante.

« Au fait, dit Radford en glissant à Thomas la photo qui restait, nous nous sommes dit que vous voudriez peut-être conserver celle-ci. En souvenir. »

Thomas prit le cliché et le retourna lentement. Ce devait être le dernier de la série. On y voyait Anneke seule, au moment où lui-même devait être dans la salle de bains.

Wilkins l'avait sans doute pris perché au bord de la fenêtre, juste avant de dégringoler du toit en réveillant la jeune femme au bruit de sa chute.

Il la regarda longuement. Dieu, qu'elle était belle dans cet abandon : plongée dans un sommeil profond, confiant ; nue, étrangère à la nasse de traîtrise et de mensonge qui se tissait autour d'elle. Dire qu'il l'avait laissé — fût-ce à son insu — manipuler de la sorte ! Il en avait le cœur brisé, tout comme de penser qu'il ne la reverrait jamais, que la nuit qu'ils avaient passée ensemble s'enfonçait de plus en plus vite dans les ombres traîtresses de la mémoire, et ne se revivrait jamais.

Le passé, c'est le passé.

Pendant qu'il contemplait la photo, Wayne et Radford, hommes de tact, échangèrent un regard, un signe d'assentiment ; ils se levèrent et se retirèrent sur la pointe des pieds. Lorsqu'il frotta ses yeux embués pour regarder autour de lui, ils avaient disparu.

Bien plus tard, des années plus tard, il se prendrait à se demander pourquoi il avait accepté leurs termes, pourquoi il s'était laissé réduire si facilement. Il aurait été plus simple, plus rapide et plus net de les envoyer se faire foutre. Son couple valait-il la peine d'être sauvé à ce prix exorbitant ? Car ce qui le mystifiait le plus dans ses aventures à l'Expo 58, ce n'était pas finalement l'imbroglio dans lequel il avait été impliqué, mais la preuve qui avait été faite de sa fidélité chancelante à Sylvia. Avec l'âge, il était de plus en plus convaincu qu'il lui avait causé un tort cruel, non pas en l'épousant, mais en restant marié avec elle. C'était le plus regrettable, au fond : de l'avoir condamnée, par cette vacillation, à une vie d'inquiétude.

HOLLAHI, HOLLAHO

Le dimanche 19 octobre 1958, la Foire internationale de Bruxelles prenait fin. Il y eut un feu d'artifice de clôture à dix heures et demie du soir, et les portes furent fermées au public pour la dernière fois à deux heures du matin. À partir du lundi, seules les personnes munies d'un laissez-passer officiel eurent accès au site, et les camions, tracteurs et véhicules d'enlèvement entreprirent le long démantèlement des divers édifices qui furent dispersés dans toute la Belgique, et au-delà, dans toute l'Europe. Certains furent transformés en écoles, d'autres en logements provisoires — lesquels devinrent définitifs. Le restaurant Praha, du Pavillon tchèque, fut démonté pièce par pièce et remonté à Prague, au parc Letná, où il garda d'abord sa vocation de restaurant, pour héberger des bureaux ensuite. De rares constructions demeurèrent sur le site du Heysel, dont l'Atomium qui resta ouvert au public mais tomba en décrépitude avec les années, faute d'entretien.

Le lundi 20 octobre 1958, Thomas remit sa démission au Bureau central de l'Information.

Le lundi 1er décembre 1958, il prit son poste de directeur des relations publiques chez Phocas Industries Ltd, à

Solihull, dans le Warwickshire. Peu avant Noël, cette année-là, il emménagea avec Sylvia et Gill dans Monument Lane, aux environs de Birmingham, sur les pentes des Lickey Hills.

En mai 1959, Sylvia donna naissance à un fils, David James Foley, qui reçut les prénoms de ses deux grands-pères.

Le 30 juin 1960, moins de deux ans après la fermeture de l'Expo 58, le Congo belge obtenait son indépendance. Il est aujourd'hui connu sous le nom de République démocratique du Congo.

Le lundi 26 mars 1962, un nouveau Britannia ouvrait ses portes à Douvres, dans le Kent, sur l'emplacement d'une ancienne *wine lodge,* au 41 Townwall Street. Selon l'*East Kent Mercury* daté du 23 mars 1962, il était construit à l'identique de son célèbre prédécesseur conçu tout spécialement pour la Foire de Bruxelles, quatre ans plus tôt. Sa décoration comportait diverses pièces d'exposition du Britannia original, achetées deux ou trois ans auparavant lors d'une vente aux enchères, à Birmingham, l'une des plus frappantes étant le modèle réduit d'un aéroplane Britannia, de la BOAC. C'était le second pub d'Angleterre à servir la bière brune éponyme, telle qu'elle avait été créée par les brasseries Whitbread pour la Foire.

En 1963, Thomas se rendit à Bratislava, en Tchécoslovaquie, avec une délégation commerciale pour les industries Phocas. Ce fut le premier des voyages qu'il effectua dans les pays du bloc soviétique au cours des années soixante et jusqu'au début des années soixante-dix.

Le 13 janvier 1967, on pouvait lire dans le *Kent Mercury* que Le Britannia de Douvres était devenu « l'un des pubs les plus célèbres du globe ». Des milliers de touristes y affluaient tous les ans pour admirer sa collection unique de marines et de modèles réduits.

En octobre 1970, Mr Edward Perry en assurait la direction à la suite de son père. Cinq ans plus tard, son propre fils reprenait l'établissement. En 1980, le *Dover Express* notait que Townwall Street, avec ses deux voies séparées par un terre-plein central, était désormais six fois plus large qu'à l'origine.

Le vendredi 4 mai 1979, Margaret Thatcher devenait la première femme Premier ministre du Royaume-Uni.

En 1983, Gill, la fille de Thomas et Sylvia, se maria à l'âge de vingt-six ans. Elle eut deux filles, Catharine, née en 1984, et Elizabeth, née en 1987.

Le jeudi 9 novembre 1989, le gouvernement de l'Allemagne de l'Est annonçait que tous les citoyens de la RDA pouvaient désormais se rendre en Allemagne de l'Ouest, ainsi qu'à Berlin-Ouest. Des foules franchirent le Mur de Berlin, qui fut débité en morceaux au cours des semaines suivantes, et abattu en 1990 pour récupérer des matériaux utiles à l'industrie.

En 1996, David Foley et sa femme, Jennifer (originaire de Melbourne, Australie), eurent une fille unique, qu'ils prénommèrent Amy.

Vers la fin des années quatre-vingt-dix, l'Atomium se dressait toujours sur le site du Heysel, à la périphérie de Bruxelles, mais le guide officiel dénonçait son état pitoyable dû au manque d'entretien.

Le mardi 15 mai 2001, Sylvia Foley mourut à l'âge de soixante-dix-sept ans des suites d'une attaque.

Le vendredi 3 octobre 2003, la nouvelle direction du Britannia de Douvres donnait sa soirée d'ouverture. On inaugurait ainsi le restaurant et le bar familial. La nouvelle gérante avait en effet décidé que le pub accueillerait désormais les enfants, qui constituaient « un atout supplémentaire pour l'ambiance ».

En octobre 2004, l'Atomium était fermé au public pour la première fois en quarante-six ans ; les travaux de restauration devaient durer deux ans, le gros de l'entreprise consistant à remplacer le revêtement d'aluminium des sphères, désormais terni, par de l'acier inoxydable. Il rouvrit le 18 février 2006, avec de nouvelles prestations, dont des espaces d'exposition, un restaurant remis à neuf et un dortoir futuriste pour les enfants des écoles.

Le 17 novembre 2005, la gérante du Britannia de Douvres annonçait son intention de donner des soirées de *pole dance* à fréquence régulière à partir du nouvel an. Le spectacle n'aurait rien de crapuleux, précisait-elle en expliquant à la presse que ceux qui ne voulaient pas voir la danse exotique s'installer à Douvres feraient bien de se réveiller, car elle se pratiquait dans toute l'Europe. « On ne pourra pas me taxer de sexisme, ajoutait-elle, j'ai embauché autant de danseurs que de danseuses. » Le *Dover Express* fit une enquête auprès des habitués du pub, et la majorité d'entre eux déclara n'y voir aucune objection. Néanmoins, un citadin âgé de cinquante-trois ans, percevant là un signe de décadence, protesta : « Où se croit-on, en Thaïlande ? Il est loin le temps où cette ville était respectable… »

Au printemps 2006, Thomas emménagea à contrecœur dans une annexe de la maison de sa fille, Gill, dans l'Oxfordshire.

Le dimanche 8 octobre 2006, Rosamond, la sœur cadette de Sylvia, mourut seule dans sa maison du Shropshire, à l'âge de soixante-treize ans ; le médecin légiste attribua son décès à un arrêt cardiaque.

Le jeudi 30 novembre 2006, Le Britannia de Douvres obtenait l'autorisation d'ouvrir vingt-quatre heures sur vingt-quatre.

En 2008, des festivités se déroulèrent dans tout Bruxelles pour célébrer le cinquantième anniversaire de l'Expo 58. Ainsi, deux cent soixante-quinze citoyens belges nés entre le 17 avril et le 19 octobre 1958 furent invités à une réception à l'Atomium ; on édita une série de timbres commémoratifs ; il y eut de nombreuses expositions et projections de films dans un nouveau bâtiment baptisé Pavillon du Bonheur provisoire.

En 2008, toujours, Le Britannia fermait définitivement ses portes. Les locaux furent rachetés par la ville, et désaffectés pendant trois ans. Le 11 avril, ils furent finalement démolis. À ce jour, le terrain demeure inoccupé.

Le mercredi 4 novembre 2009, Thomas Foley, alors âgé de quatre-vingt-quatre ans, fut tiré du sommeil à six heures et demie par son radio-réveil branché sur l'émission *Today*, de Radio Four. Il se dressa dans son lit aussitôt, sachant qu'il avait quelque chose d'important à faire ce jour-là, mais incapable de se rappeler quoi sur le moment.

Puis il lui revint qu'il se rendait à Londres. Il prendrait le métro de Paddington à King's Cross, où il monterait dans l'Eurostar pour Bruxelles. Il y arriverait en milieu d'après-midi. Après être passé à son hôtel, le Marriott, sur Auguste Ortsstraat, il irait à pied à la gare Centrale, où il prendrait cette fois un train pour Anvers-Berchem, puis un taxi jusqu'à Kontich, où il avait rendez-vous pour dîner.

Programme chargé, donc. Mais il se réjouissait de faire

quelque chose, pour changer. Il était trop enclin à l'oisiveté, ces derniers temps.

Gill le conduisit à la gare, et resta avec lui jusqu'à l'arrivée de son train pour Londres.

« Tu feras bien attention, hein, papa ? lui dit-elle. Tu n'es plus tout jeune, tu sais. C'est rare, les gens de ton âge qui voyagent seuls.

— Est-ce que j'ai l'air d'un invalide ? » lui répondit-il.

Mais elle avait raison. Il y avait du brouillard, à Bruxelles, les rues étaient mouillées et glissantes. Sur le chemin de la gare Centrale, dans Infante Isabellastraat, il fit une chute. Par chance, il s'en tira avec une écorchure au coude, et il se trouva deux jeunes femmes à proximité — deux touristes américaines, en l'occurrence — pour l'aider à se relever. Tout de même, il y vit un avertissement. Il se faisait très vieux, en effet. Trop vieux peut-être pour voyager seul.

Pourquoi avait-elle choisi Anvers, bon sang ! Et surtout, pourquoi ce faubourg d'Anvers sans charme. Elle habitait toujours Londerzeel, il le savait, alors pourquoi ne pas dîner à l'Atomium ? Ç'aurait été beaucoup plus proche pour lui comme pour elle, et puis le lieu s'imposait pour des retrouvailles sentimentales. Il n'avait pas revu l'Atomium depuis sa restauration, et voilà qu'il lui faudrait y retourner tout exprès le lendemain matin, avant de rentrer à Londres.

Et puis, un restaurant chinois, par-dessus le marché... Venir en Belgique pour manger chinois ?

Le crépuscule descendait lorsqu'il arrêta un taxi, qui enfila Koningin Astridlaan. Il était cinq heures et demie, la circulation était chargée. Très tôt pour dîner ; mais là encore, c'était elle qui en avait décidé ainsi ; les vieux sont attachés à leurs habitudes, la sienne étant sans aucun doute de dîner de bonne heure. N'empêche, ce rata chinois était bien la dernière chose dont il avait envie pour l'instant.

Le chauffeur de taxi vasouillait ; peut-être même qu'il était perdu. Il consultait fébrilement son GPS et il avait parcouru la portion de rue deux ou trois fois dans les deux sens. Thomas frissonnait sur la banquette arrière ; il dégagea un rond dans la buée des vitres pour regarder le soir bleu-noir, ponctué à intervalles réguliers par des lampadaires, cigares ambrés dans leur auréole de brume. Le brouillard s'épaississait. Enfin, le chauffeur lâcha une volée de gros mots en flamand (c'est du moins ce que conjectura Thomas) et il fit une embardée à gauche. Ils venaient d'entrer dans la cour d'un immeuble où des voitures, une demi-douzaine peut-être, étaient en stationnement. Thomas réussit à s'extraire et donna trente-cinq euros au taxi, somme qui comprenait un pourboire généreux pour se faire pardonner de l'avoir entraîné dans ce coin reculé du monde.

Il resta planté dans la cour, indécis, considérant l'imposant bâtiment de bois qui lui faisait face et qui se nommait le Peking Wok. Fallait-il qu'il entre, et l'attende à l'intérieur ? Il avait quelques minutes d'avance, il serait bien avisé de boire un verre avant de la revoir, ça le calmerait…

Mais la suite le dispensa d'en décider. L'une des voitures garées devant lui émit des appels de phares sans équivoque, le renvoyant ainsi près d'un demi-siècle en arrière, à ce soir de l'été 1958 dans la rue qui bordait le parc Josaphat, où ce crétin de Wilkins l'avait entraîné manu militari vers une ridicule Coccinelle Volkswagen où le chauffeur les attendait avec le même signal… La sensation de déjà-vu, l'irréalité de l'instant lui portaient au cerveau, il était paralysé, cloué au sol lorsque la portière de la voiture s'ouvrit et qu'une femme en sortit, ferma son véhicule et s'avança vers lui. C'était bien elle, pas d'erreur, elle n'avait pratiquement pas changé en tant d'années. Clara.

Ils s'embrassèrent sur les joues, trois fois, à la mode belge et s'étreignirent comme deux vieux amis. Emmitouflés qu'ils étaient dans leurs gros manteaux, leur contact corporel fut minimal. Clara le serra un peu plus longtemps et, quand elle s'écarta, désigna du geste le grand bâtiment sombre et rébarbatif qui, à vingt mètres d'eux, se perdait déjà sous le linceul du brouillard.

« Alors, qu'est-ce que vous en dites ? »

Justement, il ne savait que dire. L'endroit semblait avoir pour elle une résonance qui lui échappait.

« Vous ne le reconnaissez pas ? Vous y êtes déjà venu, pourtant.

— Moi ?

— Oui. » Elle le regarda avec ce sourire, ce sourire un peu trop implorant, un peu trop en demande, qu'il se rappelait si bien et elle ajouta : « Vous ne lui trouvez pas un petit air… bavarois ? »

La mémoire lui revint lentement, et alors les vastes angles ouverts du toit, le balcon qui parcourait la longueur du premier étage, la lourdeur teutonne sympathique de l'architecture revêtirent une familiarité stupéfiante — malgré le mot WOK qui s'étalait sur le faîte en lettres gigantesques imitant des caractères chinois.

« Mon Dieu, s'écria-t-il, c'est l'Oberbayern !

— Bien sûr ! répondit Clara, les yeux brillant de plaisir à l'idée de l'avoir surpris. Après l'Expo, ils l'ont fait venir ici corps et biens, et il n'a plus bougé. Il a connu des vocations successives. Celle-ci n'est que la dernière en date. On entre ? »

Les éclairages étaient discrets, mais on y voyait assez pour constater que l'intérieur n'offrait que peu de ressemblance avec l'espace où, cinquante et un ans plus tôt, Clara, Tony, Anneke et lui-même s'étaient installés aux tables sur tréteaux avec la foule ; où ils avaient descendu de la bière allemande dans des chopes d'un litre, porté un toast à la bonne humeur et aux bons moments tandis que l'orchestre leur martelait un pot-pourri de chansons à boire. À présent, il y avait surtout des tables pour quatre, le décor était impeccable, géométrique, plafond bas, jungle de plantes vertes sur des étagères, dans des niches, et buffet à volonté sur la longueur d'un mur. Ils s'assirent à proximité et retirèrent leurs manteaux.

« Ça me fait plaisir de vous voir, Thomas, dit Clara lorsqu'ils furent installés.

— À moi aussi ça me fait plaisir. »

Elle lui avait envoyé un courriel quelques mois plus tôt, ayant aisément retrouvé sa trace à l'aide d'un moteur de recherche. La raison de sa démarche était simple, et elle n'en avait pas fait mystère, ce qui lui ressemblait : elle voulait savoir s'il était resté en contact avec Tony Buttress. Savait-il ce qu'il était devenu ? Thomas avait répondu qu'il n'était pas resté proche de lui après l'Expo, mais qu'ils avaient échangé des cartes de vœux jusqu'en 1998. Car cette année-là, celle qu'il avait reçue portait la seule signature de sa femme, et contenait un billet annonçant qu'il était mort à l'automne d'un cancer du poumon diagnostiqué quelques mois plus tôt seulement. « C'est triste, avait répondu Clara par retour, j'ai perdu mon mari l'an dernier. J'avoue que j'espérais que votre ami était toujours vivant, veuf peut-être. J'aimais bien mon mari, mais je n'ai jamais oublié Tony, jamais. J'aurais eu plaisir à passer mes dernières années avec lui. » Jusque-là, il n'avait pas été question d'Anneke. Mais Thomas était impatient d'en avoir des nouvelles. Dans le courriel suivant, il avait demandé à Clara si elle savait où elle était. « Hélas, elle nous a quittés, elle aussi. Il y a cinq ans. Je pourrais vous en dire davantage, mais ce serait plus facile de vive voix. Est-ce qu'il vous arrive de venir en Belgique ? C'est si commode, maintenant, par le train. »

Tel avait été l'hameçon dont elle s'était servie pour l'attirer jusqu'à elle. En savoir davantage sur Anneke. Mais elle ne semblait guère pressée de lui en parler, ce soir-là, et en attendant il devait reconnaître qu'il avait plaisir à la revoir, à se baigner un moment dans le bassin de leurs souvenirs communs. Clara devait avoir un peu passé soixante-dix ans, aujourd'hui, mais elle les portait allègrement. Certes, même à vingt ans, elle n'avait rien de particulièrement juvénile, elle était comme sans âge, curieusement — handicap à l'époque, avantage aujourd'hui. Ses courts cheveux bruns tirant sur le roux offraient le même aspect, coupe et couleur ; elle avait conservé sa silhouette robuste et massive ; ses quelques rides se plaçaient bien au coin de ses yeux bruns qui ne cillaient pas. Thomas éprouvait de la sympathie pour elle ; il se sentait à l'aise avec elle, ce qui n'avait jamais vraiment été le cas, s'il fallait être honnête, en 1958.

« Ce soir-là, vous savez, le soir où nous sommes venus ici — elle désignait le restaurant d'un geste circulaire —, il a tellement compté, pour moi. Je savais que vous ne pouviez pas comprendre à l'époque, ni les uns ni les autres, alors je n'ai même pas essayé d'en parler. Mais il faut que vous imaginiez ce que nous avons vécu, ma famille et moi, après-guerre. Nous habitions Lontzen, dans les cantons de l'est de la Belgique. C'est une région tiraillée par l'histoire. Jusqu'à la fin de la Première Guerre mondiale, elle faisait partie de l'Allemagne. Alors, en 1940, les Allemands l'ont reprise. Les gens qui vivaient là avaient des sentiments ambivalents. Certains se sentaient plus allemands que belges. En 1945, à la fin de la Seconde Guerre mondiale, on les a souvent accusés d'avoir collaboré avec les nazis, ce qui était vrai pour certains, naturellement, mais pas pour la majorité. N'empêche qu'on nous a fait honte de notre langue, honte de notre culture. Il y a eu un mouvement pour nous dégermaniser. Pour ma famille, ça a été encore pire quand nous sommes venus nous installer à Londerzeel. Dans les Flandres, il y avait beaucoup de gens qui nous détestaient. Ils nous ont ostracisés. Pour eux, nous étions l'ennemi. Alors ce soir-là, à l'Oberbayern, quand j'ai vu tous ces gens rassemblés, de tous ces pays, qui faisaient la fête, qui étaient si heureux ensemble, à chanter des chansons allemandes, à manger de la cuisine allemande… j'ai eu l'impression que le cauchemar était fini. J'ai eu l'impression d'être de nouveau acceptée. Ça a été une des soirées les plus heureuses de ma vie. »

Le temps que Clara lui fasse ces confidences, leurs assiettes étaient vides et eux rassasiés. En lui versant le fond de la bouteille de riesling il lui demanda : « Vous vous rappelez l'autre sortie, la fois où vous étiez venue de Bruxelles à bicyclette pour pique-niquer avec nous sur les berges de la rivière, près de Louvain ? »

Elle éclata de rire. « Comment est-ce que je pourrais l'oublier ? J'étais venue avec Anneke et Federico.

— C'est ça, j'avais oublié son nom. Je me demande ce qu'il est devenu.

— Elle l'a épousé, voyons. »

Il n'y avait aucune raison, aucune raison raisonnable que ces mots lui portent un coup aussi rude. Pourtant, à l'instant même où Clara les prononçait, il se sentit accablé par un marasme sourd, telle une masse cancéreuse qui gagne du terrain. Le poids de cette tristesse le terrassait. Elle venait du fond de son être, il la sentait remonter lentement dans ses tripes.

« C'est vrai ? Elle s'est mariée avec lui ?

— Oui. Avant la fin de l'Expo ils étaient fiancés. Quelques mois plus tard, elle avait déjà quitté la Belgique. Elle est partie vivre avec lui à Bologne.

— Moi qui croyais... qui croyais qu'elle ne parlait même pas italien.

— Elle n'a pas mis longtemps à apprendre.

— Qu'est-ce qu'elle a fait, là-bas ?

— Ils ont eu deux enfants. Une fille, Delfina, et puis un garçon, j'ai oublié son nom. Elle a longtemps travaillé dans une boutique, je crois. Elle a trimé comme une brute. Federico était un brave type, mais feignant. Il avait toujours mal quelque part et il se mettait en congé pour un oui pour un non. Et puis il a fini par s'arrêter complètement alors qu'il était encore tout jeune. Il s'est passionné pour ce jeu, ce jeu italien, comment ça s'appelle, déjà, le *bocce*. Il est devenu très fort. Il passait le plus clair de son temps à y jouer avec des amis. Il faisait des tournois, il se déplaçait dans toute l'Italie pendant qu'Anneke restait à Bologne. Entre les gosses et la boutique, elle n'a pas eu la vie facile, je crois. Bref, c'est à peu près tout ce que je sais. Nous nous sommes perdues de vue il y a bien longtemps, dans les années soixante, je dirais. J'ai une photo d'elle qui date de cette époque, tout de même, c'est elle qui me l'a envoyée. Tenez. »

Elle lui tendit un tirage carré d'à peu près 10 × 10, aux couleurs passées. Il représentait Anneke assise à une table, dans une maison, la sienne sans doute, avec une jolie petite brunette de sept ou huit ans sur les genoux. Thomas prit le cliché entre le pouce et l'index et l'examina intensément. Il n'avait jamais vu qu'une seule autre photo d'Anneke, fort différente, qu'il rangeait dans un tiroir fermé à clef, et qu'il ne s'était d'ailleurs autorisé à regarder que rarement au fil des décennies. La voir dans ce rôle entièrement différent, si maternelle, si heureuse (il fallait l'admettre) le désorientait. « Je peux vous en faire faire un tirage, si vous voulez », dit Clara.

Thomas acquiesça et, de très mauvais gré, il en avait conscience, lui rendit la photo après y avoir jeté un dernier coup d'œil prolongé. Puis il se tut. Il était difficile de savoir si Clara se rendait compte à quel point les nouvelles qu'elle venait de lui donner l'affectaient. Il entendit encore une note d'enjouement caractérisé — voire outré — dans sa voix lorsqu'elle ajouta : « Il y avait une autre femme, à ce pique-nique — Emily, l'Américaine —, vous devez vous en souvenir.

— Oh oui !

— Ça m'aurait étonnée. Ce que je me rappelle le mieux de cette journée, c'est que je m'y suis sentie… invisible. Emily et Anneke étaient si belles, et vous trois, vous les trois hommes, vous ne m'avez pas accordé un regard. » Elle parlait d'une voix tranquille, presque guillerette. « Oh, certes, j'avais l'habitude. Mais d'un autre côté, on ne s'habitue jamais. Ça fait toujours mal. De savoir qu'on a un physique quelconque dans un monde obsédé par la beauté. » Elle but une longue gorgée de son vin. « Et alors, vous êtes resté en contact avec Emily? Vous savez ce qu'elle est devenue?

— Non, dit Thomas — les mots sortaient avec difficulté de sa bouche. Non. Elle a disparu. Elle s'est volatilisée.

— Eh oui… c'était comme ça, pendant ces six mois. Les gens passaient, ils ne faisaient que passer. »

La légèreté de leur humeur première était perdue. Il était à peine plus de huit heures lorsqu'elle regarda sa montre et annonça qu'il était temps d'y aller. « Je voudrais être rentrée avant neuf heures, expliqua-t-elle. J'appartiens à un club. On joue aux cartes. Au bridge. Rien d'extraordinaire, mais je n'aime pas rater une soirée. Il y a toujours quelques messieurs, alors — bien sûr je les connais, pour la plupart, mais quand même, on ne sait jamais. Un jour peut-être… »

Thomas tint à régler l'addition. Une fois dans la cour, sous la faible lumière jaune qui venait des fenêtres du restaurant, il la remercia de l'avoir attiré là; et il était sincère. Il avait eu plaisir à revoir l'endroit, vestige qui lui rappelait un instant unique dans leur vie; un instant en suspens à l'orée de l'avenir, où l'on avait laissé derrière soi les conflits du passé, où tout était possible.

« Oui, dit-elle, on n'oubliera jamais l'Expo 58. En Belgique en tout cas. »

Ils accomplirent de nouveau le rite : trois baisers sur les joues, une accolade amicale, et puis Clara allait monter dans sa voiture quand elle se retourna et lui dit : « J'ai perdu contact avec Anneke, mais j'ai revu Federico.

— Ah bon? Quand ça?

— Il est venu à Bruxelles l'an dernier, à l'occasion du

cinquantenaire. Il y a eu une soirée pour les gens qui avaient travaillé sur le site de l'Exposition, des gens de tous les pays. Vous n'avez pas été invité ? »

Thomas fit non de la tête. « Ça fait bien des années que je suis sorti de la liste du BCI.

— Ah ! Eh bien voilà, Federico est venu. Nous avons même longuement parlé, tous les deux. Et il m'a dit quelque chose de très curieux. » Elle marqua un temps, et Thomas vit son visage s'éclairer d'un léger sourire : le sourire un peu réfrigérant qu'elle lui réservait lorsqu'elle se préparait à lui asséner une surprise. « Si j'ai bien compris, leur fille Delfina est née en mai, l'année qui a suivi la Foire. Ce qui le laissait très perplexe. Il trouvait que ça faisait tôt, et même beaucoup trop tôt. Du coup, il avait toujours cru qu'il pourrait bien ne pas être son père. » Elle évita le regard de Thomas et entreprit de boutonner son manteau. « Mais c'était un brave type. Il n'a jamais fait de différence entre ses deux enfants. Elle doit avoir dans les cinquante ans, à présent, la fille en question. Elle est du même âge que votre fils, David. » Elle leva les yeux vers lui, attendant qu'il parle. Elle attendit, attendit, mais il ne réagit pas. Si bien qu'elle finit par répéter : « Je vais vous faire tirer un exemplaire de la photo, comme promis.

— Merci, dit enfin Thomas, la gorge plus serrée et plus sèche que jamais. Ça me fera plaisir.

— Et puis, la prochaine fois que vous venez en Belgique, ajouta-t-elle gaiement, venez en été, nous irons à Wijgmaal, pique-niquer tous les deux.

— Oui, répondit-il, oui, ce serait sympathique.

— Je peux vous déposer quelque part ?

— Non, merci, j'ai envie de marcher, je crois. »

Clara acquiesça, et elle se dirigea de nouveau vers sa voiture. Thomas l'entendit chanter à mi-voix. Un air qu'il n'avait pas entendu depuis cinquante ans.

Laß sie reden, schweig fein still
Hollahi hollaho
Kann ja lieben wen ich will
Hollahi aho

Elle monta dans sa voiture, mit le contact, et alluma les phares. C'était un modèle hybride, au moteur quasi silencieux. La vitre s'ouvrit d'un mouvement lisse ; Clara lui sourit et lui fit un signe de la main, pour la dernière fois. Tandis que la voiture s'engageait dans le flot de la circulation, il entendit de nouveau ses mots, et la mélodie dansante.

Laß sie reden, schweig fein still
Hollahi hollaho
Kann ja lieben wen ich will
Hollahi aho

Mais, à présent, il n'était plus très sûr que c'était Clara qui chantait. Il se demandait si la chanson lui parvenait depuis la fenêtre de la voiture, dans l'humidité de l'hiver, ou si ce n'était qu'un écho venu du fond des années qui rebondissait dans sa tête. Réalité, imagination, mémoire… ces temps-ci, il avait parfois du mal à les distinguer.

REMERCIEMENTS

Ma première dette, je l'ai contractée envers Ann Rootveld de la radio belge Numéro 1, qui a eu l'idée de m'interviewer sur les lieux de l'Atomium en septembre 2010, faisant ainsi jaillir l'étincelle de ma fascination à l'égard de cette construction extraordinaire, puis bientôt de toute l'histoire de l'Expo 58.

Lucas Vanclooster a répondu à toutes mes questions sur le sujet avec une promptitude et une exhaustivité allant bien au-delà du simple devoir. J'ai trouvé en Annelies Beck une source permanente d'informations, de conseils et de traductions du flamand. Ils ont tous deux lu mon manuscrit avec beaucoup d'attention et leurs commentaires m'ont été précieux.

Comme en de précédentes occasions, il m'a été possible d'écrire ce roman lors de plusieurs séjours à la Villa Hellebosch, fondée par le gouvernement flamand dans le cadre du programme Résidences en Flandre, administré par Het Beschrijf à Bruxelles. J'aimerais exprimer ma reconnaissance personnelle à Alexandra Cool et Paul Buekenhout ; à Ilke Froyen et Sigrid Bousset, ainsi qu'à mes camarades de résidence Ida Hattemer-Higgins, Giorgio Vasta, Saša Stanišić, Ófeigur Sigurðsson, Corinne Larochelle et Rhea Germaine Denkens.

Je remercie tout particulièrement Marcela Van Hout, qui a généreusement partagé avec moi ses memorabilia de l'Expo et ses souvenirs d'hôtesse.

Toute l'équipe de la Koninklijke Bibliotheek van België m'a aidé à retrouver les numéros restants du magazine *Spoutnik*, d'où l'article du distingué travailleur scientifique Youri Frolov, « L'homme du Vingt et Unième siècle », est tiré mot pour mot. Jane Harrison de la Royal Institution de Londres a fait des copies des articles de sir Lawrence Bragg sur la présence britannique à l'Expo 58, et Sonia Mullett du BFI m'a permis de visionner les images d'archives.

D'autres encore m'ont prodigué leur aide et leurs conseils et m'ont inspiré à bien des titres : Rudolph Nevi, Marc Reugebrink, Stefan Hertmans, Paul Daintry, Ian Higgins, Tony Peake, Nicholas Royle et Chiara Codeluppi.

Ce roman puise dans de nombreuses sources constituées et tout particulièrement les Mémoires de James Gardner publiés à compte d'auteur : *The ARTful Designer* (1993), où j'ai découvert les tribulations du fac-similé de la ZETA ; le calendrier de la Foire au jour le jour dans le livre de Jean-Pierre Rorive *Expo 58... ambiance!* (Tempus, 2008) ; l'excellent chapitre de Jonathan Woodham, « Entre plusieurs mondes, le site britannique », dans *L'Architecture moderne à l'Expo 58* (Dexia, 2006), et pour de nombreux détails sur l'espionnage en contexte *World of Fairs : the Century-of-Progress Expositions,* de Robert W. Rydell (University of Chicago Press, 1993).

Ma description de l'intérieur du Britannia dans le chapitre « Un drôle de paroissien » est empruntée presque mot pour mot au fascicule de souvenirs intitulé *The Britannia Inn : Universal and International Exhibition, Brussels* (Whitbread, 1958) ; l'histoire du successeur du Britannia à Douvres et de ce qu'il en advint se trouve sur

http://dover-kent.com/Britannia-Townwall-Street.html.

Composition PCA/CMB Graphic
Achevé d'imprimer
par Normandie Roto Impression s.a.s.
61250 Lonrai
Dépôt légal : janvier 2014.
Numéro d'imprimeur : 1400182
ISBN : 978-2-07-014279-8 / Imprimé en France.

255958